LE SAINT PATRON

DES MER

Mark Frutkin

VEILLES

Traduit de l'anglais par
Catherine Leroux

alto

Catalogage avant publication de Bibliothèque et Archives nationales du Québec et Bibliothèque et Archives Canada

Frutkin, Mark, 1948-

[Fabrizio's return. Français]

Le saint patron des merveilles

Traduction de : Fabrizio's return.
Publié en formats imprimé(s) et électronique(s).

ISBN 978-2-89694-306-7 (couverture souple)
ISBN 978-2-89694-307-4 (EPUB)
ISBN 978-2-89694-308-1 (PDF)

I. Leroux, Catherine, 1979-   . II. Titre. III. Titre : Fabrizio's return. Français.

PS8561.R84F3214 2017   C813'.54   C2017-941339-2
PS9561.R84F3214 2017   C2017-941340-6

Les Éditions Alto remercient de leur soutien financier
le Conseil des arts du Canada et la Société de développement
des entreprises culturelles du Québec (SODEC).

Gouvernement du Québec — Programme de crédit d'impôt
pour l'édition de livres — Gestion SODEC

Financé par le gouvernement du Canada | Canadä

Nous reconnaissons l'aide financière du gouvernement du Canada par l'entremise
du Programme national de traduction pour l'édition du livre, une initiative de la
*Feuille de route pour les langues officielles du Canada 2013-2018 : éducation,
immigration, communautés,* pour nos activités de traduction.

Illustrations : Estée Preda
estherapreda.com

Titre original : *Fabrizio's Return*
Éditeur original : Vintage Canada, une division de Random House of Canada

Pour Faith

LISTE DES PERSONNAGES

XVIIe siècle

Don Fabrizio Cambiati, candidat à la sainteté
Omero, son valet
Agostino, duc de Crémone
Maria Andrea, duchesse de Crémone
Rodolfo, l'Homme des roseaux
Niccolò, luthier

XVIIIe siècle

Monsignor Michele Archenti, avocat du diable
Pietro, duc de Crémone
Francesca, duchesse de Crémone
Elettra, leur fille
Maria Andrea, duchesse mère (*duchessa madre*)
Rodolfo, l'Homme des roseaux
Padre Attilio Bodini, un prêtre hiéronymite

Les acteurs de la commedia dell'arte

Arlecchino
Pantalone
Aurora et Ottavio, amants
Ugo le Mantouan

CHAPITRE I

✳

LA TOUR

26 août 1682
Crémone, Italie

— Omero, debout !

À l'est, Mercure, Saturne, Jupiter et Mars se détachaient une à une de l'horizon, formant une ligne droite qui traversait le ciel. La lune n'était pas encore entrée dans son premier quartier, et Orion le Chasseur sauta par-dessus les murs de la ville, les trois étoiles de sa ceinture lançant des flèches de lumière. Don Fabrizio Cambiati se pencha sur le parapet en haut de la tour pour voir l'horloge sur la façade du campanile. À l'envers, il lut : quatre heures quarante-cinq.

C'est alors qu'il aperçut ce qu'il attendait. La comète. Dans le coin de son œil, presque derrière lui. Il se retourna.

— Omero, debout !

Petit homme dont l'énorme tête arrivait à peine à l'épaule du prêtre, Omero se hissa sur ses pieds et tituba jusqu'au muret, la bouche ouverte de stupeur.

— *Dio mio,* souffla-t-il en grimaçant, de peur d'être aspergé par les vapeurs célestes de la comète. J'aperçois le visage de l'être aux pattes de chèvre! Sauvez-moi, Fabrizio!

— Calme-toi.

Près de l'horizon, la tête de la comète brillait d'un blanc argenté, sa queue composée d'un brouillard de plumes luminescentes, comme si quelqu'un avait enflammé une colombe et l'avait lancée par-dessus les remparts.

Ensemble, ils regardèrent et s'émerveillèrent tandis que la comète filait vers et à travers les cieux, lent disciple longeant, un cierge à la main, une rangée de bougies pour les allumer une à une. Normalement, la lueur d'une grande comète aurait dû atténuer l'éclat des étoiles, mais celle-ci n'était pas une comète ordinaire, loin de là. Elle embrasait le firmament. Elle ravivait les constellations, éclaircissait les étoiles sur son passage, faisait irradier les durs diamants de la ceinture d'Orion, les reflets à la surface du seau du Porteur d'eau, les pépites de lumière dans les yeux du Lion, les étincelles sur les sabots du Taureau, sur les cornes du Bélier.

Tard l'après-midi précédent, le curé et son valet avaient amorcé leur ascension du *torrazzo* qui se dressait sur la grand-place de Crémone, la plus haute tour de cette cité aux cent tours.

Omero, qui s'était endormi à l'entrée du campanile en attendant le prêtre, s'était tant bien que mal hissé sur ses pieds lorsque son maître était arrivé, hors d'haleine. Aussi noire et lustrée que si on l'avait trempée dans l'encre, la riche chevelure de Fabrizio Cambiati était soigneusement peignée vers l'arrière. Curieusement, ses yeux bruns, plantés dans un visage buriné, semblaient mal assortis; l'un était heureux, l'autre triste. Avec sa soutane sombre qui lui tombait aux chevilles, Cambiati paraissait plus grand qu'il ne l'était. Bien qu'on ne pût le qualifier de beau, il affichait lorsqu'il souriait une chaleur lui conférant un air de jeunesse qui démentait son âge mûr.

Le prêtre jeta un regard dans la direction d'où il était venu.

— J'ai passé tout l'après-midi au chevet d'un patient. Incroyable, l'efficacité du ricin et des gousses de séné moulues lorsqu'on fait face à un sérieux blocage. Maintenant, viens vite, Omero.

Fabrizio se glissa dans l'ombre.

— Je crois que sa femme était sur le point de me forcer à prendre un panier de pain et de fromage en guise de paiement, un présent dont elle ne peut guère se permettre de priver sa famille. Je l'ai vue me suivre dans la rue. Vite !

À l'intérieur de la tour, ils montèrent l'escalier de pierre usée qui tournait à quatre-vingt-dix degrés à chaque coin.

Omero trimballait un panier de victuailles. Des tranches de jambon, une miche de pain frais, des raisins nebbiolo, un morceau de fromage blanc ferme, une bouteille remplie d'un vin rouge vif et un melon vert de la taille d'une tête humaine. Le serviteur s'arrêtait souvent pour reprendre son souffle, posait le panier à ses pieds, s'appuyait contre la fraîcheur du mur de brique.

Fabrizio transportait une liasse de feuilles dans une main et, dans l'autre, un objet long et mince enveloppé dans une étoffe.

— Avance un peu plus vite, Omero. À ce rythme, elle nous rattrapera sans peine.

Le prêtre jeta un œil au bas de l'escalier, se retourna et reprit son ascension. Puis, il remarqua une fenêtre taillée dans la pierre.

« Non, attends. »

Il regarda dehors et scruta la piazza, tout en bas. Plusieurs édifices bordaient la place rectangulaire : la tour où ils se trouvaient, l'immense cathédrale adjacente et, à la droite de celle-ci, un baptistère à huit faces. À l'opposé du campanile se dressait la mairie et, à côté, une petite armurerie aux airs de forteresse, puis une rangée d'étroites échoppes à l'autre bout, dont la boulangerie et l'atelier de Niccolò, le luthier. Quelques personnes causaient sur la piazza, mais il n'y avait aucune trace de l'épouse de son patient.

Ils recommencèrent à grimper et, bientôt, Omero se remit à haleter.

— Il est lourd, ce panier.

— Si tu n'avais pas insisté pour prendre cet énorme melon et la plus grosse bouteille de vin possible, ce serait plus facile. Tu ne peux t'en prendre qu'à toi-même.

Omero grommela et se mit à monter encore plus lentement. Puis il s'arrêta, espérant obtenir une pause en relançant la conversation.

— Pourquoi escaladons-nous cette tour ? Il fait trop chaud pour cela, aujourd'hui.

— Tu sais fort bien pourquoi. Je te l'ai dit hier. Tu ne te souviens pas ?

— Je n'écoutais pas.

Fabrizio soupira. Omero le dévisagea. Les yeux du prêtre étaient embués, comme toujours, nuit et jour.

— Si je gaspille ma salive à te l'expliquer à nouveau, qu'est-ce qui me garantit, Omero, que tu m'écouteras, cette fois ?

— Vous êtes un maître bien cruel. Ne pouvons-nous pas nous arrêter ici pour manger ?

— Non. Cesse tes jérémiades. Nous devons monter au point le plus élevé pour avoir la meilleure vue.

— Si vous pouviez porter le panier un moment…

— D'accord, donne-le-moi.

Don Fabrizio s'empara de la corbeille.

— D'abord, tu le remplis à ras bord et ensuite, tu t'arranges pour que je le transporte. Tiens, prends les cartes du ciel.

Avant de soulever le panier, il plaça l'objet allongé sur les victuailles.

Péniblement, ils continuèrent de gravir la tour aux murs et aux plafonds de brique brun-rouge.

— Alors, allez-vous me dire ce que nous allons voir, ou suis-je censé rester ignorant des raisons de cette… ascension ?

Omero avait prononcé ces derniers mots le doigt pointé en l'air, comme s'il venait de découvrir quelque chose de nouveau.

— Mais oui. Nous allons observer une étoile filante dans le firmament. Rodolfo m'a révélé qu'une grande comète passerait ce soir. Tu te souviens de lui ? Je lui ai sauvé la vie, tu te rappelles ? Un être profondément singulier. On le surnomme l'Homme des roseaux.

Le prêtre s'interrompit.

— M'écoutes-tu, au moins ?

— Comment ? Oh, je me disais… pensez-vous que nous pourrions arrêter à la *taverna* tout à l'heure, lorsque nous en aurons fini avec tout ça ?

Fabrizio s'arrêta pour dévisager son valet.

— Pourtant, un front massif est signe d'intelligence, habituellement…

Le prêtre continua :

— Nous regarderons la comète à travers cet instrument que l'on appelle un *telescopio*. Grâce à lui, nous rapprocherons les étoiles de la Terre. L'Anglais, le scientifique des cieux qui était ici l'an dernier, me l'a récemment envoyé en cadeau.

— Je me souviens de lui. Vous aviez passé maintes nuits à parler de toutes sortes de choses insensées auxquelles je n'entends rien.

Omero adressa à son maître un regard perplexe.

— Dites-moi donc, qu'est-ce qui passe dans le tube : l'objet éloigné ou l'œil ?

Fabrizio rit.

— Voilà une question à laquelle je ne saurais répondre. Bien que je sois certain que ni l'œil ni l'objet ne passent à travers le tube, ma compréhension des principes scientifiques qui sont en jeu est considérablement limitée. Je sais qu'il y a des miroirs à l'intérieur, et que d'une manière ou d'une autre… Mais viens, regarde plutôt.

Le prêtre s'arrêta et, avec précaution, il déposa le *telescopio* sur le large rebord de pierre d'une fenêtre. Il déplia ensuite l'étoffe indigo et révéla un instrument en bois de poirier d'environ trois pieds de long qui portait trois anneaux de cuivre.

Omero lui trouva une ressemblance avec un instrument de musique, fifre ou cromorne. Alors qu'il le fixait, un rayon de soleil pénétra par la fenêtre et rebondit sur l'anneau du centre. Il imagina que l'objet était rempli d'étoiles et de minuscules comètes qui ricochaient sur la paroi intérieure du tube et s'émerveilla qu'il n'explose pas sous ses yeux.

— C'est de la magie ?

— De la science, pas de la magie.

Omero opina d'un air pensif.

Ils recommencèrent à gravir l'escalier. Omero grogna :

— On dit que les comètes sont la fumée des péchés humains. Elles s'élèvent dans les cieux et crachent leur venin sur la terre et tous ceux qui s'y trouvent.

Il s'arrêta.

— Je n'aime pas ça. Je n'aime pas les comètes. Pas du tout.

— Je sais, je sais, acquiesça patiemment le prêtre.

Ils continuèrent à monter en spirale, en silence, soufflant maintenant tous les deux ; le seul autre son était le frottement de leurs souliers sur les marches de pierre.

Bien avant qu'ils n'arrivent à sa hauteur, ils entendirent son tic tac régulier, persistant. Ils atteignirent un tournant puis découvrirent en retrait de l'escalier une porte entrouverte. Elle menait à la pièce qui abritait le mécanisme de l'immense horloge astronomique de la façade du campanile. Ils s'arrêtèrent. Le prêtre se retourna pour regarder au bas de l'escalier.

— Je crois bien que nous avons semé la femme. Elle ne nous suivra pas aussi loin.

Ils s'assirent et se reposèrent un moment tout en contemplant la complexité des engrenages, poids et leviers du mécanisme.

— Qui l'a construite ? demanda Omero.

— Un serrurier du nom de Giovanni Divizioli. Tu connais peut-être ses descendants. Ils vivent toujours dans la paroisse Santa Lucia.

— Bien sûr ! Divizioli… le nom même est plein d'engrenages et de leviers.

— Oui. Ingénieuse observation. Parfois, tu m'épates vraiment, Omero.

Le prêtre fixait distraitement le mécanisme.

— Ça te rappelle quelque chose ? Tente une réponse.

Le petit homme scruta les entrailles de l'horloge, le visage tordu, comme s'il réfléchissait très fort.

— Je ne sais pas. Une chute d'eau ?

— Intrigant. Moi, cela me fait penser à la roue d'un moulin. Et que dirais-tu qu'elle moud, cette roue, dans son incessante rotation ?

Omero haussa les épaules.

— Le temps, mon ami. Elle moud le temps.

Omero grogna. Ils observèrent l'engin encore quelques instants puis ils se remirent à monter dans la tour. Le tic tac de l'horloge se fit progressivement plus léger au fur et à mesure qu'ils s'en éloignaient. Enfin, le bruit s'estompa complètement et ce fut comme s'ils passaient au-delà du temps, que leurs têtes s'enfonçaient de plus en plus loin dans le silence des cieux, dans l'horlogerie muette des étoiles.

Après une atroce montée marquée par de nombreuses pauses et par la constante rumeur des lamentations d'Omero, ils atteignirent une autre porte, sur leur gauche. En poussant le battant, Fabrizio découvrit les immenses cloches de la tour, sept en tout, suspendues en rang, immobiles et pesantes, chacune dédiée à un saint différent. Fabrizio tira un petit marteau de la poche avant de sa soutane et frappa tour à tour les sept cloches, puis inclina la tête pour écouter. Il cogna sur la cloche de sainte Agathe de Sicile une deuxième fois.

— *Ré* bémol. Savais-tu qu'Agathe était jeune, belle et riche ? Une aristocrate.

— Comme la duchesse.

Don Fabrizio se sourit à lui-même.

— En effet. Comme la duchesse. Sainte Agathe est la patronne des fondeurs de cloches et elle guérit la stérilité.

À nouveau, il tendit le bras pour frapper la cloche.

— Et savais-tu que sainte Thérèse a connu la transverbéra-tion du cœur?

Devant le regard interloqué d'Omero, il ajouta:

— Pendant un moment d'extase mystique, son cœur a été transpercé d'une flèche enflammée.

— Peut-être était-ce une comète tombée des cieux qui l'a pénétrée?

— Je t'en prie, Omero. Ton imagination galopante entraîne avec elle ton bon sens, ou ce qui en reste.

Il se pencha pour ramasser le panier de victuailles.

— Continuons.

Ils entamèrent la dernière montée, qui les conduisit enfin près du sommet de la tour, sur une terrasse de pierre aux para-pets crénelés. Comme ils sortaient à l'air frais, alors que le soleil commençait à descendre sur l'horizon, un groupe d'étourneaux s'envola dans le ciel, noir comme un nuage de fumée toxique.

— Nous avons atteint notre destination. Enfin, déclara Fabrizio en posant le panier au sol.

Omero, haletant, se mit à fourrager dans les victuailles.

Après le festin – le visage d'Omero était toujours enfoui dans une moitié de melon –, Fabrizio retira le *telescopio* de son étoffe. Le prêtre jeta un regard sur la lumière rougeâtre qui se déposait sur la ville, prêt à placer l'instrument devant son œil. Puis il regarda vers le sud et hésita.

— Viens voir ceci !

— Hmmm ?

Le valet se hissa sur ses pieds en s'essuyant la bouche sur sa manche.

— Quoi ?

Au sud, le ciel était teinté d'une légère brume couleur cannelle, un nuage qui flottait vers la ville.

Le prêtre plissa les yeux.

— Je crois que le sirocco souffle vers nous.

Le vent de Sirocco, qui transportait du sable fin du Sahara, s'approchait de la ville. Connu comme un vent vitreux, il reflétait la lumière et faisait paraître les objets distants plus proches.

— C'est bon signe ?

— On verra.

Fabrizio se retourna. À travers sa longue-vue, il scruta la piazza et les rues de Crémone qui rayonnaient, formant une étoile depuis le centre. La cité était loin d'être vaste, mais elle était dense dans l'enceinte de ses murailles ; d'un bout à l'autre, les maisons, palazzi, tours, églises et un dédale d'ateliers se serraient les uns contre les autres. Une centaine de ces ateliers appartenaient aux fabricants de violons et autres instruments à cordes qui avaient fait la réputation de Crémone. On ne voyait que peu d'espaces verts et, hormis la grand-place et les rues qui y menaient comme les rayons mènent au moyeu, la petite ville était un fouillis de ruelles et d'allées, un tumulte de structures de pierre et de bois ; un objet organique, spontané, palpitant d'humanité. Une odeur de bois brûlé monta des cheminées jusqu'à Fabrizio.

Il regarda à nouveau dans le *telescopio*.

— Tu vois les comédiens? Ils semblent être en train de se préparer à présenter une pièce de théâtre sur la place.

Omero se pencha sur le parapet, s'efforçant de réprimer son vertige et sa peur.

— Je ne vois rien. Une pièce de théâtre? Ils n'étaient pas là quand je suis passé tout à l'heure.

Le prêtre tendit l'instrument à Omero qui le plaça avec précaution devant son œil droit. Avec un cri d'exclamation, il fourra prestement le *telescopio* entre les mains de Fabrizio.

— Instrument diabolique! La ville est à l'envers!

— Oui, bien entendu. Tout ce qu'on voit à travers la lorgnette est inversé, à cause des miroirs qui se trouvent à l'intérieur, je crois.

Fabrizio souleva le *telescopio* et regarda au loin.

— *Per Dio!* J'ai l'impression que je pourrais voir à l'infini!

Il étudia la cité et l'horizon, pointant la longue-vue sur le Pô, dans le lointain.

— Oh, regarde, Omero, un bosquet de mûriers, près du fleuve. Cela me rappelle mon enfance, lorsque je ramassais des vers à soie... Mais qu'est-ce que c'est?

Il avait aperçu un cheval blanc qui portait deux cavaliers et filait le long du cours d'eau. Derrière, une demi-douzaine de soldats, eux aussi à cheval, ainsi qu'une voiture qui soulevait la poussière. À la surface du fleuve, le reflet de la file de chevaux et du carrosse paraissait être à l'endroit.

Fabrizio observa les deux cavaliers descendre du cheval blanc. L'homme aida la jeune fille avec tendresse et déférence. Malgré la distance, tout était inconcevablement clair dans la lentille, jusqu'aux gouttes de sueur qui perlaient sur les flancs de la monture. Soudain, les soldats arrivèrent, sautèrent à terre;

l'homme tomba à genoux pendant que le carrosse arrivait. C'était comme une scène d'opéra. Puis, tout disparut dans un flot de lumière.

Le prêtre éloigna le *telescopio* de son œil, le tint à bout de bras et l'examina. *Que suis-je en train de regarder ? Voilà un instrument bien étrange et merveilleux !*

Omero, pour sa part, s'était adossé au mur pour déguster son vin tranquillement. « *Vivace* », murmura-t-il en faisant claquer ses lèvres, les yeux fermés d'allégresse.

Fabrizio l'ignora. Son œil avait été attiré par autre chose. Dans une avenue étroite, une sage-femme de sa connaissance se pressait, ses jupes dansant au rythme de sa course. Fabrizio la perdit de vue un instant, puis elle réapparut dans une autre rue et se dirigea vers les grandes portes doubles du palais ducal situé derrière la tour, non loin de la place. Dès qu'un serviteur lui ouvrit, elle disparut à l'intérieur sans même attendre que le battant soit complètement ouvert. Fabrizio souleva son *telescopio* pour aviser une fenêtre au premier étage du palais et, à travers les volets béants, il aperçut la belle et jeune duchesse étendue sur son lit. La sage-femme entra dans la chambre et dans son champ de vision, et s'approcha du lit pendant que la duchesse se cambrait en criant. Fabrizio voyait sa bouche s'ouvrir, mais, à cette distance, il n'entendait rien. Son cœur bondit. Il se mordit la lèvre sans cesser de regarder. *L'enfant arrive !*

Dans le *telescopio*, il vit le duc Agostino défiler dans les rues en bombant son torse puissant. Le visage plein d'anticipation, il célébrait la naissance de son premier enfant. Fabrizio baissa l'instrument et se sourit tristement à lui-même, perdu dans ses pensées.

Derechef, il approcha la lentille de son œil. Sous les ultimes rayons du soleil, le monde était brillant, lumineux. Il repéra Rodolfo qui marchait seul le long du fleuve, le squelette sur son dos, et soudainement, il le vit à nouveau, jeune cette fois. *Comment est-il possible que je voie cela ? Comment se fait-il que l'instrument me permette d'observer une chose pareille ?* Il aperçut encore Rodolfo à une autre époque, étendu dans les roseaux sur la berge, inerte, en apparence mort. Puis, il remarqua un chariot qui s'éloignait.

— Omero, écoute. Cet instrument a quelque chose de très inusité. En vérité, j'ignore si je contemple le passé, le présent ou le futur. Ou peut-être les trois à la fois. Viens, regarde encore.

Il tendit le *telescopio* à Omero.

— N'aie pas peur.

Le petit homme plaça l'objet devant son œil.

— Que vois-tu ?

— La pièce est sur le point de commencer sur la place.

L'obscurité était tombée avec ses soupçons glacés d'étoiles, mais pas de comète en vue. La nuit avançait, et ils attendaient toujours, Fabrizio avec philosophie, Omero avec une impatience croissante.

— Où est-elle ? Le coq est sur le point de chanter et je n'ai rien vu. Où est cette damnée comète ? Elle ne viendra pas, c'est ça ?

— Patience.

Fabrizio balayait les cieux de son *telescopio*.

— En tout cas, la nuit est magnifique. Regarde-moi ces étoiles : elles seront encore là bien longtemps après notre départ, et elles y étaient bien avant notre arrivée…

Omero bâilla.

— Il faut que je dorme.

Il s'installa confortablement contre le mur intérieur de la tour. Bientôt, Fabrizio l'entendit ronfler.

Pendant ce temps, le prêtre observait le ciel, et attendait.

Finalement, la comète était venue. Dans la pénombre qui précédait l'aube de la Saint-Félix, ermite méconnu originaire de Pistoia, le prêtre avait joyeusement réveillé Omero. À présent, tous deux contemplaient l'étoile filante qui brodait lentement les constellations, en commençant par les frères Gémeaux, se dirigeant ensuite au sud-est pour un éventuel rendez-vous galant avec la Vierge.

La peur d'Omero s'était dissoute devant la splendeur du spectacle céleste. Lui et Fabrizio étaient subjugués.

Tout à coup, le prêtre baissa les yeux vers la grand-place.

— Tu entends quelque chose ?

Omero regarda au loin.

— Le matin approche. Ce sont peut-être les gardes qui ouvrent les portes ?

— Non. C'est autre chose. Un coche.

Fabrizio reprit son *telescopio*. Dans la lumière lisse du point du jour, il vit un carrosse noir tiré par quatre chevaux émerger de la bouche sombre d'une rue, avancer sur la place avec fracas et s'arrêter. L'un des chevaux frémit et secoua la tête.

Le vernis de la voiture était si noir qu'il luisait, reflétant l'horloge astronomique de la façade du campanile. Sous les yeux de Fabrizio, la porte du coche s'ouvrit, un chapeau rond et noir apparut et un clerc vêtu d'une soutane noire descendit. Bien droit, le prêtre observait la piazza. Sa posture calme en disait long sur l'homme qu'il était, sur sa solidité, sa fierté et son importance. Même de loin, Fabrizio pouvait discerner avec une étrange netteté son visage, ses yeux pénétrants et rayonnants d'une sombre intelligence.

« Un jésuite », murmura Fabrizio.

CHAPITRE II

Les gens aiment à parler des miracles de Fabrizio Cambiati. Cela donne un éclat à leur vie; cela illumine leurs jours. Ils affirment que sa main gauche étincelait et diffusait des rayons lumineux, que les cierges de l'église s'allumaient sur son passage. Un jour, dit-on, il priait dans la cathédrale et le Christ serait descendu de la croix pour lui prendre la main. Il avait fallu quatre hommes forts pour desserrer la poigne du Sauveur. Les croyants rapportent des douzaines d'incidents au cours desquels ils auraient été guéris après avoir prié Cambiati. La ville vit dans un impossible état de grâce: les guérisons sont plus nombreuses que les afflictions.

***

L'AVOCAT DU DIABLE EXPLIQUE SA MISSION

1758
Crémone

Plus de trois quarts de siècle après Fabrizio Cambiati, moi, Michele Archenti, avocat du diable, suis allé à Crémone avec la mission d'enquêter sur la vie de ce candidat à la sainteté. Alors que le coche noir tiré par quatre chevaux vigoureux filait dans la plaine lombarde sous de vastes cieux, l'azur était aussi clair que l'eau d'un lac alpin. Mais cela ne durerait pas. Déjà, dans les marges du paysage, j'entrevoyais un brouillard impénétrable qui approchait.

Sous un nuage, j'avais quitté Rome, nid de vipères grouillant de complots et de sous-complots, et il me semblait que ce nuage était resté accroché à moi. Quelque chose flottait dans l'air de la Ville éternelle – je n'arrivais pas à mettre le doigt dessus –, une malveillance inédite, enrichie. Tout cela me laissait un inexorable goût de sang dans la bouche. Mon état d'esprit s'était mis à refléter cette atmosphère. Ma vie commençait à me paraître vide, à empester le néant. J'ignorais quand cela avait débuté, mais le nuage qui surplombait le Vatican m'affectait, pénétrait mon esprit et mon cœur pour me tirer vers le bas. Je me sentais troublé, mal à l'aise, comme si une infection étrangère s'était insinuée dans mes veines. Tout le monde déteste ou craint l'avocat du diable, et cela commençait à me peser, même avant que le cardinal Cozio fasse une remarque sur mon apparent épuisement devant l'assemblée de la curie. Mais en tant qu'avocat du diable, j'avais un devoir, et je l'accomplirais. Je commençais à me demander si je ne m'accrochais pas à cela comme le proverbial noyé s'accroche à un bout de bois flottant.

Les gens du commun s'attendent à ce que l'avocat du diable, soit non seulement intelligent, mais aussi sage, et doté d'une capacité à lire les âmes et les esprits, si troubles soient-ils. J'ai toutefois appris qu'il est bien des choses que je ne comprends pas et ne comprendrai jamais. Pourquoi, par exemple, les étrangetés météorologiques s'accompagnent-elles si souvent d'événements inexplicables ? Je ne parle pas des pluies de crapauds, des langues de feu vertes ou des neiges noires que ces vieux ratés d'alchimistes évoquent à mi-voix, mais plutôt d'un temps un peu bizarre, curieux à sa façon. Le climat, voyez-vous, est une sorte de musique qui suit toutes nos interactions, nos gloires et nos échecs, nos rêves inavouables et nos passions secrètes, infinies.

Tant que nous serons ici-bas, les éléments, fidèlement, chanteront pour nous : le soupir contralto du vent, les gammes galopantes de la pluie, la chanson susurrée de la neige qui descend doucement.

L'histoire, telle que je me la rappelle au mieux de mes capacités, a commencé dans la brume, où elle s'est attardée un moment avant de se dissoudre. Le soleil perçait à l'occasion, si je ne me trompe pas. Et vers la fin, nous avons eu plusieurs journées de temps très clair, un contraste radical avec les sombres événements du moment. Je m'efforce, voyez-vous, de raconter la vérité telle que je me la remémore, mais ce sera une tâche plus difficile qu'on pourrait l'imaginer. Le problème n'est ni la pauvreté ni la porosité de ma mémoire, mais la brume qui nous enveloppait, qui m'enveloppait, qui pénétrait les vêtements et la peau et s'insinuait dans la matière même du cerveau, où elle brouillait et déformait toute perception, tout souvenir.

Le général de la Compagnie de Jésus – le chef des Jésuites – m'avait envoyé à Crémone en tant qu'avocat du diable, briseur de saints, éreinteur du sacré, chicaneur de démons.

Et j'y ai trouvé le sacré, plus vivant et radieux que la musique la plus sublime. J'y ai aussi trouvé le mal – une puanteur qui m'afflige encore et force mes narines à se refermer en même temps que mes yeux et mes oreilles et, encore plus résolument, mon cœur.

Mon père, pardonnez-moi, car j'ai péché, *nous* avons péché, *ils* ont péché, peut-être même – excusez mon impertinence – les cardinaux les plus éminents ont-ils péché.

Et pourtant, il y avait du sacré dans tout cela, qui miroitait comme la musique honore et bénit le silence d'où elle est venue.

Mon histoire touche à des vérités profondément enfouies qui peuvent éclater au grand jour, sans prévenir, par un gris matin de printemps où les champs sont alourdis de brouillard.

C'est par un matin comme celui-là que je suis arrivé dans la cité de Crémone, après deux semaines à bord d'un coche bruyant qui vous pétrifiait les os ; deux semaines à parcourir près de trois cents milles depuis Rome. On prenait d'abord l'ancienne voie romaine, la Via Flaminia, puis la Via Aemilia à Rimini et, de là, on atteignait Bologne. Après une agréable nuit dans cette jolie ville, nous avons gagné Plaisance sur le Pô, d'où nous sommes parvenus à la Via Postumia et, enfin, à Crémone.

Ce n'est pas une mince tâche que d'endosser le rôle d'avocat du diable. Le nom même en inquiète plus d'un, mais j'étais convaincu de l'importance de mes responsabilités et déterminé à les exercer pleinement, comme je l'avais fait au cours de mes douze cas antérieurs. Je prenais mon devoir au sérieux. L'avocat du diable est un avocat canoniste de l'Église, nommé par le général des Jésuites. Mon titre officiel était « promoteur de la foi ». Le Promotor Fidei est communément appelé avocat du diable, car son mandat est de chercher les tares morales de tous les candidats à la sainteté.

Dans chacun des cas précédents, je suis parvenu à dénicher des lacunes dans la vie de celui que l'on proposait comme saint. À Florence, le supposé glorieux était un assassin. Le meurtre, discret et ingénieux, accompli au moyen de poison, n'en demeurait pas moins un meurtre. Lors d'un autre cas, dans un village près de Palerme, j'ai révélé que le soi-disant saint avait été un sodomite et, à Naples, un voleur. À Venise, un candidat à la sainteté se servait d'un couvent rempli de religieuses comme de son bordel privé – à quoi d'autre pourrait-on s'attendre dans cet antre de luxure et de débauche ? Comprenez bien, je vous en prie : ce n'est pas tant la luxure qui m'horripile, mais l'hypocrisie. (Pardonnez ma franchise, mais j'ai pris l'habitude d'énoncer des vérités difficiles. Déformation professionnelle.)

Une autre fois, j'ai voyagé jusqu'en Arles, en France, pour y découvrir un hérétique : un saint, peut-être, mais destiné à un autre paradis. En Espagne, dans la ville de Pampelune, j'ai démasqué un clerc adepte de bestialité. Mon cas le plus récent a permis de lever le voile sur un fabulateur. Un simple menteur, certes, mais quelles inventions ! Toute la population de Brindisi était convaincue de sa sainteté, mais je n'ai pas eu à chercher bien loin pour constater qu'il mentait comme un Grec. Oui, quatre-vingts ans après sa mort, il était évident qu'il avait rédigé une série de manuscrits visant précisément à mener à sa canonisation. J'ai dû passer quatre mois dans cette ville sombre pour trouver la vérité, mais j'ai fini par y parvenir.

Dans chacun de ces cas, le pécheur avait un défenseur, habituellement un cardinal ou un évêque issu de la même région que le candidat, qui avait proposé la béatification de l'individu en citant des gestes de sainteté et d'extrême générosité ainsi que des miracles, en plus d'actes pénitentiels d'une brutalité à faire blêmir un barbier chirurgien. Ces exemples, toujours bien étayés et attrayants, étaient tous fondés sur des hallucinations, de l'hystérie, de l'exagération et des faussetés absolues. Aucun des douze n'était un saint, malgré les hauts cris des fidèles de leurs villes et villages, malgré les protestations des cardinaux et des archevêques.

Je ne réponds, voyez-vous, à personne d'autre qu'à Dieu, à notre mère l'Église et à la Compagnie de Jésus. Et au Diable, s'il le faut.

Dans chaque cas, la décision était mienne. J'en ai assumé la responsabilité, j'ai joué le rôle du suppôt de Satan. Dans chaque cas, c'est la véhémence de mon rapport au Collège qui a écrasé la proposition de canonisation. Je ne suis pas cynique, toutefois. En fait, je demeure convaincu que le cynisme est le grand péché de notre époque. Mais, tout comme le chien s'accroche à son os, je me voue à la Vérité. La Vérité, et rien que la Vérité.

Je croyais que j'étais destiné à découvrir un grand saint. J'avoue qu'il y avait peut-être un soupçon de folie là-dedans. Il s'est souvent avéré que les vrais saints frôlaient la démence.

Si je voulais reconnaître cette folie, il me fallait l'avoir ressentie moi-même, la connaître au fond de mon cœur afin de mieux percevoir sa véritable manifestation lorsque je la verrais. Je ne m'attendais pas à ce qu'elle se présente sous le masque d'une beauté féroce et dangereuse.

Comme je disais, je suis arrivé à Crémone au point du jour après avoir voyagé toute la nuit. Mon imbécile de cocher s'était égaré et, incapables de trouver l'auberge, nous avions poursuivi notre chemin en nous arrêtant de temps en temps pour que les chevaux se reposent. Déjà, un manteau de brouillard gris pendait bas sur la campagne ; il flottait comme un fantôme dans les rues de la cité à notre arrivée.

J'avais l'impression que ce brouillard magnifiait les sons ; alors que nous roulions sur les pavés, le fracas de la voiture et des sabots des chevaux se répercutait sur les murs autour de la grand-place. En descendant du coche et en me retournant pour en fermer la porte – l'immense horloge de la tour se reflétait sur son vernis noir lustré –, j'ai senti que quelqu'un m'observait.

J'ai fait volte-face et scruté la piazza. Quelques ouvriers matinaux tiraient des charrettes, l'une remplie de planches, l'autre chargée de rondelles de fromage. Ce lieu évoquait une ville provinciale prospère située dans une région paysanne, ce dont, justement, il s'agissait.

J'ai noté que l'élément le plus remarquable de la place était l'immense tour de brique rouge, incroyablement haute, qui oscillait dans les cieux. À côté se dressait une cathédrale ; de sa façade en marbre nacré, une foule de saints de pierre vous regardaient, leurs visages figés en une paralysie plus sévère que sereine. La cathédrale était ornée d'une délicate rosace et d'innombrables petites tours pointues d'inspiration byzantine qui me rappelaient Venise. De l'autre côté du *duomo* s'élevait la mairie, sombre et menaçante avec son portique profond et ombragé et son rempart crénelé qui longeait la ligne de toit. À l'autre bout de la place, à angle droit par rapport à la cathédrale, un baptistère à huit faces attendait les nouveau-nés, pendant qu'à l'autre extrémité se dressait une rangée d'ateliers qui, à cette heure matinale, ne montraient aucun signe d'activité.

En apparence, l'endroit paraissait plutôt calme, mais je ne pouvais m'empêcher de me demander ce qui se cachait sous la surface. J'avais plus d'une fois découvert que là où il y a de grands saints, on trouve aussi de grandes tentations et le mal absolu, car pour se révéler, la sainteté doit affronter et vaincre de puissants démons.

Depuis son perchoir, le cocher au visage rougeaud m'a interpellé. Il voulait savoir où je souhaitais que l'on fasse porter mes malles.

Je me suis installé dans mes appartements, une suite fonctionnelle au sein du presbytère qui jouxtait la cathédrale, tout au fond de la grand-place. En guise de logement, on m'avait octroyé un trio de pièces retirées ainsi qu'un parloir et, près de l'entrée, un vaste bureau lambrissé de bois sombre où je pourrais mener mes entretiens. Mes malles avaient été placées dans la chambre, contre le mur du fond. L'une renfermait mes effets personnels ; l'autre contenait papiers et manuscrits, les *positiones* et *vita* relatives au cas Fabrizio Cambiati.

Lorsque, à Rome, j'avais rencontré la Sacrée Congrégation des rites pour discuter de Don Fabrizio, j'avais lu la *vita*, le compte rendu de la vie du candidat, de ses vertus, de sa mort et des miracles qu'on lui attribuait. À ce moment, j'avais aussi compulsé les *positiones*. Il y avait plusieurs rapports de la part de Padre Merisi de Crémone, que je m'attendais à rencontrer sous peu, ainsi que des documents et affidavits plus anciens, rédigés par les trois prédécesseurs du monseigneur, qui comprenaient les récits des miracles de Padre Fabrizio Cambiati fournis par des témoins oculaires. J'avais en outre apporté mon exemplaire écorné du volume *Sur la béatification des servants de Dieu et sur la canonisation des bienheureux,* du pape Benoît XIV. Comme tout bon avocat, je voulais me préparer le mieux possible à un éventuel procès de la vie de Cambiati. J'avais réexaminé les documents durant le long voyage en carosse depuis Rome pour m'assurer que je connaissais le dossier sous toutes ses coutures.

Les faits étaient les suivants : Fabrizio Cambiati était né dans le village de Crema, situé sur la route qui sépare Crémone et Milan, un lieu reculé, perdu au milieu des plaines de Lombardie. Très tôt, disait-on, il avait porté des manifestations de stigmates, de manière plus évidente et fréquente sur la main gauche. *A mano sinistra.* J'avais pris ce détail en note.

Les documents faisaient mention de quelques-uns parmi les centaines de miracles attribués au candidat, chacun d'eux singulièrement douteux.

Le premier supposé miracle s'était produit lorsque le jeune Fabrizio, alors âgé de six ans, déjeunait avec sa petite sœur de quatre ans. La fillette s'était étouffée avec un morceau de viande. Le père se trouvait dans la hutte voisine, où il s'occupait de ses vers à soie. La mère, incapable de dégager l'obstruction, avait couru le chercher. À leur retour, les parents avaient constaté que l'enfant était sauve. Le garçon s'était apparemment emparé de la buire qui était sur la table pour verser de l'huile d'olive dans la gorge de la petite. Il leur avait montré comment il lui avait frotté le cou, doucement, lui permettant ainsi d'avaler la bouchée de viande.

Le candidat avait accompli un autre soi-disant miracle quelques années après son ordination, alors qu'il avait quitté

Crema pour Crémone. Un vieil homme de la ville, aveugle de naissance, lui avait demandé une pommade pour son pied malade. Cambiati s'était taillé une certaine réputation grâce à ses onguents et remèdes (il s'agissait là de remèdes médicinaux d'un genre ordinaire et non miraculeux). Après avoir traité le pied, Cambiati avait frotté un baume sur les paupières de son patient. En quelques instants, l'homme avait recouvré la vue, et était parti sillonner la ville pour chanter les louanges de Cambiati. Il est à noter que le pied ne fut jamais guéri.

Le dernier miracle s'était produit après la mort du candidat. Quand l'évêque de la cité avait appris que Cambiati risquait d'être considéré en vue d'une béatification, il avait fait exhumer sa dépouille pour la protéger des voleurs et chasseurs de reliques. Lorsqu'on avait soulevé la pierre tombale, les officiels présents sur les lieux avaient remarqué une odeur délicieuse, enivrante qui émanait du cercueil et du suaire blanc dont était enveloppé le squelette.

Attestés par la populace des environs, ces présumés miracles avaient été consignés dans les documents officiels avec une foule d'autres témoignages d'habitants de la ville qui rapportaient que leurs prières à Cambiati avaient été exaucées par le candidat depuis longtemps décédé. Ce genre d'affirmation, il va sans dire, demeure toujours suspect.

Les prodiges cités pouvaient tous être assez facilement écartés. Le premier était possiblement le fruit de la bonne fortune de l'enfant. Le suivant, la guérison de l'aveugle, était un peu plus intrigant. Le troisième, l'odeur de la tombe, n'était pas un vrai miracle non plus. Je soupçonnais qu'une fois les audiences commencées, une multitude d'autres affirmations douteuses de la part des paysans de la région feraient surface. Les paysans rêvent tous d'avoir leur propre saint.

Une fois retiré dans mes appartements, j'ai délicatement sorti de mon coffre le linceul qui avait enveloppé le corps de Cambiati. L'étoffe avait été envoyée à Rome, où on me l'avait transmise. Je la tenais maintenant dans ma main afin de la humer. S'en dégageaient les odeurs mêlées du chèvrefeuille et de la fleur de citronnier, un parfum qui n'était pas sans rappeler la fourrure d'un chien après une course dans un champ de fleurs sauvages, au début de l'été. Le suaire de coton élimé était d'un blanc immaculé. À nouveau, je l'ai placé sous mon nez pour le sentir. Je fus pris par l'envie de le respirer tout l'après-midi. L'odeur, réalisé-je, me plongeait dans une délicieuse langueur ; elle m'enivrait d'une manière des plus agréables. Le soleil qui surplombait la brume basse rayonnait à travers la fenêtre, sur les papiers qui recouvraient mon bureau. En passant mes doigts là où la lumière touchait le meuble, j'ai senti sa chaleur. J'étais éveillé, mais extrêmement paisible et calme. Le monde semblait s'être arrêté.

La gouvernante a frappé à ma porte. J'ai levé les yeux ; elle m'annonçait le repas du soir. J'ai réalisé que des heures s'étaient écoulées. Considérant le linceul qui se trouvait toujours dans ma main, je l'ai replié puis placé sur mon bureau. Bien que je sois un prêtre de l'Église et que je croie sincèrement en la possibilité de la sainteté, je ne crois pas aux miracles.

LA BIBLIOTHÈQUE D'UN ALCHIMISTE

— Mon bon père, que regardez-vous ainsi bouche bée?

— Je… je ne m'attendais pas à ce que l'avocat du diable soit si jeune.

Padre Merisi affichait un air dérouté; des perles de sueur garnissaient sa tête presque chauve. Il se tordait les mains sans arrêt.

— Je suis loin de l'être, mais j'imagine que je suis jeune pour un avocat, c'est vrai.

Le vieux curé arrivait à peine à regarder le jésuite.

— Pardonnez-moi, Votre Excellence. C'est que… je n'avais simplement jamais rencontré un avocat du diable…

— À quoi vous attendiez-vous? À Satan en personne?

Le jésuite sourit, mais avec un air narquois qu'il ne prit pas la peine de dissimuler. Il ne fit pas non plus l'effort de corriger l'erreur du prêtre, qui l'avait appelé «Votre Excellence». L'ancien avocat du diable avait été un archevêque, et méritait certainement ce titre glorificateur, mais ce n'était pas le cas d'Archenti. Suivant l'exemple de Padre Merisi, les Crémonais avaient adopté la même expression pour s'adresser à lui. Ce nouveau statut plaisait bien à l'avocat.

— Je suis un humble serviteur du Christ.

Il s'inclina légèrement.

— Vous n'avez rien à craindre. Je ne suis ici que pour accomplir une tâche très simple.

Son allure contredisait la douceur de ses mots ; ses yeux noirs semblaient pénétrer son interlocuteur pour voir, au-delà de la surface, le noyau de son être. Toujours à chercher les intentions cachées, les motifs secrets derrière les propos des gens.

— Votre Excellence, j'implore votre pardon. Bien que, signe de notre bonne fortune, nous possédions plusieurs tours ici à Crémone, nous ne sommes qu'une petite cité loin de Rome. On peut marcher de la porte est à la porte ouest en moins de vingt minutes.

Le curé baissa la tête et se tordit les mains.

— Cela n'a pas d'importance. J'aimerais que vous me conduisiez à l'ancienne résidence de ce Fabrizio Cambiati. À ce qu'on m'a dit, sa maison a été préservée.

Le prêtre s'emballa.

— Mais oui, par ici, Votre Excellence. Venez, venez.

Ils se trouvaient devant la cathédrale de la grand-place, près d'une paire de lions de pierre couchés qui gardaient l'entrée du *duomo*. Padre Merisi guida l'avocat du diable le long du pourtour de la place, sous l'immense horloge du campanile. En passant dessous, le jésuite leva les yeux.

— Dites-moi, Don Merisi, pourquoi cette horloge a-t-elle quatre aiguilles ?

L'énorme horloge astronomique de la façade du *torrazzo* possédait en effet quatre aiguilles. Don Merisi expliqua :

— L'aiguille à laquelle est fixé un soleil marque les heures du jour et de la nuit ; celle avec la lune désigne les phases de la lune. Les deux autres, d'après ce que j'en comprends, Votre Excellence, pointent les jours et les mois de l'année ainsi que les constellations et les signes du zodiaque.

Le fond de l'horloge était élégamment orné desdits signes, du Bélier aux Poissons.

Le curé poursuivit ses explications :

— Quand l'aiguille du zodiaque est alignée avec celles du soleil et de la lune, cela indique une éclipse. C'est ce que j'en comprends, Votre Excellence.

— Je vois, dit l'avocat alors qu'ils tournaient à droite dans la Via Santa Maria.

Ils descendirent ensemble la rue pavée qui déviait vers un dédale de maisons, derrière la cathédrale. Une femme versa un seau d'eau dans le caniveau devant eux, leva les yeux et sourit au curé. Lorsqu'elle remarqua le jésuite qui la regardait avec une pénétrante intensité, son sourire s'éteignit. Elle rentra chez elle à la hâte. Deux enfants les doublèrent en courant, accompagnés d'un chien qui jappait en bondissant. L'odeur du pain chaud flottait dans l'air, ainsi que les relents d'ordures putrides et d'eaux usées qui s'élevaient de la rue.

Bien que la journée ait commencé avec une pluie printanière et une brume pesante, tout en haut, le soleil brillait sans tout à fait enlever la grisaille, l'infusant plutôt d'une lueur opalescente, et rendant l'air moite.

— Croyez-vous que nous aurons notre saint à nous, Votre Excellence ? Est-ce possible ?

— Il est beaucoup trop tôt pour se prononcer.

Le jésuite ne souhaitait pas en dire davantage. Il connaissait ce genre d'homme. Les questions n'en finiraient pas. Il décida de changer de sujet.

— Cette demeure, pourquoi l'avez-vous préservée pendant toutes ces années ?

— Mon prédécesseur m'a dit que cette responsabilité lui avait été confiée et il me l'a transmise. On a toujours cru que ce jour viendrait, que notre bon Cambiati serait déclaré saint, et que sa maison et sa bibliothèque devaient être sauvées.

— Une bibliothèque ? Il y a aussi une bibliothèque ?

— Oui.

— Que contient-elle ?

— Des livres. Beaucoup de livres. Et des manuscrits, je crois.

— Bien sûr qu'il y a des livres ; c'est une bibliothèque. Mais quel genre de livres ?

— Je l'ignore.

— Vous n'avez jamais regardé.

Ce n'était pas une question.

Ils parcoururent les rues et virèrent plusieurs fois, se rapprochant toujours plus des remparts.

— Dites-moi, *padre,* avez-vous dressé une liste pour les entrevues comme je l'ai demandé ?

— Oh oui, Votre Excellence. Elle est au presbytère. Je la remettrai à Son Excellence à notre retour.

— Entendu.

Archenti ne le remercia pas. Il jugeait essentiel qu'un avocat du diable maintienne une distance respectable avec ceux qui se montraient favorables à la canonisation de leur candidat local. C'était sa seule manière de maintenir son objectivité.

— Voici la maison, Votre Excellence.

L'avocat nota que Don Merisi semblait aimer prononcer ces mots, *Votre Excellence,* aussi souvent que possible, comme s'il n'arrivait pas à croire qu'il se trouvait en présence d'un si glorieux personnage et qu'il lui fallait se le rappeler constamment. Le curé tira une clé en fer de sa soutane, déverrouilla la porte, l'ouvrit et fit entrer l'avocat en premier. Ils pénétrèrent dans un petit logement dont la première pièce était dotée d'une table et d'un coin pour dormir, mais l'avocat y porta peu d'intérêt. À l'arrière, une autre porte s'ouvrait sur un atelier long et étroit dont un côté était occupé par un établi en bois. Sur le mur du fond, il remarqua que l'âtre avait été converti en fourneau de brique. *Hmm. Ce genre de four peut servir à distiller et à séparer des éléments, une activité d'alchimiste...* Sur la longue table se trouvaient des mortiers et des pilons de trois tailles différentes, deux creusets et plusieurs chaudrons et flacons couverts de poussière. Au-dessus de l'établi, alignées au mur presque jusqu'au plafond, des étagères simples supportaient des sachets étiquetés remplis d'herbes séchées et des petits contenants de bois et de verre. L'avocat se mit à les inspecter avec attention.

— C'était un herboriste, Votre Excellence, comme vous pouvez voir. Il les utilisait pour ses cataplasmes et ses onguents.

Padre Merisi suivait l'avocat en regardant par-dessus son épaule. Monsignor Archenti l'ignorait. Il souleva une fiole dont il tenta de déterminer le contenu.

— Éloignez-vous, je vous prie, vous me cachez la lumière.

Le *padre* recula et l'observa à distance.

— Hmm.

— Qu'y a-t-il, Votre Excellence ?

Archenti l'ignora à nouveau et continua d'inspecter les herbes et les flacons.

— Il y a ici bien plus que ce dont un herboriste a besoin, déclara-t-il, sans s'adresser à quelqu'un en particulier.

— Comment ça ?

Don Merisi se précipita à ses côtés.

L'avocat désigna une rangée de fioles.

— Mercure, sulfure, cuivre, mica, cinabre. Cela indique clairement un intérêt pour l'alchimie. A-t-on déjà mentionné qu'il était alchimiste ?

— Je n'ai jamais entendu cela, Votre Excellence. Jamais.

— Où se trouve la bibliothèque dont vous me parliez ?

Du coin arrière gauche de l'atelier, on accédait à une autre pièce, un réduit de neuf pieds sur douze. Dans cette salle dépourvue de fenêtre, des étagères étaient fixées sur toute la hauteur de chaque mur. L'avocat entra dans la bibliothèque, en tira un livre, le tint dans la lumière qui entrait par l'embrasure de la porte et l'examina. Il hocha la tête. Merisi se pressa à nouveau contre lui pour regarder par-dessus son épaule en se tordant les mains. Monsignor Archenti replaça le livre sur la tablette et balaya les rayons des yeux pour parcourir rapidement les autres titres.

Enfin, il s'arrêta et se retourna face à Merisi.

— Ce sont tous des volumes religieux, comme on aurait pu s'y attendre. Dites-moi, *padre,* comment se fait-il qu'à peine plus de la moitié des étagères soit remplie de livres et que le reste soit vide ?

— Je… je ne sais pas. C'est un mystère. Serait-ce qu'il ne possédait tout simplement pas assez de livres pour les remplir ?

— J'en doute, fit Archenti en regardant autour de lui. Y a-t-il une autre pièce ? À l'étage ? À la cave, peut-être ?

— Non, pas que je sache. Ceci est la dernière pièce. À ma connaissance, il n'y a pas de cave.

L'avocat ne l'écoutait qu'à moitié. Déjà, il scrutait le plancher et poussait des débris de bois de chauffage empilés au fond de l'atelier pour regarder dessous. Rien. Plusieurs caisses de bois vides et des paniers couverts de poussière étaient rangés sous la longue table.

— Enlevez-moi ça, indiqua-t-il à Merisi.

Le *padre* fit ce qu'on lui demandait.

— C'est bien ce que je pensais.

Sous l'une des caisses se trouvait une trappe munie d'une poignée de fer encastrée.

— Nous allons devoir déplacer l'établi. Donnez-moi un coup de main.

Ils se placèrent à chaque bout et portèrent la table jusqu'au centre de la pièce. L'avocat tira sur l'anneau de fer et la trappe s'ouvrit, révélant une cave noire qui sentait l'humidité, de même qu'un escalier de pierre. Sur les ordres de l'avocat, Merisi courut jusqu'à la maison voisine pour emprunter une lampe. Pendant qu'il attendait, Archenti fixait la pénombre, caressé par l'air lourd et frais qui émanait du sous-sol. Il avait toujours cru que l'on pouvait percer l'âme de quelqu'un en examinant le contenu de sa bibliothèque. Bien plus que la face qu'il présentait au monde, les lectures d'un homme révélaient qui il était vraiment.

Quand Padre Merisi revint, l'avocat s'empara de la lampe allumée et amorça sa descente dans l'obscurité. Don Merisi le suivit avec hésitation.

Une fois en bas, Archenti pivota au milieu de la minuscule cave, la lampe au-dessus de la tête. Sur une étagère basse s'empilaient plusieurs instruments communs dans la pratique de l'art alchimique : un alambic, des cornues, des creusets, un vase clos aussi appelé kérotakis, ainsi qu'un petit fourneau alchimique en forme de tour. Le tout était recouvert de moisissure blanche. L'avocat esquissa un sourire en coin et fouilla dans les instruments. *Ce sera plus facile que je ne le croyais. Sa sainteté risque d'être rapidement démentie. L'homme ne peut pas s'adonner aux arts occultes et être un saint. L'affaire semble pourtant trop évidente, presque trop facile.* Il pivota à nouveau. Sur le mur opposé se trouvaient deux tablettes de pierre chargées de vieux livres et de manuscrits. En deux pas, il traversa la pièce et cueillit un ouvrage. Les livres étaient, eux aussi, couverts de moisissure blanche. Il tendit la lampe au curé et essuya la tranche pour lire le titre. Encore une fois, Merisi s'installa derrière lui et, la lampe dans les airs, il l'observa, le scruta, s'efforçant de deviner ses pensées.

— Ahah !

— Qu'y a-t-il, Votre Excellence ?

Il brandit le livre et Merisi lut le titre.

— *Le secret des secrets.* Qu'est-ce que c'est ?

— Un célèbre traité d'alchimie écrit par un dénommé al-Râzî. Cela augure mal pour votre candidat, j'en ai peur. Mais on verra. Faites monter et nettoyer le contenu de cette cave. J'aimerais inspecter le tout dès demain après-midi.

UNE DISCUSSION SUR LES IATROCHIMISTES AUTOUR D'UN CHAPON AUX PRUNES

Quelques jours plus tard, l'avocat dînait à la table du duc Pietro et de sa femme, la duchesse Francesca, ainsi que de leur fille, Elettra. L'avocat était à l'aise de fréquenter des gens d'une certaine classe, d'un certain statut. En tant que haut placé au sein du clergé, il se considérait l'égal de tout duc lettré ou riche marchand de n'importe quelle cité-État d'Italie. Il était assez content d'être invité à partager leurs tables bien garnies et de discuter des plus récents événements au Vatican, de l'artiste que préférait le pape à ce moment ou de qui augmentait ses échanges avec le Levant. Après avoir causé d'un ami commun qui habitait Rome, le duc, un homme barbu au physique d'ours, entra dans le vif du sujet à l'instant où l'on servait un appétissant plat de chapon aux prunes.

— Alors, comment va l'inspection de la bibliothèque de Cambiati, Votre Excellence? On m'a dit que vous l'avez étudiée en profondeur, ces derniers jours. Y avez-vous trouvé quelque chose d'intéressant? L'homme était-il un saint?

Monsignor Archenti prit son gobelet de vin et but en fixant le duc.

— C'est un cas bien intrigant, Votre Grâce. Au départ, je croyais que le candidat serait rapidement exclu en raison de sa pratique de l'alchimie, et il est vrai qu'il possédait maints instruments et manuscrits que l'on peut s'attendre à trouver chez un adepte de cet art, de même que de nombreux volumes sur la religion et la théologie. Il semble qu'il a parcouru l'Europe pendant près d'un an – l'Angleterre, la France et l'Allemagne – pour amasser des livres et d'autres choses. Je pense qu'il a aussi été en mesure d'en acheter par l'entremise de marchands qui remontaient le Pô sur des barges. Comme vous le savez certainement, les livres venus de l'Est sont toujours d'une grande rareté, et d'un immense intérêt aux yeux de certains individus.

Alors que l'avocat du diable parlait au duc, il remarqua que la jeune fille, âgée d'environ seize ans, suivait la conversation de près, son regard se posant tour à tour sur chaque interlocuteur. Elle se concentrait sur son père, puis sur l'avocat, avec une attention excessive, comme si en plus de les écouter, elle plongeait dans le cœur de chacun. Immédiatement, sans qu'elle eût dit quoi que ce soit, il fut convaincu de son intelligence. On la sentait dans la vitalité et la curiosité avide de son silence.

— Quoi qu'il en soit, je crois qu'à sa mort, une partie de sa bibliothèque a été cachée par les curés locaux, qui craignaient qu'elle ne plombe sa candidature. Je crois aussi, d'après sa collection de livres, que sa connaissance des langues de ce monde devait être presque équivalente à la mienne. Je ne suis pas certain qu'il maîtrisait entièrement douze langues, comme c'est mon cas. Mais cela demeure fort inhabituel pour un simple prêtre établi dans une ville de province. Son intelligence est indiscutable. Toutefois, la véracité et la profondeur de sa sainteté sont une tout autre histoire. Je me contenterai de dire que si je ne suis pas convaincu que son étude de l'art alchimique ait été dangereuse, je ne suis pas persuadé de sa sainteté non plus.

La duchesse prit la parole. Elle n'était pas tout à fait sortie de la fleur de l'âge, et sa chevelure d'un noir de jais ne laissait paraître qu'une seule mèche grise. Elle s'exprimait avec franchise, et l'avocat se dit qu'il avait affaire à une femme sûre d'elle-même.

— J'ai l'impression que vous étiez prêt à disqualifier notre cher Cambiati. Avez-vous changé d'idée en voyant ses livres ?

— Pas tout à fait, mais il y a dans sa collection un motif intéressant. La majorité des œuvres sont écrites par des iatrochimistes reconnus.

— Des iatrochimistes ?

Le duc laissa résonner le mot inconnu.

— Je ne connais pas ce terme, ajouta-t-il.

Il fit signe au serviteur de verser encore du vin. Pendant ce temps, l'avocat nota que les yeux de la jeune fille s'étaient légèrement agrandis. Elle passa la langue sur ses lèvres tout en le transperçant de son regard intense.

— Ce sont des chimistes médicaux. Des alchimistes qui ont tenté avec une grande sincérité, quoique à tort, d'allier alchimie et médecine. Des gens tels que Paracelse, Avicenne, al-Râzî, Roger Bacon, Arnaud de Villeneuve et d'autres. Je suis convaincu que c'est leur étude des teintures, des essences, des baumes et des extraits de plantes qui a influencé l'intérêt du candidat pour des sujets similaires, car plusieurs de ses livres sont usés, et des feuilles séchées de toutes sortes sont collées aux pages.

— Donc, il était médecin et herboriste, sans plus ?

Elettra avait parlé pour la première fois. L'avocat du diable la dévisagea. Elle s'était exprimée avec une confiance qu'il trouvait intrigante. Et ces yeux sombres, pénétrants, qui continuaient de le scruter en quête d'une réponse. Il sentait que pour elle, c'était beaucoup plus qu'une simple conversation.

— Non, je ne crois pas qu'il n'était qu'un simple médecin, mais il semble que cela constituait son principal champ d'intérêt. Il possédait aussi de nombreux livres et manuscrits sur l'astronomie, les automates, les horloges et autres machines, la fonderie de cloches et ainsi de suite. Un homme aux intérêts multiples et variés.

Le duc regarda l'avocat.

— Il vous serait peut-être utile de savoir que ma grand-mère le connaissait. Personnellement. Elle n'a toujours dit que du bien de Don Fabrizio.

— Est-elle toujours en vie ?

— Oui. Ma mère nous a quittés, mais ma grand-mère est encore vivante. Elle est fort âgée, mais toujours lucide.

— Est-elle sur la liste des entrevues ?

— Oui. Elettra l'a aidée à étudier votre requête, hier.

— Très bien, très bien. Il me tarde de la rencontrer.

— Y avait-il d'autres livres dignes d'intérêt ? s'enquit la jeune fille.

— Oui. Comme j'ai dit, le spectre de ses intérêts était large. Il détenait, bien entendu, un exemplaire du classique *Historia naturalis* par Pline l'Ancien, fort populaire. Pline, comme vous le savez sans doute (il balaya la table du regard, s'adressant à tous), venait de Côme et demeure un héros local ici en Lombardie. Un autre livre du candidat est celui du grand mathématicien Fibonacci de Pise, que je n'ai pas encore compulsé. Sa collection comprenait aussi un ouvrage que je trouve tout aussi énigmatique, par un certain Francesco Stelluti. Ce volume, *Descrizione dell'Ape*, consiste en de grands dessins détaillés d'une abeille, et est l'un des premiers que j'ai ouverts en amorçant mon exploration de la bibliothèque. Cette vision du monde naturel est, à mon avis, satanique. En feuilletant le livre, j'ai été horrifié de découvrir que ce Stelluti avait transformé un insecte des plus communs en un monstre aux proportions démoniaques. Ses yeux terribles, ses membres qui pendouillent et son corps difforme, vus de près, rappellent les êtres issus de l'enfer, du moins tels que j'ai vu ces démons représentés en peinture. Percevoir le monde de manière si détaillée devrait certainement être réservé à Dieu et à Ses anges uniquement.

— En effet, acquiesça la duchesse alors que le duc opinait.

La jeune fille n'eut aucune réaction, et semblait neutre par rapport à cette affirmation.

— Mais plus importants encore sont les dessins que j'ai trouvés nichés entre les pages de cet ouvrage, dessins qui représentent tous le visage d'une jeune femme.

En faisant cette remarque, l'avocat vit un éclair passer dans les yeux de la jeune fille. C'était presque imperceptible, mais il en était sûr.

— Peut-être étaient-ce des études en vue de son portrait de la Vierge qui est accroché dans la cathédrale, suggéra-t-elle.

— Oui, peut-être, dit sans conviction l'avocat avant d'avaler une gorgée de vin.

Après un moment, il poursuivit :

— L'autre livre qui a piqué ma curiosité s'intitule *Le chimiste sceptique : doutes et paradoxes chimico-physiques touchant aux principes de spagirie communément appelés hypostatiques qui ne sont pas proposés ni défendus par la majorité des alchimistes,* par un Anglais du nom de Robert Boyle. Une œuvre dont le titre même démontre à quel point les Anglais peuvent se montrer désespérément ridicules.

Ça ressemble bien à un jésuite, songea la jeune fille, *de se rappeler le titre complet.*

— Je plaisante, poursuivit l'avocat, mais je crois que ce Boyle pourrait bien être plus dangereux que tous les autres alchimistes mis ensemble, car s'il croit en des dogmes alchimiques frauduleux, il soutient par ailleurs que l'étude de la chimie, des éléments et d'autres matières similaires possède une valeur *intrinsèque*. Au moins, la plupart des alchimistes travaillent en vue d'une fin transcendante, mais Boyle, dans son arrogance et son orgueil, fait fi de ce but supérieur.

« Parlant des Anglais, poursuivit-il, lorsque j'étais sur le point de quitter le Vatican pour venir ici, j'ai entendu parler d'un scientifique anglais qui a prédit, il y a quelques années, qu'une grande comète va traverser nos cieux bientôt, si elle n'est pas déjà là.

— Nous ne le saurons jamais, se plaignit la duchesse. Nous avons eu tellement de brouillard et de pluie, ces derniers temps ; des nuages jour et nuit, depuis des semaines. Le printemps a été extrêmement humide, et chaud aussi.

— Qui est cet Anglais ? demanda le duc.

— Un scientifique des cieux, mort aujourd'hui. Il a annoncé qu'une comète venue il y a soixante-seize ans repasserait cette année. Tout le monde en parlait, à Rome. Je crois qu'il se nomme Holley, Edmund Holley.

— Halley, corrigea la jeune fille. Halley, pas Holley.

Après un moment de silence, l'avocat hocha la tête.

— Vous avez peut-être raison.

— Cette enfant passe tout son temps dans notre bibliothèque, expliqua le duc. Veuillez pardonner son impertinence, Votre Excellence. La collection qu'avait assemblée mon père est vaste, et je crois qu'elle en a lu les deux tiers.

— Vous exagérez, Père.

— Non, acquiesça l'avocat. Je suis certain qu'elle a raison. Halley, pas Holley.

Le duc l'interrogea à nouveau, tentant de le sonder.

— Pour en revenir à Cambiati, tout bien considéré, vous êtes opposé à sa candidature ?

L'avocat se tut et sourit. Avant de répondre, il remarqua que la jeune fille avait saisi son verre de vin et buvait en l'observant par-dessus sa coupe, de ses yeux ronds et noirs.

— Votre Grâce, on pourrait croire, après ce que je vous ai révélé, que l'affaire devrait nécessairement se conclure de façon négative. Mais je crois qu'agir avec une telle hâte serait une erreur. Il y a beaucoup d'autres facteurs à considérer à propos de cette personne complexe, des facteurs que je me dois d'examiner minutieusement afin de remplir ma mission. Je dois admettre que, de tous les cas dont j'ai été saisi, il s'agit du plus intrigant et du plus déroutant. Je commence les entrevues demain ; peut-être en saurons-nous davantage quand celles-ci se concluront.

Bien que le duc et la duchesse eussent bien d'autres questions au sujet de Fabrizio Cambiati, Monsignor Archenti y coupa court, expliquant qu'il préférait attendre d'être plus avancé dans son enquête.

DES CARTES DU CIEL
DANS UNE BIBLIOTHÈQUE OCTOGONALE

Elettra lisait dans la bibliothèque. Devant elle, une lourde table en chêne était jonchée de volumes à reliure de cuir, dont l'un était ouvert sur une illustration, une carte du ciel. Tout en parcourant le livre qu'elle tenait à la main, elle consultait régulièrement l'illustration et, à l'occasion, les ouvrages posés sur la table. De l'autre côté de l'unique fenêtre qui révélait des jardins luxuriants, la lumière de l'après-midi était pâle et grise, mais le vert des pins, des palmiers et des autres plantes demeurait riche et suave, teinté d'or, comme s'il était saturé d'une humidité qui semblait non pas tomber du ciel obstrué de nuages, mais se matérialiser dans l'air dense.

La bibliothèque était une petite pièce octogonale pleine à craquer de livres rangés sur des étagères en bois sombre qui montaient jusqu'au haut plafond. Un étroit escalier en fer forgé menait au second niveau où une passerelle, également en fer forgé, encerclait la pièce. Le silence était profond ; les seuls bruits provenaient d'Elettra qui tournait les pages épaisses de son livre, et de sa respiration calme et régulière.

Elle leva les yeux. La porte de la bibliothèque s'ouvrit avec un sifflement et sa mère entra. Celle-ci considéra Elettra avec sérieux, mais ne dit rien avant d'avoir pris place sur une chaise de l'autre côté de la table.

— Elettra, je veux te parler.

— Un instant.

Elettra suspendit la main en l'air et acheva de lire son paragraphe. Lorsqu'elle leva la tête, elle dit à toute vitesse, avant même que sa mère puisse parler :

— Notre conversation d'hier avec l'avocat au sujet de la comète qui arrive m'a beaucoup intéressée et j'ai souhaité en savoir plus. Père possède plusieurs ouvrages à ce sujet. C'est fascinant. Saviez-vous que…

— Elettra, j'ai dit que je voulais te parler. M'écoutes-tu ? Referme ton livre. S'il te plaît.

Les yeux baissés, la jeune fille referma à contrecœur le livre qu'elle lisait.

— Il faut commencer à planifier. La cérémonie des fiançailles approche, puis ce sera le mariage, et nous n'avons pas préparé grand-chose. Ton père s'inquiète. Alors…

— Il n'y aura pas de mariage.

— Elettra. Ne dis pas cela. Si ton père t'entendait, il serait hors de lui. Tu connais son caractère.

— Et vous connaissez mes sentiments là-dessus, Mère. Je m'enfuirai, à l'Université de Bologne ou peut-être en Espagne, à Salamanque. Il y a là-bas une très ancienne et merveilleuse université.

— Arrête. Tu n'iras nulle part. Tu es encore une enfant et le mariage est fixé. Oublie ces rêves insensés. Ton père a donné sa parole au père de Gennaro. Tu sais ce que cela signifie. Il ne peut pas revenir sur sa promesse.

Elettra ne répondit pas, mais adopta un silence dur. En secret, elle avait gardé son doigt dans le livre et elle le rouvrit à la page qu'elle était en train de lire.

— Nous en discuterons plus tard, Mère. Je suis occupée.

— Elettra, tu ne peux pas continuer à ignorer tes responsabilités. Le temps file. Je ne vais pas argumenter avec toi maintenant, mais nous devons en parler bientôt. Ton père est très inquiet. Je t'en prie, sois raisonnable et viens me voir quand tu auras terminé ici. Ces noces seront une grande joie pour ton père, pour toi et pour moi. Notre unique enfant, notre fille, donnée en mariage : rien ne pourrait être plus merveilleux. Alors, tu viendras ?

Déjà replongée dans sa lecture, la jeune fille acquiesça sans avoir entendu les dernières exhortations de sa mère. Plus tard, lorsqu'elle fut fatiguée de lire, elle décida d'aller faire une promenade avec son arrière-grand-mère et, une fois encore, on ne discuta pas des préparatifs du mariage.

LA COMÉDIE - ACTE UN

* * *

LES ACTEURS ARRIVENT À CRÉMONE

La famille d'acteurs de la commedia dell'arte connue sous le nom d'Ingegni, «les talentueux», passait par la ville une fois l'an. Il n'importait à personne que la troupe ambulante formât réellement une famille, ou même que ses membres fussent véritablement talentueux, tant et aussi longtemps qu'ils donnaient un bon spectacle.

Aux premières lueurs, samedi, la ville s'éveilla au son des chariots grinçants, des fermiers et de leurs familles qui se dirigeaient vers la grand-place pour le marché aux légumes le plus couru de la semaine. Vaseux, l'esprit lent, les cultivateurs allaient de leurs champs sombres et endormis aux rues qui rayonnaient vers la Piazza del Comune, traînant la lumière de l'aube jusqu'au cœur de la cité, des melons jaunes empilés sur leurs chars. En même temps et sans le savoir, ils tiraient derrière eux, depuis les prés qui bordaient le Pô, les loques et lambeaux du brouillard matinal qui planaient maintenant sur la place.

Les fermiers installèrent leurs étals dans un silence quasi total. De leurs chariots, ils soulevaient des paniers débordants de légumes rouges, jaunes et verts : des poivrons lisses et lustrés, des courgettes semblables à des bâtons vert sombre, des tomates resplendissantes. Des paniers remplis de pêches, de poires, de pommes et de généreuses grappes de raisins nebbiolo enduits de pruine blanche, étincelants de rosée. D'autres paniers étaient remplis d'amandes, en forme d'œil arabe, et de noix raboteuses. Déjà, les vieilles en noir qui ne dormaient jamais et les enfants surexcités arrivaient sur la place, les premières pour mettre avant tout le monde leurs mains ridées sur les produits les plus charnus, les derniers pour courir d'étal en étal, et voir tout ce qu'il y avait à voir.

En face du Palazzo Comunale, devant la mairie avec ses sombres arcades, les acteurs s'affairaient à monter leur scène faite de larges planches et de deux rampes de bois à l'arrière. Au-dessus, ils suspendirent des tapisseries élimées qui ondulaient dans la brise légère. Debout dans l'ombre d'une colonne, près de la façade de la cathédrale, Fabrizio observait les acteurs au travail.

Arborant un masque de cuir bosselé de verrues qui couvrait la moitié supérieure de son visage, un comédien monta sur la scène fraîchement assemblée, frappa trois fois sur son tambour et annonça d'une voix de stentor que la pièce aurait lieu plus tard dans la matinée.

— Magie et merveilles comme vous n'en avez encore jamais vu, tonna le bouffon. Les célèbres Ingegni, formidables acteurs reconnus à travers la péninsule italienne ! Ils ont diverti les rois de Naples et de Sicile, ils ont joué devant des empereurs et des impératrices, des ducs et des duchesses et pour plus de comtes et de comtesses qu'on ne peut les compter ! Vus et applaudis à Rome, à Palerme, à Florence, à Venise, et même à Paris ! Vous serez époustouflés par leur adresse, amusés par leur talent, passionnés par leurs aventures !

Écouté par une demi-douzaine d'enfants aux yeux ronds comme des soucoupes, il s'échauffait avec cette litanie d'exagérations bancales et de mensonges patents. Fabrizio, à moitié caché derrière sa colonne, le regardait en silence. Les citadins, occupés à remplir leurs corbeilles et leurs cabas de leurs achats de la semaine, évoluaient parmi les étals et affichaient un intérêt pour tout, même s'ils connaissaient déjà la plupart des fermiers et qu'ils achetaient toujours de leurs marchands préférés, qui étaient habituellement leurs cousins éloignés. L'air était rempli de placotages, de conversations qui fusaient d'un côté et de l'autre pendant que les pièces de monnaie changeaient de mains.

Depuis la scène, le comédien avait une vue claire de la piazza. Elle faisait la moitié de la superficie de la place Saint-Marc à Venise, le huitième de la place Saint-Pierre de Rome. Devant la scène s'élevait la cathédrale et, à sa gauche, le campanile qui montait jusqu'à l'azur. Les premières lueurs du soleil frappaient le haut de la tour.

— Magie et merveilles comme vous n'en avez jamais imaginé, cria le comédien, répétant à peu près les mêmes mots à une foule grandissante. Un feu roulant de magie et de merveilles !

Entre les colonnes et les statues de la cathédrale, Fabrizio se fondit encore plus profondément dans l'ombre, et il sembla presque disparaître lorsque l'avocat du diable, un homme d'un autre temps, d'un autre lieu, arriva de ses luxueux appartements. Des lambeaux de brume, comme des fantômes échappés du Pô, flottaient sur la place, leurs mouvements sinueux évoquant des algues qui ondulaient sous l'eau. Comme l'avocat du diable passait à moins de trois pieds de Fabrizio, une bande de brouillard glissa entre eux et s'enroula autour des épaules et de la tête des deux prêtres pour les unir en une étreinte invisible.

Chaque habitant de Crémone entendait l'appel du boni-menteur de la piazza. Revêtu des couleurs criardes d'un oiseau tropical, le comédien beuglait sans relâche, attirant une foule qui arrivait de partout. Les gens s'attroupaient sur la place sans se soucier de l'heure, avides de se laisser happer par les arabesques et les arpèges de sa voix.

Et quelle voix c'était ! La puissance d'un colporteur, le charme suave d'un prédicateur ambulant qui savait traverser la poitrine pour saisir le cœur ; une voix qui bouillonnait d'argent comme une rivière, qui crépitait de foudre et remuait la terre de ses secousses. C'était animal et minéral et humain ; l'amant qui chuchotait à votre oreille, qui criait sous votre corps. C'était un magicien qui, du battement judicieux de son tambour et de la cadence glissante de sa langue, pouvait plonger une foule en transe. Un magicien, un alchimiste de la musique.

Les autres acteurs grimpèrent sur scène, costumés en acro-bates masqués, prêts à culbuter dans l'assistance à tout moment.

Le bouffon balaya l'assemblée des yeux.

— Élixirs, aphrodisiaques, onguents, potions et mixtures, mes amis. Nous avons des remèdes de toutes sortes : médi-caments, reconstituants, baumes, antidotes, cataplasmes et substances carminatives. Tous les produits contenus dans la pharmacie de Mithridate. Nous offrons les préparations qui vous allégeront l'existence et qui guériront vos maux. Pour commencer, j'ai entre mes mains, bonnes gens de Crémone, une fiole qui a le pouvoir de servir d'antidote à tous les poi-sons de Venise, croyez-le ou non.

— Non ! cria un jeune coquet, mais le comédien l'ignora.

— Un antidote dont l'efficacité est garantie. S'il ne fonc-tionne pas, rapportez-le et nous vous l'échangerons sans frais, sans poser de questions.

— S'il ne fonctionne pas, l'acquéreur sera mort, non? interrompit le coquet.

La foule éclata de rire; le bouffon l'ignora derechef et donna un coup sur son tambour avant de lancer le flacon bouché à la cire vers la foule. Au même moment, l'un des acrobates sauta de la scène, pirouetta dans les airs, attrapa la bouteille et se mit à parcourir l'assistance en quête d'un acheteur potentiel.

Déjà, le bonimenteur était passé à la fiole suivante.

— Je suis certain, bons chrétiens de Crémone, que vous avez déjà entendu le terme *panacée*. Ce flacon, et seul celui-ci, redresse les colonnes vertébrales endolories, détend les pieds et les jambes, adoucit la peau, soigne les démangeaisons et soulage la toux, calme le cœur, apaise le foie et enchante les boyaux. En vérité, mes amis, j'ai moi-même été terrassé par une fièvre à Naples; j'étais secoué de tremblements et une seule gorgée de cet élixir m'a permis de remonter sur les planches en quelques heures à peine. Dieu m'en est témoin.

Il tendit la paume et se tourna vers les cieux. Puis il envoya le flacon à un autre acrobate qui l'attrapa en sautant de la scène.

— Et ceci, heureuses gens, a été rapporté de la légendaire Catai par Marco Polo lui-même, Marco « Milione » de Venise. Il en a importé six fioles, et ce précieux contenant est la seule qui reste.

— Ça fait quoi? cria un homme barbu et trapu au milieu de la foule.

— Laissez-moi vous le dire, ce que ça fait. Cet élixir est destiné à faire du pauvre un riche, et à enrichir le fortuné; il n'est pas donné, certes, mais quelles merveilles tomberont du ciel sur celui qui fera usage de cette potion garantie, quels fabuleux rêves d'opulence vous rendront visite la nuit (l'acrobate à sa gauche agita un tambourin) pour qu'au matin, vous découvriez le précieux fruit issu de votre sage décision d'acquérir cet élixir ancien et magique.

Il le jeta dans les airs alors qu'un acrobate bondissait par-dessus la foule. Ce dernier attrapa le bouchon de liège du flacon entre ses dents puis déambula au milieu des spectateurs subjugués en le balançant au bout de ses doigts. Fabrizio, posté dans l'ombre, effectua un demi-pas vers la lumière, mais s'arrêta et recula lorsqu'il entendit le comédien décrire la potion suivante.

— Et maintenant, mesdames et messieurs, couvrez les oreilles de vos petits, car le prochain et dernier remède, cet élixir au parfum délicieusement sucré dont il ne me reste que quelques douzaines de fioles, n'est pas destiné aux enfants, pas du tout.

Vous aurez peine à croire qu'une telle puissance est possible. Il donnera aux hommes la vigueur d'un taureau, six, sept, huit fois en une seule nuit. Quant aux dames, elles fondront et couleront comme le Pô au printemps. Il fait briller la peau et les yeux, transforme les lèvres en pétales de rose et les langues en éclairs de feu. On n'a rien vu de tel depuis l'époque de Cléopâtre. De nos jours, on l'utilise en secret dans les meilleurs bordels de Venise, où les hommes comme les femmes ne jurent que par son efficacité. Oui, vous avez bien entendu. Cela fonctionne sur les signorines aussi.

Il prit une inspiration.

— Et à présent, mesdames et messieurs (il lança un sac en cuir au dernier acrobate bondissant), nous devons vendre jusqu'à la dernière fiole avant que le spectacle puisse débuter.

Une masse d'hommes de tous les âges, dont le duc Agostino, entourèrent immédiatement l'acrobate en réclamant leur flacon et en brandissant leur monnaie. Quelques instants plus tard, alors que l'acteur avançait péniblement dans la foule en agitant la dernière fiole à vendre, il passa près de Fabrizio. Le prêtre l'entraîna dans l'ombre et lui offrit une pièce d'argent.

Il souhaitait simplement connaître la vraie nature du contenu de la fiole, se disant que cela pourrait l'aider à découvrir des remèdes nouveaux et efficaces pour ses patients qui le consultaient pour un éventail étourdissant de maladies. L'acrobate, la tête inclinée en signe de confusion, vendit au vieux prêtre sa dernière ampoule d'élixir.

CHAPITRE III

Les miracles attribués à Fabrizio Cambiati sont légion. Ils se multiplient à chaque nouvelle évocation et le temps les embellit. On aurait entendu un fœtus chanter dans le ventre de sa mère. Les arbres fruitiers de la région auraient fleuri en plein hiver. Le cours du Pô se serait inversé le jour de la fête du prêtre pour protéger la ville de bateaux ennemis. Dans mon travail comme avocat du diable, j'ai entendu des récits de miracles invraisemblables, mais jamais auparavant n'avais-je rencontré un tel florilège d'imagination humaine. Les gens de Crémone me les racontent constamment. Ils lui ont adressé leurs prières, ils l'ont vu gravir les marches de la tour, marcher dans le transept de la cathédrale. Leurs prières ont été exaucées de mille manières différentes. D'innombrables guérisons. Les gens croient qu'il les guérit avant même de tomber malades. Comment suis-je censé séparer les preuves des espoirs et des rêves ?

✴

DANS UN LABORATOIRE CRÉMONAIS

1682

Crémone

— Si tu ne peux pas supporter l'odeur, Omero, je n'aurai d'autre choix que de trouver un autre assistant.

Sur l'établi, le chaudron continuait de fumer et de vomir une mousse qui empestait autant qu'une tombe fraîchement exhumée. Don Fabrizio remua le contenu à l'aide d'une cuiller de bois en regardant fixement dans le chaudron posé sur la flamme. Le touillage engendra de nouvelles volutes de vapeur et, avec elles, des exhalaisons incroyablement malodorantes.

— Je pense que la puanteur vous plaît. Vous ne souffrez pas autant que moi, grimaça Omero.

— Oui. Il y a longtemps, je me suis entraîné à analyser les odeurs sans émettre de jugement sur leur caractère agréable ou nauséabond. C'est du pareil au même, pour moi.

Le prêtre rit et brassa à nouveau. Omero l'examina. Les yeux de son maître s'embuaient encore, comme toujours, au laboratoire ou à l'extérieur.

— Qu'essayez-vous de faire ?

Omero, sur la pointe des pieds, jeta un œil dans le chaudron en se pinçant le nez.

— Pourquoi perdez-vous votre temps avec ces mixtures infectes ? Vous allez fabriquer de l'or, c'est ça ?

Ses yeux s'agrandirent.

— Tu connais cette vieille expression alchimique ? répondit Fabrizio qui touillait toujours. « Une pierre qui n'est pas une pierre, une chose précieuse qui n'a pas de valeur, une chose aux formes multiples qui n'a pas de forme, une chose inconnue que tout le monde connaît. » Ça te dit quelque chose ?

— Non. On dirait une devinette. Qu'est-ce que ça a à voir avec la fabrication de l'or ?

— Rien. Rien du tout. L'or n'est qu'un sous-produit. Quelque chose qui surviendrait pendant que je cherche la réponse à l'énigme.

— Pas d'or ?

— Non. Je ne recherche pas l'or, mais ce qu'on appelle la pierre philosophale, celle qui peut guérir l'humanité de ses souffrances et peut-être mener à l'immortalité.

— Mais nous n'aurons pas d'or à la fin ? À quoi bon, si nous n'avons pas d'or… à la fin ?

— Tu ne vois aucune valeur dans le fait de guérir l'humanité de ses souffrances ?

— Oh, j'imagine…

Cambiati sentit la présence de quelqu'un à la porte ouverte, où le soleil de l'après-midi tentait de percer l'obscurité de l'atelier. Un jeune garçon d'environ sept ans se tenait sur le seuil en tremblant.

— Ma maman, ma maman a dit…

— Oui ? Parle, mon enfant !

« S'il vous plaît, venez » fut tout ce que le garçon parvint à dire en tirant Don Fabrizio par la main.

Le prêtre donna des ordres à son valet.

— Continue à remuer le contenu du chaudron. Je reviens bientôt.

Deux heures plus tard, le bras gauche d'Omero lui semblait aussi lourd que du marbre. Il continuait à touiller comme on le lui avait demandé, tenant son bras droit à l'aide du gauche, la cuiller aussi pesante qu'un tronc d'arbre. Le mélange avait épaissi jusqu'à prendre la forme d'une boule caoutchouteuse. Finalement, Omero abandonna.

— Dieu me pardonne, mais c'est impossible.

Il souffla pour éteindre la flamme, s'assit dans un coin sur un tas de foin et s'endormit.

Pendant ce temps, Don Fabrizio avait suivi le garçon jusque chez lui, où il rencontra la mère qui l'informa que son mari, l'après-midi même, s'était couvert de furoncles.

— Est-ce un châtiment divin, *padre* ?

— Je ne sais pas. A-t-il péché ?

— Sûrement.

Elle considéra l'homme qui gémissait à plat ventre sur le lit rugueux, son dos comme un douloureux bloc de furoncles suppurants.

C'est alors que la duchesse Maria Andrea, jeune épouse du duc Agostino de Crémone, apparut à la porte avec l'une de ses servantes. La duchesse souleva ses jupes, enjamba le seuil usé et entra dans la masure.

— Don Fabrizio, je suis heureuse que vous soyez venu. On m'a dit que l'un de nos gardes était souffrant et j'ai voulu lui rendre visite, ainsi qu'à sa famille. Pouvez-vous lui venir en aide ?

Elle regarda l'homme et sourit.

— Je pense bien, madame. Je ne crois pas que ce soit très sérieux, même si on ne sait jamais, dans ce genre de cas.

Comme toujours, Fabrizio fut frappé par sa jeunesse et sa vitalité. C'était une femme au sommet de sa beauté. Quand la duchesse se tourna vers l'épouse pour lui demander « Y a-t-il quelque chose que je puisse faire, quelque chose dont vous avez besoin ? », il fut touché par la sincérité de sa sollicitude.

La mère de famille secoua la tête. La duchesse posa tendrement la main sur le bras de Don Fabrizio.

— Faites-moi chercher si je peux faire quoi que ce soit. C'est un fidèle serviteur, un homme bien, et je me considère comme responsable de toute sa famille. S'il y a des frais, quels qu'ils soient, informez-moi. Je dois me dépêcher de rentrer, mais je vous remercie beaucoup, Don Fabrizio, vous êtes trop bon.

Avant de sortir, la duchesse prit la main de la femme, la tint un moment en silence pendant qu'elle la regardait dans les yeux, et sourit.

— Tout ira bien, dit-elle avant de se retourner, de remonter ses jupes et de sortir.

Comme s'il était en transe, Don Fabrizio regarda la duchesse et sa servante disparaître dans la ruelle.

— *Padre* ? fit la femme.

Perdu dans sa rêverie, il ne l'entendit pas.

— *Padre?* répéta-t-elle plus fort.

Le prêtre secoua la tête et se détourna de la porte. Il plongea la main dans le panier qu'il avait au bras, en tira un flacon à bouchon de verre et s'assit sur une chaise près du lit.

— Comment allez-vous, brave homme? dit-il un peu trop fort, comme si l'homme était endormi.

— Pas trop bien, Don Fabrizio, répondit celui-ci.

— Je vois. J'ai ici un remède, un cataplasme que je n'ai jamais utilisé.

Il le plaça devant les yeux de l'homme.

— Ce n'est pas un catholicon, mais je suis certain qu'il sera utile dans votre situation.

En entendant ces mots étranges, l'épouse lança au prêtre un regard perplexe.

— C'est un puissant vulnéraire que je viens tout juste de découvrir. Il a marché sur un cheval, la semaine dernière. Une bête magnifique, vous auriez dû le voir, noir avec une tache blanche…

— *Padre,* je vous en prie, dit la femme en désignant le malheureux dos.

— Ah oui, bien sûr.

Il s'adressa à nouveau à l'homme.

— Cela risque de brûler quand j'appliquerai le baume. Cela *va* brûler, en fait. Puis-je continuer?

Le patient marmonna quelque chose qui ressemblait à un assentiment et enveloppa sa tête de ses bras alors que son corps entier se raidissait. Don Fabrizio commença à appliquer le baume sous les cris de terreur, les lamentations et les jurons de la victime qui donnait des coups de pied en l'air et s'agitait sur le lit. La femme recula et resta près de la porte en se mordant les mains, six enfants d'âges différents agglutinés autour de ses jambes et de ses pieds comme des chiffons balayés par le vent.

Plusieurs heures plus tard, Don Fabrizio retournait chez lui en chantonnant sous une pluie fine, le ventre rempli de la bonne viande et du délicieux vin de l'épouse. Ses pensées étaient tournées vers la duchesse et le point de son bras qu'elle avait touché. Il sentait toujours sa main, là, sa douceur contre sa peau. Et il voyait encore le sourire qu'elle lui avait offert comme un présent en partant, un sourire timide mais curieux qui, dans son silence, en disait long.

Bah, ces pensées n'ont aucune valeur, se dit-il. *Aucune satanée fin non plus. Amen à tout cela.*

Il arriva chez lui et ouvrit la porte. Quand il pénétra dans le laboratoire, il aperçut Omero endormi dans le foin, remarqua la flamme éteinte sous son expérience et vit que le chaudron ne contenait plus rien qu'une bouillie noire semblable à la fange d'un marécage.

— Encore une fois, Omero, tu as ruiné mes efforts, marmotta-t-il. Je sais que tu n'es ici que pour mettre ma patience à l'épreuve, et de cela, je suis reconnaissant.

Il considéra Omero d'abord avec résignation, puis son visage s'adoucit d'une pointe d'affection. Le valet semblait sourire dans son sommeil.

COMMENT RAMENER UN CORPS
DU SEUIL DE LA MORT

Un peu plus d'un an auparavant, par une nuit tranquille dans la cité de Crémone, Don Fabrizio était étendu dans son lit et écoutait la pluie qui tombait dehors. À l'autre bout de la pièce, un flot régulier de ronflements sonores émanait d'Omero. L'humidité du printemps hâtif s'infiltrait dans la pièce. Don Fabrizio se demandait combien de temps durerait la pluie, s'il pleuvrait éternellement. Il pensait à Noé et à son arche, imaginait sa propre maison à la dérive. Il ruminait ainsi lorsqu'il entendit des coups timides à la porte. Il crut d'abord à un rêve, mais un moment plus tard, les coups reprirent. Timides, mais insistants.

Il se leva, se dirigea vers l'âtre fumant, embrasa une éclisse et alluma sa lampe. On frappa à nouveau. Fabrizio traîna les pieds jusqu'à la porte et l'ouvrit sur la nuit pluvieuse alors que la flamme vacillait. Il souleva la lampe loin de ses yeux et scruta l'obscurité. Une vieille femme avança dans l'étroit halo de lumière, sa tête inclinée enveloppée d'une écharpe.

— Don Fabrizio?

Il fut ardu de faire parler la femme, mais Cambiati parvint à apprendre qu'elle vivait seule dans une hutte près de la rivière.

Au cours de la nuit, expliqua-t-elle, elle avait entendu un cha-riot approcher sur la route. Elle s'attendait à ce qu'il passe son chemin, mais il s'était arrêté, ce qui avait piqué sa curiosité. De sa porte, elle avait entendu quelqu'un traîner quelque chose dans les roseaux, tout près de l'eau. Elle n'avait rien vu dans le noir, mais après le départ du chariot, elle était sortie pour regarder. C'est alors qu'elle les avait trouvés.

Elle regarda le prêtre dans les yeux, puis de nouveau le sol mouillé.

— Les corps de deux hommes.

— Vivants ?

Elle haussa les épaules.

— Venez. Je vais vous montrer où ils sont.

Il s'habilla et la suivit dans la nuit.

Une demi-heure plus tard, le prêtre et la vieille approchaient de l'emplacement, près de la rivière. La femme se trouva déso-rientée pendant un instant, puis elle repéra l'endroit où les roseaux avaient été écrasés et elle les lui montra.

— Là, chuchota-t-elle.

Cambiati s'avança. Enfoncé dans l'eau froide jusqu'aux chevilles, il examina les deux formes qui avaient été jetées sur le sol détrempé. Il alla vers le premier homme et lui souleva la tête, qui avait été renversée vers l'arrière et immergée dans une flaque d'eau saumâtre. En s'approchant, il nota que des pustules marquaient sa peau. Il conclut que l'homme était vieux, et manifestement mort.

Cambiati se tourna vers le deuxième individu. Plus jeune, mais le visage couvert des mêmes pustules. Il n'arrivait pas à déterminer si celui-ci respirait. Il le secoua. Rien. La vieille se tenait à quelques pas de lui et l'observait. Il souleva les paupières de l'homme. Aucun signe de vie. Rien. Il hésita. L'autre était clairement mort, mais pour celui-ci… il n'était pas certain. Il fit signe à la paysanne de ne pas regarder, baissa le pantalon de l'homme puis déplaça ses testicules et son membre. De son poing, il frappa le périnée de toutes ses forces.

— Rooh! grogna le malade en ouvrant subitement les yeux.

Le prêtre hissa l'homme sur son épaule, remercia la vieille femme et retourna vers la ville, ses lèvres murmurant des prières pour le défunt laissé derrière et pour celui qu'il portait sur son épaule comme un sac de pois, celui qui avait déjà un pied au pays des morts.

Une fois chez lui, Fabrizio allongea le jeune homme dans son lit. Bien que le malheureux se soit momentanément réveillé, il s'était évanoui à nouveau et demeurait endormi. Avec l'aide d'un Omero somnolent, il déshabilla le patient et l'inspecta. Des boutons suppurants couvraient son corps des pieds à la tête. Cambiati savait que ce n'était pas la peste, mais il ne reconnaissait pas la maladie. Il le jeune homme lava soigneusement. Après avoir appliqué un onguent dont il espérait qu'il serait bénéfique, il s'assoupit sur le sol de pierre, à côté du lit.

Pendant deux semaines, Fabrizio administra au patient un éventail d'herbes de manière interne et externe. Il lui fit boire de la soupe claire à la petite cuiller, le rafraîchit quand il avait chaud et le réchauffa quand il avait froid. Il le veilla jour et nuit et pria pour lui.

Un matin, l'étranger s'éveilla, les yeux nets et grand ouverts.

— Je crois que vous m'avez sauvé, *padre*. Vous m'avez ramené de l'endroit où on faisait déjà des préparatifs pour m'accueillir. Je dois vous remercier.

— Ce n'est rien, dit le prêtre. Quel est ton nom?

— Je m'appelle Rodolfo.

— Raconte-moi ce qui t'est arrivé. Qui t'a laissé pour mort dans les roseaux, et pourquoi ?

Rodolfo tourna son visage grêlé vers la fenêtre.

— C'est mon frère. Depuis des années, il espère garder la ferme de notre père pour lui tout seul. Je suis l'aîné et je devais l'avoir bientôt, puisque notre père est très vieux. J'ai dit à mon frère qu'il pourrait garder la terre. Je ne suis pas fermier. Le voyage m'appelle. Mais il ne me croyait pas, il répétait que je reviendrais réclamer mon bien. C'était sa plus grande crainte. Lorsque nous sommes tombés malades, mon père et moi, je soupçonne qu'il s'en est secrètement réjoui. J'étais trop faible pour résister lorsqu'il nous a traînés jusqu'au chariot, et mon père... mon père, où est-il ?

— Il a rejoint Dieu, mon fils. Il est mort dans les roseaux où on vous a abandonnés.

Par la fenêtre, Rodolfo contempla à nouveau l'éclatant soleil d'avril.

— Je vois.

— Repose-toi, maintenant. Repose-toi. Je vais te chercher de la soupe.

Le lendemain, Rodolfo était à la porte, prêt à partir.

— Où vas-tu ?

— Je vais commencer par venger la mort de mon père.

— Non. Ne fais pas cela.

— Je le vengerai.

— Je ne t'ai pas guéri pour cela.

Fabrizio se leva et secoua la tête d'un air sévère et affligé.

— Non. Je ne t'ai pas guéri pour cela. Tu ne dois pas tuer. Je ne t'ai pas soigné pour que tu prennes la vie d'un autre.

— *Padre,* la guérison est un cadeau, dit calmement Rodolfo. Une fois qu'on la donne, elle ne nous appartient plus.

LE CANDIDAT CHERCHE UN REMÈDE
CONTRE L'INFERTILITÉ

Peu après l'incident avec Rodolfo, que l'on appela dès lors l'Homme des roseaux, la duchesse vint voir Don Fabrizio une première fois pour lui parler de son problème. Accompagnée d'une vieille servante aux joues rondes qui gardait la tête baissée, elle se présenta à la porte du prêtre, tard par une froide soirée de printemps. Elle portait une longue cape dont le capuchon couvrait sa tête. Au départ, Fabrizio se demanda qui pouvait bien arriver à une telle heure, mais lorsqu'elle entra dans ses appartements et retira son capuchon, ce fut comme si un puissant soleil printanier venait de se détacher de l'horizon.

— Duchesse ? Que faites-vous dehors à cette heure ?

Il tira une chaise devant sa table rustique.

— Asseyez-vous, je vous prie.

La duchesse prit place. Ses yeux étaient tristes et brillants. Hésitante, elle se mordit les lèvres avant de parler.

— Ceci m'est difficile. Comme vous le savez, Don Fabrizio, je suis mariée depuis trois ans.

— Oui ?

Il l'écoutait, mais une autre partie de son esprit dessinait déjà son visage, esquissant des lignes droites au fusain sur une feuille de papier crème.

— Mais… toutes les filles qui se sont mariées la même année que moi ont déjà donné des enfants à leur mari. Toutes, sauf moi.

— Ah.

— Je crains que mon mari ne perde patience. Il veut un fils. Je veux un fils.

— Est-ce qu'une fille ferait l'affaire ?

— Oui, bien sûr.

Ses yeux se remplirent d'eau.

— Don Fabrizio, je sais que vous faites des mixtures et des préparations pour de nombreuses afflictions. Peut-être pouvez-vous m'aider ?

— Je peux essayer.

Il sourit.

— Mais si le problème ne venait pas de vous, mais de votre mari ?

La servante plaqua une main sur sa bouche avec une exclamation étouffée.

— Non, je ne crois pas, dit la duchesse. Son… appareil… fonctionne bien. Nous avons fait notre devoir de chrétiens pour avoir un enfant.

— C'est un problème difficile. Je n'ai pas eu beaucoup de succès dans ce domaine par le passé, mais comme j'ai dit, je vais essayer.

— Merci, Don Fabrizio. Je vous suis éternellement redevable. J'enverrai ma servante chercher la préparation lorsqu'elle sera prête.

— Demain, en fin d'après-midi.

Au cours de l'année qui suivit, Fabrizio concocta quatre mixtures pour la duchesse, modifiant le mélange à chaque saison. Chacune avait un goût plus horrible que la précédente. Chaque échec rendait la duchesse encore plus triste et, étrangement, plus belle. Mais son ventre demeurait indifférent.

Il la voyait marcher sur la place avec le duc, le soir, ou bien entrer dans la cathédrale le dimanche alors qu'il accueillait les paroissiens qui arrivaient. Quand elle croisait son regard, la duchesse secouait imperceptiblement la tête pour lui signifier que le dernier remède n'avait pas fonctionné.

Elle revint le voir.

— Don Fabrizio, n'y a-t-il rien que nous puissions faire ?

— Nous ne pouvons que continuer d'essayer, ma chère.

Elle secoua la tête.

— Comment puis-je vous remercier ? Je sais que nous avons échoué jusqu'à présent, mais je crois que c'est ma faute plus que la vôtre.

— Non, ne vous faites pas de reproches.

Il se tut, réfléchissant.

— Il y a quelque chose qui pourrait faire office de compensation, en quelque sorte. J'aimerais vous peindre. On m'a demandé de faire le portrait d'une sainte au couvent Santa Lucia. Je voudrais que vous soyez mon modèle. Il me faudrait débuter par une série d'esquisses de votre visage. Serait-ce possible ?

— Oui, bien sûr, Don Fabrizio. Je suis certaine que mon mari n'aura aucune objection. Il vous aime tant, et m'a souvent dit combien il admirait votre portrait de la Vierge au *duomo*.

Fabrizio avait déjà un fusain à la main et dessinait son visage pendant qu'elle restait assise devant lui, l'œil triste et lumineux, et le cœur du prêtre battait follement, comme un pinson pris dans la cage de ses côtes.

✳

UN REFLET DANS UNE FLAQUE

Ce qui est en bas comme ce qui est en haut, et ce qui est en haut comme ce qui est en bas, disaient les anciens astronomes.

Haut dans le ciel, la comète avançait sur son arc, et de très loin, son pouvoir se faisait sentir sur la terre de la manière la plus subtile, dans les recoins les plus secrets du cœur. Non pas que la comète précipitait à elle seule les événements de cette histoire, car les mouvements du ciel ne sont jamais les moteurs du destin, mais simplement l'exact reflet des hasards terrestres.

La comète influençait les gens de Crémone et leurs actions de la même manière qu'une carte du ciel peut, par une nuit extrêmement claire, être lue à la lueur des étoiles.

C'était un moment comme les autres, mais quand le pied de Fabrizio Cambiati atteignit l'autre côté de la flaque, tout avait changé.

Il était en train de traverser la place centrale pour aller à la cathédrale, après une averse soudaine. La pluie était passée aussi vite qu'elle était venue, et à présent le soleil pointait.

Fabrizio leva les yeux vers l'horloge et nota qu'il était trois heures de l'après-midi.

Aux abords de la cathédrale, il s'apprêtait à franchir un trou d'eau. Au milieu de son enjambée, il baissa les yeux et aperçut le reflet de la rosace comme dans un miroir. Puis, l'éclat du soleil rebondit sur le vitrail et entra dans son œil en ricochant sur la flaque. Tout sembla alors ralentir et prendre un aspect distinct, inhabituel. Bien que ces événements ordinaires parussent se produire l'un après l'autre, ils semblaient également arriver tous en même temps.

En voyant la rosace et la lumière, Fabrizio remarqua aussi dans la flaque son propre visage qui chevauchait l'image du vitrail, et alors, lui et le reflet et le monde entier furent inondés de lumière, d'une présence radieuse, un éclat chargé, éveillé, différent de tout ce qu'il avait connu. Et pourtant, il avait l'impression qu'il reconnaissait enfin une chose qu'il avait toujours connue. C'était comme s'il s'était répandu dans le monde, en ce sens qu'il n'en était plus le centre, et que le centre était maintenant partout. Il demeurait toutefois parfaitement conscient des couleurs et des sons qui l'entouraient. Le clip-clop des sabots d'un cheval que l'on menait à travers la place résonnait magnifiquement ; le grincement d'un chariot devenait le tonnerre d'un millier de chariots ; l'œil d'une hirondelle qui décrivait un arc à la mi-hauteur de la tour accrocha son regard en un instant de reconnaissance mutuelle ; l'infinitésimal point rouge sur le dos d'un insecte qui tournoyait dans les airs devint un fil de lumière tourbillonnant. Chaque détail avait une signification, non pas en raison d'éléments extérieurs, mais en lui-même.

Plus tard, lorsqu'il y repensa, Fabrizio se représenta ce qu'il avait vu par strates. La première couche, au fond de la mare, était le ciel ensoleillé ; la suivante, l'image de la rosace et, par-dessus, le reflet de son visage. Puis venait la surface de la flaque, un miroir aqueux. La couche suivante, dans le monde au-dessus du trou d'eau, était son visage, puis la véritable rosace, puis le ciel ensoleillé.

Son pied, en fait, ne se posa jamais de l'autre côté de la flaque. Fabrizio eut plutôt l'impression soudaine de flotter cinq pouces au-dessus des pavés de la piazza. Il passa par-dessus le trou d'eau ; chacun de ses sens était aiguisé, ouvert comme s'il était un bébé qui venait de naître, et il se trouvait maintenant dans les airs, à cinq pouces du sol. Il balaya la place du regard. Les rares personnes qui s'y trouvaient – une paire de marchands en grande conversation, une vieille dame qui vaquait à ses occupations, trois gamins qui jouaient à chat – ne l'avaient pas remarqué. Malgré cela, il se sentait extrêmement mal à l'aise. Il parvint à avancer comme s'il marchait sur la terre ferme, mais il se mit également à s'élever de façon incontrôlable. Il trouva son chemin jusqu'à une ruelle étroite entre la cathédrale et le baptistère et s'accrocha au mur de pierre pour se diriger vers sa petite demeure, faisant de son mieux pour rester dans l'ombre, avançant avec précaution pour éviter de monter encore plus haut.

Une fois chez lui, il salua Omero.

— Vous brillez. Pourquoi brillez-vous ? demanda Omero en le voyant. Et vous paraissez excessivement grand. Vous seriez-vous léché les doigts par mégarde après avoir tripoté une de vos potions alchimiques ?

— Non, pas que je me souvienne. Je ne suis pas sûr de ce qui s'est produit. Un éclair lumineux alors que je passais par-dessus une flaque d'eau, c'est tout. Puis, ceci.

Il indiqua qu'il flottait à cinq pouces du sol, accroché à une table pour éviter de s'élever davantage.

— Saint Paul sur le chemin de Damas. L'éclair lumineux et tout et tout. Ce sont des choses qui arrivent, déclara Omero.

— Je me demande combien de temps cela durera, et si cela finira par passer.

— J'en suis certain. En attendant, j'attacherai une corde à votre cheville quand nous sortirons pour vous empêcher de vous envoler au ciel.

— Mais les gens vont se demander…

— Personne ne s'en rendra compte, au début. Et quand ils le remarqueront, cela ne fera qu'ajouter à votre réputation. Ils pensent déjà que vous êtes un saint. Cela devrait rameuter les aveugles et les faibles à la porte. À toute heure du jour et de la nuit, d'ailleurs.

— Oui, et quand je voudrai dormir, comment ferai-je pour ne pas me retrouver au plafond?

Omero réfléchit un instant et décréta:

— J'empilerai des livres de votre bibliothèque sur votre poitrine pour vous lester. Ils serviront enfin à quelque chose.

— Et si je n'arrive pas à trouver le sommeil, j'aurai au moins quelque chose à lire. Je te donnerai une liste des ouvrages que je veux. Il faudra assurément inclure le volume de l'Arabe al-Râzî, *Le secret des secrets*, car mes expériences alchimiques avancent merveilleusement bien et je sens que je suis sur le point de découvrir la pierre philosophale. Peut-être que l'Arabe aura des suggestions utiles. Ah oui, mets-moi aussi les *Épîtres* de Filelfo, et *Vies des philosophes*, et la Bible, bien entendu, et les *Épîtres* de Filelfo…

— Vous venez de le dire. Vous avez dit « les *Épîtres* de Filelfo » deux fois.

— Vraiment? Peut-être ai-je deux volumes de cet ouvrage? Est-ce que j'ai deux volumes? Je me demande bien…

Omero secoua la tête avec incrédulité.

Cela dura une semaine, puis Don Fabrizio revint sur terre.

— Je ne suis pas un saint, tu sais, tenta-t-il d'expliquer à Omero. Je ne vais pas m'envoler et devenir un archange, ni même un ange. Il fallait que je retourne sur terre pour devenir entièrement humain, complètement humain. C'était la seule manière.

Avant qu'il ne redescende, quelques personnes avaient remarqué son apesanteur et la rumeur s'était propagée. Au grand désarroi d'Omero, des enfants avaient passé la semaine à venir à leur porte et à chanter :

— Venez, Don Fabrizio, sortez de votre cage ! Volez comme un oiseau, flottez comme un nuage.

De temps à autre, lorsque la foule d'enfants se faisait trop insistante et fatiguée d'attendre, Omero nouait sa corde autour de la cheville de Don Fabrizio et tous deux déambulaient jusqu'au bout de la rue puis revenaient. Les enfants couraient et sautaient derrière, riant et applaudissant pendant qu'Omero marchait avec un air renfrogné.

— Ça suffit, maintenant, rentrez chez vous ! disait-il aux gamins quand Fabrizio et lui arrivaient à leur porte. Vous vous croyez au cirque, au théâtre ? Il n'a rien d'un saint, vous savez ? Il me bat !

Puis il tirait la langue aux enfants, qui lui rendaient sa grimace avant de détaler.

✳

UNE TEINTURE ROUGE
AUX COMPOSANTES INCONNUES

Un jour, quelque temps après l'arrivée des comédiens sur la place et peu après ces étranges événements, Fabrizio leva les yeux de son établi. Dans son éternelle quête de la pierre philosophale, il venait d'ajouter dans son chaudron de fer une quantité de salicorne en poudre mesurée dans une demi-coquille d'œuf de chardonneret. Omero apparut à la porte du laboratoire, une haute silhouette derrière lui.

— Votre Excellence, railla-t-il, vous avez un visiteur.

Fabrizio décocha un regard cinglant à son valet avant de se rendre compte que le visiteur était son ami le luthier.

— Niccolò, entre, entre.

Après les salutations, Niccolò en vint au fait.

— Il y a dix ans, je suis tombé sur un superbe bloc d'épicéa d'excellente qualité de la vallée de Brembana. Je l'ai laissé vieillir depuis ce temps. Le bois possède une teinte rougeâtre que j'aimerais faire ressortir davantage. Pourrais-tu me recommander une teinture que je pourrais ajouter au vernis ?

Fabrizio réfléchit. Il examina les pots et les bouteilles alignés sur les étagères puis cueillit un flacon de verre.

— Celui-ci, je l'ai récemment acheté au bouffon sur la place. Un aphrodisiaque, semble-t-il. Comme tu peux voir, sa couleur est d'un rouge profond. Je n'ai pas encore eu le temps d'en déterminer les composantes.

Il le tendit à Niccolò. Celui-ci plaça le contenant devant la lumière de la fenêtre.

— Est-ce la couleur qu'il te faut ?

— Tout à fait. C'est absolument parfait.

— Commence par ajouter une seule goutte à ton vernis. Je soupçonne que la potion s'y mélangera facilement.

— D'accord.

— Je vais t'en donner une petite quantité.

Le prêtre prit une fiole vide sur l'étagère et l'ouvrit. Omero, qui écoutait leur conversation, tenta d'examiner la mixture de plus près et renifla dans sa direction.

— Omero, je crois qu'il y a du bois à corder dehors, non ? C'est le même bois que je t'ai demandé d'empiler hier, et le jour d'avant. Ce serait un bon moment pour réaliser cette petite tâche. Je ne t'en demande pas beaucoup. Je serais très content. Comme tu le sais, je suis un homme patient, mais ma patience a des limites…

Omero fila vers la sortie.

Don Fabrizio referma la petite fiole avec un bouchon de liège et la tendit à Niccolò qui la glissa dans sa poche. Ses remerciements flottèrent derrière lui alors qu'il sortait à la hâte.

LA FLEUR DU PEINTRE

Quelques semaines plus tard, un chaud soleil s'infiltrait dans le laboratoire pendant que Fabrizio s'affairait à son établi.

— Omero, va à l'atelier de Niccolò et chez la duchesse. Demande-leur de me rejoindre au couvent Santa Lucia. Il fait particulièrement beau, aujourd'hui. Nous allons travailler sur mon portrait de sainte Agathe. Dis à Niccolò d'apporter son violon, car la duchesse a besoin d'être divertie. Ses services seront requis tout l'après-midi.

Fabrizio étudia l'éventail de fioles et de pinceaux qui se trouvait devant lui. Dans un seau de bois, il laissa tomber une poignée de pinceaux.

— Les pigments, maintenant. Ah, le voici, le lapis-lazuli, *azzurro trasmarino,* la fleur du peintre. Je suis surpris qu'Omero ne l'ait pas vendu à mon insu.

Il le mit dans le seau avec les autres pigments et se hâta vers le couvent. Pendant qu'il marchait, le visage de la duchesse flottait devant ses yeux. Il le fixait depuis des jours lorsqu'il travaillait sur le portrait, si bien qu'à présent ses traits si charmants lui apparaissaient régulièrement. Il savait que la jeune femme possédait une volonté égale à celle de son mari. Le duc était craint à travers la ville en raison de son caractère, mais Fabrizio était certain que la duchesse était capable de lui tenir tête. Elle venait d'une éminente famille qui comptait six frères. En tant que seule fille, elle avait appris très jeune à se défendre. Il tourna au coin d'une rue et approcha du couvent. *Plus de quatre années de mariage et pas d'enfant. Les gens commencent à jaser, et moi, j'ai complètement échoué. Je ne suis arrivé qu'à lui donner de faux espoirs avec mes potions.*

À son arrivée, une nonne au dos droit et à l'air indifférent l'escorta jusqu'à la cour intérieure. La duchesse et Niccolò l'y attendaient déjà.

— Salutations à vous deux. La fête de la Saint-Luc : n'est-ce pas une journée parfaite pour ceci ?

— Comme c'est opportun, dit la duchesse. Le saint patron des peintres.

— Et des docteurs, ajouta le luthier.

— Et des bouchers, conclut Don Fabrizio. Son emblème est le bœuf. Il est souvent représenté en train de peindre la Vierge, le saviez-vous ? Mais il est temps de commencer.

Il se tourna vers la duchesse.

— Avez-vous expliqué à Niccolò pourquoi je lui ai demandé de venir ?

— Non. Nous venons tout juste d'arriver.

Avec précaution, elle s'installa sur un tabouret et arrangea ses jupes, pendant que Niccolò s'asseyait sur le rebord de la fontaine de pierre.

— Je vois que tu as apporté un violon, mon ami. Je vais m'expliquer. Tu vois ce portrait sur lequel je travaille ?

Fabrizio désigna l'œuvre à moitié achevée sur le mur de la cour.

— Notre pauvre dame pose pour moi depuis cinq jours. Plus le temps s'étire, plus son visage devient triste. Cela ne convient guère, bien entendu. Je veux qu'elle ait un air transcendant, comme si elle était éclairée de l'intérieur. Tu joueras donc du violon pour l'égayer pendant qu'elle pose.

— Je ne poserai pas un jour de plus sans divertissement, décréta-t-elle.

— Bien sûr, nous comprenons, madame, nous comprenons. Tu seras rémunéré généreusement, mon ami, dès que le couvent me paiera, ajouta Fabrizio à l'intention du luthier. L'après-midi s'annonce fort agréable, qu'en dites-vous?

— On verra. Je préférerais être à mon atelier, mais j'attends ma prochaine commande, de toute façon.

Il prit le violon et le cala sous son menton.

— J'attendais justement l'occasion de te faire entendre mon dernier instrument. Je crois qu'il s'agit de ce que j'ai fait de meilleur : un violon qui fait oublier le temps, qui rend amoureux. J'ai rougi le vernis avec la teinture que tu m'as donnée. Elle a fait des merveilles.

— Très joli, en effet, dit Fabrizio en regardant le violon. Laisse-moi l'examiner.

Niccolò lui tendit l'instrument comme s'il lui confiait un enfant, une main sous le manche, l'autre sous la caisse. Fabrizio le reçut de la même manière.

— Superbe couleur. Et il est léger comme l'air.

— Un bon violon ne pèse presque rien, pas plus qu'une poignée de pétales de rose, renchérit son ami. Un morceau de musique mal joué pèse davantage. Quand on dépose le violon dans vos mains, il est difficile de sentir sa présence, de savoir si on le tient bien. Le violon idéal donne l'impression de flotter dans les airs et de jouer tout seul, comme dans un rêve. La musique préexiste dans l'instrument, et sa voix nous parle avec la pureté, la clarté, l'intimité de nos propres pensées.

— Très juste.

Fabrizio lui rendit le violon. Niccolò le prit et, pendant quelques instants, frotta l'archet sur les cordes afin de l'accorder. Quand il eut terminé, il coinça le violon sous son menton et leva l'archet. Avant qu'il ne commence, il y eut un silence.

Fabrizio aimait cette hésitation fugace, cette césure muette avant la ruée, la cascade de musique. C'était une pause féconde avant le merveilleux, un vide généreux à la lisière d'une chose inconnue, encore inexistante, mais sur le point d'exister. La peau lumineuse, l'air paisible, la duchesse était belle dans son immobilité. Le prêtre contempla les peintures étalées sur une planche devant lui, ainsi que le fin pinceau de vison qu'il tenait à la main. Après en avoir léché le bout, il le trempa dans le lapis-lazuli et, toujours dans le silence, le dirigea vers le portrait. À l'extrémité des poils, un point de peinture attrapa la lumière du soleil.

Une seconde avant que Fabrizio ne touche la toile, Niccolò se mit à jouer, un adagio plaintif, profondément mélodieux. La musique coulait des cordes comme un ruisseau froid dans les montagnes, comme le Pô qui au printemps était parfaitement lisse et sans rides. Fabrizio s'interrompit et dévisagea son ami qui, les yeux fermés, écoutait sa propre musique comme s'il en était loin, comme si la cour s'était exponentiellement agrandie. Incapable de garder la pose, la duchesse le fixait elle aussi. Ses yeux étaient remplis de larmes qui déjà ruisselaient sur ses joues. Fabrizio était stupéfait. Il ne disait rien, ne peignait pas, mais continuait à regarder, figé par les sons qui semblaient déferler par vagues de son propre cœur. Les mots de Niccolò lui revinrent en tête : « un violon qui rend amoureux ». *Amoureux de quoi,* se demanda-t-il, *de la musique, ou d'autre chose ?*

Au bout d'un moment, la duchesse reprit sa pose ; Fabrizio poussa un soupir et commença à peindre. Niccolò continuait à jouer malgré un minuscule oiseau qui ne cessait de sauter sur la tête du violon, revenant encore et toujours même si le musicien tentait de le chasser du bout de son archet. Il s'arrêta et éclata de rire.

— Ce petit oiseau trouve que je lui vole la vedette.

— Quelle belle voix il a, ce violon !

— Oui, approuva la duchesse sans regarder le luthier. Je vais demander à mon mari de vous l'acheter.

— Parle-moi de ce violon. Pourquoi chante-t-il si magnifiquement ?

Fabrizio arrêta de peindre et attendit, son pinceau devant lui.

— Ce doit être l'élixir dans le vernis, l'aphrodisiaque que tu as acheté du comédien sur la place.

— Je ne pense pas. Je doute que l'élixir possède un tel pouvoir. Mais il y a dans ce violon de la vraie magie. Pourquoi ?

Niccolò réfléchit un instant.

— Oui, il a un son spécial, différent de celui de tous les autres violons que j'ai conçus. Je crois que les raisons sont multiples. Je peux expliquer certaines d'entre elles, et pour d'autres, je demeure dans l'ignorance. Je me souviens lorsque j'ai trouvé l'épicéa dans les Dolomites, d'où vient le bois. C'était il y a plus de dix ans.

La duchesse se tourna sur son siège pour écouter l'histoire.

— C'était un vieil arbre au bord d'une falaise, et avant même de l'apercevoir, j'ai entendu le vent soupirer dans ses branches.

Il était tordu et courbé comme un vieillard, pas le genre d'arbre que je me donne la peine de couper d'habitude. C'était… un moment étrange… La nouvelle lune de décembre, c'est toujours à ce moment que je coupe mon bois. Une éclipse solaire devait sans doute avoir lieu ce jour-là parce que l'air s'est immobilisé et la lumière s'est mise à décliner. Comme elle faiblissait, un oiseau, un rossignol, confus quant à l'heure qu'il était, s'est posé sur l'arbre et a commencé à chanter. C'était un chant extraordinaire, clair et précis dans l'air piquant. Puis le soleil est revenu, l'oiseau s'est envolé et j'ai coupé l'arbre.

« Le bois s'est avéré si dur et difficile à travailler que la majorité était inutilisable. Mais je suis arrivé à en tirer un rondin que j'ai traité pendant les dix années d'usage et que j'ai enfin utilisé il y a peu de temps pour fabriquer ce violon.

Il souleva l'instrument.

— Aimeriez-vous l'entendre à nouveau?

— S'il vous plaît, le pria la duchesse.

Niccolò joua encore une heure – une série d'adagios si doux et si tristes qu'ils auraient fait fondre le cœur d'un saint de marbre –, puis il annonça qu'il rentrait chez lui.

Après son départ, Fabrizio travailla sur son portrait encore un peu puis il déposa son pinceau.

— Avons-nous terminé pour aujourd'hui?

— Oui.

La duchesse se leva et fit quelques pas dans la cour pour s'étirer, se frotter la nuque. Elle se posta ensuite derrière Fabrizio, qui demeurait assis sur son grand tabouret de rotin à contempler le portrait. Il entendit le froissement de ses longues jupes alors qu'elle se remettait en marche derrière lui pour s'éloigner. Puis elle s'arrêta.

Il continuait d'écouter et de fixer son œuvre sans se retourner.

Il l'entendit s'approcher à nouveau, le bruit de ses jupes, l'odeur de sa présence. Une fois derrière lui, elle posa sa main gauche sur son épaule droite.

Il inclina la tête vers l'avant, toujours sans la regarder.

L'air était anormalement calme, comme si quelque chose était sur le point de se produire. Il faisait semblant de contempler la peinture. Il l'entendait respirer tout près de lui ; il sentait la douceur de son odeur. Elle se pencha et chuchota à son oreille :

— Je crois que je devrais partir.

— Oui.

✳

LA PHARMACOPÉE PERSONNELLE
DE FABRIZIO CAMBIATI

Fabrizio tenait entre ses mains la fiole qu'il avait achetée au comédien et l'agitait devant ses yeux, observant son contenu qui tournoyait. Il était vrai que la teinture avait magnifiquement enrichi la couleur du violon de Niccolò. Il nota sa couleur et sa viscosité avec précision et tenta de se souvenir de substances similaires qu'il connaîtrait. Il examina longuement le contenu, s'efforçant de se laisser pénétrer par sa nature, d'appréhender son essence uniquement par la vue. C'était là la première étape de son étude de l'élixir.

Don Fabrizio se sentait chez lui au milieu de ses cataplasmes, huiles et onguents. Il avait passé sa vie à apprendre, à expérimenter, car il tirait une grande joie de l'acquisition de nouvelles connaissances. Il sentait par ailleurs que la pierre philosophale était enfin à sa portée. Le remède à toutes les souffrances mentales, physiques et spirituelles de l'humanité. Il ne s'intéressait pas réellement aux élixirs et aux potions sauf pour leur éventuelle capacité à guérir l'incroyable variété de maladies qui affectaient les gens de Crémone et les fermiers de la campagne environnante. Leur douleur le touchait ; il ne pouvait y échapper. Ses yeux se remplissaient sans arrêt de larmes devant l'état du monde, et il peinait à respirer dès qu'il voyait quelqu'un battre un chien. Une fois, quand il était jeune, il avait vu un homme se faire tuer lors d'une bataille au couteau sur la place, et il demeurait hanté par son regard partagé entre la crainte, l'incrédulité et la terreur.

Des centaines de flacons et de bouteilles en verre, de sachets et de pochettes étaient alignés sur les étagères qui surplombaient la table de son laboratoire. Il avait mémorisé l'odeur et le contenu de chacun d'entre eux, des milliers d'herbes, de fleurs, d'huiles, de vinaigres, de minéraux, de graisses, de cires et d'autres ingrédients qui composaient sa pharmacopée personnelle.

Il savait quelles herbes on pouvait ajouter à la graisse de veau, d'oie, de porc, de chèvre, de limace ou de serpent pour créer des onguents palliatifs à l'odeur fétide et à la texture malléable. Il connaissait celles que l'on pouvait intégrer aux vinaigres pour traiter les morsures, les brûlures, les maladies cutanées et la toux ; celles que l'on mélangeait à l'huile d'amande, de noix ou de laurier pour obtenir un onguent parfumé ; celles que l'on mettait dans du lait ou de l'eau pour faire des infusions. Sous la table, il conservait une douzaine de paniers remplis d'excréments séchés – crottes de lapin, de lézard, de chèvre et d'écureuil. Il savait quelles plantes incorporer à du vin blanc ou rouge pour en faire un antidote ou lutter contre les parasites et les maladies du cœur. Il avait appris comment mélanger herbes, miel et eau pour fabriquer des hydromels aptes à traiter la fièvre, et comment utiliser le miel, le vinaigre et le sel de mer pour préparer des oxymels qui soignaient les morsures de serpent. Il recueillait de l'eau de pluie en diverses saisons et faisait bouillir du jus de raisin pour les toux et les fièvres. Il avait de l'hamamélis pour l'appliquer sur les coupures et une petite quantité de *ma huang*, plante millénaire de Catai, qui guérissait les affections oculaires. L'éventail des maladies et des souffrances était immense ; pour lui, la seule façon de contrer une telle virulence était de lui opposer cent mille cures, son propre assortiment de remèdes.

À chaque occasion, Fabrizio cherchait à étendre sa connaissance des ingrédients médicinaux avec l'obsession d'un érudit qui ne pense qu'à retrouver l'étymologie perdue des mots. Il savait qu'à certains moments, plusieurs de ses prédécesseurs avaient vu leurs traitements échouer. Il savait, par exemple, qu'il ne fallait pas employer de poudre de perle pour soigner un mal d'intestin comme on l'avait fait au cours des siècles précédents. Mais dans sa sagesse, il n'avait pas la prétention de tout connaître, contrairement à d'autres médecins. Il était conscient qu'il ne découvrirait pas la pierre philosophale par l'arrogance, mais par une combinaison de chance, de travail acharné et d'humilité, avec, peut-être, un peu d'aide de la part des étoiles.

Tenant toujours devant ses yeux la fiole qu'il avait achetée au comédien, il réalisa que sa vue, quoique perçante, ne suffirait pas. Flairer la mixture une fois ou deux devrait cependant lui permettre d'en connaître les ingrédients, à moins qu'elle ne contienne quelque chose de radicalement inattendu. De temps en temps, un onguent ou une épice exotique arrivait d'Afrique ou encore de l'Est via Venise, et s'avérait renfermer un ester ou une résine qu'il ne connaissait pas.

Avant de sentir la mixture, il effectua le traditionnel test des médecins grecs. Avec l'annulaire de sa main gauche, il remua le contenu. La « veine d'amour » reliait ce doigt au cœur. Si un mélange était toxique, le docteur le sentirait dans son cœur avant d'en administrer une dose à son patient. Fabrizio fut un peu surpris de sentir un picotement dans sa poitrine.

Mais cela n'avait rien de déplaisant. En fait, c'était une sensation délicieuse, comme s'il était subitement submergé par la joie. Il retira son annulaire et fut encore plus étonné de constater que celui-ci pulsait. Il souleva le flacon, le huma profondément, remplissant ses poumons au maximum.

À ce moment, il crut ouïr le son quasi imperceptible d'un archet que l'on frottait sur les cordes d'un violon. Il l'entendait non pas avec ses oreilles, mais au plus profond de sa poitrine, un glissando flottant qui vibrait faiblement en lui. Puis, les odeurs déboulèrent sur lui en trombe. Plusieurs éléments typiques des aphrodisiaques communs étaient présents, un assemblage d'herbes aussi douces et amères que l'amour : le carvi (facilement reconnaissable), le basilic, le puissant clou de girofle, la menthe, une touche d'ail, l'ortie, le gingembre à la racine difforme, le poireau (sans doute en raison de la forme de la plante et non pour ses propriétés), la valériane, la livèche, la mauve, le souci (qui soignait les piqûres de toutes sortes), la muscade, le radis, un brin de roquette, le safran, la moutarde, la sauge et la sarriette des jardins. Peut-être même un peu de pénis de tigre séché de Catai. Fabrizio songea que le créateur de la potion était déterminé à ne négliger aucune avenue dans la gamme des aphrodisiaques possibles. Bien sûr, en tant qu'alchimiste et herboriste, il savait que le processus de distillation comptait pour beaucoup. Une liste d'ingrédients n'était rien de plus qu'une liste d'ingrédients.

Il s'interrompit. *Il y a quelque chose là-dedans que je ne reconnais pas, un ingrédient que je n'ai jamais senti de ma vie. Et c'est agréable, à un point tel que cela monte à la tête.* Il en était légèrement étourdi et, encore une fois, il fut saisi par l'impression que son cœur débordait.

Il sentit à nouveau l'élixir et la tête lui tourna. *Absolument irrésistible. Qu'est-ce que c'est ? Il me faut le découvrir.* Il porta la fiole à ses lèvres, prit une gorgée, tressaillit et secoua la tête. *Incroyablement amer.* Il ferma les yeux. Le son indescriptiblement lointain d'un violon revint remplir sa poitrine. Sa source semblait se situer à l'intérieur de son corps, mais aussi très haut dans le ciel, comme s'il percevait l'impossible son qui émanait de la rotation des étoiles, des planètes et des autres astres ; le bruit des étoiles filantes et des comètes invisibles. La musique était à la fois profondément intérieure et inconcevablement distante, et elle se déplaçait en décrivant un arc, l'écho de la lumière qui traversait l'espace, le bruit que produit un vent stellaire, rayonnant, éclatant, lumineux, lucifique.

✳

UNE FEMME AU DÉSESPOIR

Ce soir-là, la duchesse était couchée dans son lit et écoutait la pluie tomber sur le toit du palais. C'était un ruissellement plus qu'une averse; la ville était saturée de brouillard, d'humidité et de nuages bas. À côté d'elle, le duc ronflait, plongé dans un sommeil profond. Ils avaient fait l'amour trois fois ce soir-là, en partie parce qu'ils étaient déterminés à faire un enfant, et en partie parce que le duc avait pris une dose de l'aphrodisiaque qu'il avait acheté aux comédiens. Avant la troisième fois, il l'avait convaincue d'y goûter aussi.

— Cela nous aidera peut-être. Dans notre quête, je veux dire. Peut-être que cette petite bouteille renferme un minuscule génie qui a la forme de notre enfant. Peut-être que cela libérera en toi quelque chose qui offrira un terrain fertile à ma semence. Essayons.

Quoi qu'il en fût, la magie de l'élixir d'amour avait opéré. Le duc avait été insatiable, tout comme elle. Mais un désespoir criant s'était immiscé dans leurs ébats; peut-être même avait-il commencé à y injecter son poison. Par ailleurs, elle n'avait pu s'empêcher de noter qu'il avait décidé qu'elle était, sans l'ombre d'un doute, la coupable.

Et elle se sentait effectivement coupable. Ses yeux se remplissaient de larmes lorsqu'elle pensait à son incapacité à donner un enfant au duc malgré toutes les mixtures que Don Fabrizio lui avait fournies durant la dernière année. Rien n'avait fonctionné. Les potions ne faisaient que lui donner mal au ventre et lui couper l'appétit. Et maintenant, une lueur de folie et de frustration apparaissait dans l'œil du duc quand ils s'unissaient dans leur lit conjugal.

Les yeux grand ouverts, la tête sur l'oreiller détrempé, elle écoutait le plic-ploc des gouttes dehors. On aurait dit que toute la tristesse du monde et de son cœur était rassemblée dans ce son persistant. Elle était percluse de chagrin, et elle avait l'impression que si elle se laissait vraiment aller, elle pourrait pleurer un torrent qui rivaliserait avec le Pô. En même temps, l'élixir faisait toujours son effet. Un picotement irradiait dans ses membres depuis le centre de son corps ; son cœur battait la chamade. Elle se leva, s'approcha de la fenêtre, regarda à l'extérieur et décida malgré le mauvais temps que la marche était la seule manière de conjurer le pouvoir de la potion.

Elle enfila une longue cape à capuchon et se dirigea vers la porte, croisant un garde endormi. C'est alors qu'elle sentit la force de l'aphrodisiaque se raviver en elle. Puis, elle remarqua la musique. Elle était présente depuis le début, mais si faible qu'elle était passée inaperçue. Une musique lointaine, étrange. Séduisante. Une musique qui venait du ciel. Elle se couvrit de son capuchon et se mit à marcher d'un pas vif vers la piazza, vers le cœur de Crémone.

L'APPEL DU VIOLON

Alors que Fabrizio se traînait dans la rue, la capuche rabattue sur la tête, le ciel semblait s'être déposé sur les places et les ruelles de la ville. L'humidité pénétrait chaque crevasse et recoin caché de Crémone. C'était un brouillard de pluie, une pluie de brouillard, une brume épaisse qui assombrissait les pierres de chaque maison et église. Elle suintait dans les demeures, imbibait les fruits, humectait le riz et la farine, imprégnait les tapisseries du palais, les amants dans leur lit, les cheveux et les cils des enfants endormis.

Lorsqu'il s'arrêta, Fabrizio arriva à peine à percevoir la pluie. Il sentit une goutte se former sur sa nuque, juste sous la lisière des cheveux ; elle glissa sous son col et, tel un doigt glacé, descendit le long de sa colonne jusqu'à sa base, où elle fut interceptée par le tissu qui lui ceignait la taille.

Il entendait toujours la musique dans sa tête, le son distant d'un violon, mais avec plus de force à présent. Convaincu que sa source se trouvait dans un atelier ou un salon des environs et non à l'intérieur de lui-même, il chercha celui qui produisait une musique aussi indescriptible. Le son, tel une drogue, le captivait entièrement; comme la lumière dans l'eau, il entrait tout droit dans son cœur et le traversait.

Fabrizio poursuivit son chemin. Le brouillard s'immisçait dans ses yeux, dans ses oreilles, dans ses pensées et dans ses rêves. Il léchait les vieux violons, bien rangés dans leur étui, et les violons neufs, verts et jeunes. Il pénétrait la sainte Eucharistie et, subtilement, mettait un peu d'eau dans le vin d'église et dans celui de la taverne. Il détrempait même l'histoire, comme s'il pleuvait depuis mille ans et que le soleil ne s'était pas montré depuis le temps des Étrusques.

La brume recouvrait le marbre de la cathédrale, mouillait les cryptes et leurs squelettes, baignait la tête des saints de la façade et remplissait la statue creuse du prophète Isaïe; elle coulait de ses yeux comme s'il pleurait pour toutes les âmes perdues du monde. Elle dégoulinait sur l'Échine sacrée de la cathédrale de Crémone et diluait le Précieux Sang du Christ, la relique de la cathédrale de Mantoue, non loin de là.

Don Fabrizio se souvint que sa première gorgée de l'élixir lui avait fait rejeter la tête en arrière. *Amer. Plus amer que de l'extrait d'amande pur. Plus amer que de la belladone.* Une fois l'infinitésimale goutte passée derrière sa langue et dans sa gorge, il avait instantanément senti son estomac se révulser. Sa tête s'était mise à tourner. Il avait cru que l'air frais l'aiderait. Il avait passé dix minutes à haleter devant sa porte, étourdi, et à écouter cette musique d'une indicible beauté. Puis il était rentré dans son laboratoire pour prendre un antidote. Il avait décidé que c'était essentiel, car la musique était si enchanteresse et exquise qu'il se serait volontiers laissé emporter. *J'accepterais de mourir dans cette musique. Je la laisserais m'emmener jusqu'au plus haut des cieux. Et quelque chose me dit que j'y trouverais aussi l'enfer le plus profond.* Rapidement, il avait parcouru les centaines de fioles qui se trouvaient sur ses étagères. Un mauvais choix serait fatal, mais il sentait qu'il devait faire quelque chose pour éviter d'éclater en mille morceaux, comme la sculpture de l'archange saint Michel qui était tombée de la façade de la cathédrale l'année précédente pour exploser sur l'escalier de marbre.

Avec de l'eau, il avait avalé une poignée de rue commune et de houblon, mais il avait aussitôt senti que cela ne serait pas assez fort. Désespéré, il avait essayé le cerfeuil, capable de juguler les mauvais rêves, avec peu de résultats. *Quelque chose de plus fort, quelque chose qui fouette. De la jusquiame noire toxique. Elle peut donner des hallucinations, la sensation de voler.* Il avait tendu la main vers la jusquiame, hésité, puis tendu la main à nouveau.

Il s'était emparé de la fiole au contenu bleu-violet, l'avait débouchée, puis avait avalé une bonne gorgée. Dans son ventre, l'antidote avait tourbillonné en spirale comme s'il cherchait l'intrus. Avec un soupir, Fabrizio s'était détendu, sachant qu'il ne mourrait pas. Cependant la musique lui parvenait toujours, voluptueuse, fascinante et légère comme le bruit d'une brise d'avril à travers un limettier, mais également insistante, iné-luctable. Dans le crépuscule et le brouillard gris de la ville, il était sorti pour en trouver la source.

Don Fabrizio passa devant l'atelier de Niccolò, mais il était sombre et silencieux. Personne ne jouait du violon là ni dans aucun des autres ateliers ou maisons qu'il rencontra sur son chemin. La cathédrale et le baptistère étaient vides, eux aussi. Enchanteresse, la musique continuait de lui brûler l'intérieur.

Fabrizio s'arrêta sur la grand-place et regarda l'horloge de la tour qui jouxtait la cathédrale. Il se frotta les yeux, secoua la tête. Les quatre aiguilles tournaient en rond, reculant et avançant dans le temps, dans le sens horaire et antihoraire.

« La musique, c'est la musique qui fait cela. »

Détrempé par le brouillard, il observa les aiguilles de l'horloge peinte aller vers l'avant, vers l'arrière. Par un phénomène étrange, les aiguilles et la musique étaient synchrones.

Il examina ses mains. Ce n'étaient pas les siennes, mais celles d'un jeune homme ou alors, celles qu'il avait jadis. Le sang affluait en lui ; la musique, malgré sa beauté, lui martelait l'intérieur du crâne.

À ce moment, haut dans les cieux, au-delà des nuages, la lumière de la comète tomba comme une pluie de longs filaments.

À l'autre bout de la place, une femme encapuchonnée, la seule autre personne dehors par ce temps affreux, traversa la brume à la hâte et se faufila dans une ruelle. Du coin de l'œil, Fabrizio perçut ses mouvements et la suivit. *Je ne suis pas un saint,* pensa-t-il, *mais ceci est pure folie.* Ses pieds étaient mus par une volonté propre. Devant lui, elle se glissa dans une autre ruelle plus étroite, plus sombre. Il la suivit. Lorsqu'il ne fut plus qu'à dix pas, elle s'arrêta et se retourna vers lui. C'était la duchesse. Elle lui parut extraordinairement belle. En le reconnaissant, elle esquissa un sourire qui semblait émerger des profondeurs de son ventre.

— Oh, Fabrizio, c'est vous.

Il y avait une terrible urgence dans sa voix.

— Je… je… Vous pouvez m'aider ? Je vous en prie.

Il s'approcha.

— Oui, bien sûr. Qu'y a-t-il ?

— J'ai fait quelque chose de mal. J'ai pris une gorgée de l'élixir de mon mari, celui qu'il a acheté au comédien, sur la place. Je crois que je suis en train de devenir folle. Je marche dans les rues depuis des heures. Je suis si… si…

— Pourquoi en avez-vous bu ?

Elle secoua la tête.

— Il me l'a demandé. Et j'avais vu la joie, le plaisir que cela lui procurait pendant nos... J'ai besoin...

Elle planta son regard dans le sien et lui saisit les bras pour l'entraîner plus loin, dans l'ombre d'un portique.

À ce moment, Fabrizio entendit la lointaine musique du violon qui montait de plus en plus haut. La pluie battait la ruelle déserte et l'eau coulait en rigoles dans les fentes du pavé. Le brouillard s'infiltrait partout, engouffrant la ville entière, l'air humide, chargé, pétillant d'étincelles.

Enfin, la plainte du violon éclata en une lumière pure, aveuglante.

LA COMÉDIE – ACTE DEUX

✦

LA PIÈCE DE THÉÂTRE COMMENCE :
LA LETTRE

Sur la place bondée, le son des flûtes, des tambours et des cordes attirait la foule plus près de la scène tandis que les retardataires se pressaient vers la piazza en entendant la musique. Ceux qui étaient debout au fond se tenaient sur la pointe des pieds et s'étiraient pour mieux voir, alors que les mieux nantis, assis sur des sièges en rotin près du plateau, terminaient leurs conversations en levant les yeux avec expectative. Les musiciens finirent de jouer et quittèrent la scène.

Fébrile, l'auditoire savourait ce moment où cessent bavardages et gigotements, où la pièce s'apprête à commencer. Les acteurs arrivaient à peine à respirer. La place, pleine à craquer, était silencieuse ; même le plus jeune des enfants observait, l'œil grand ouvert, sachant que quelque chose était sur le point de se produire.

Puis, la pièce commença. Deux arlequins en demi-masques noirs entrèrent à reculons depuis les extrémités de la scène. Le premier tenait une ombrelle ; l'autre, une lanterne. Ils portaient de longues vestes ajustées et des pantalons couverts de pièces de tissu colorées de forme bizarre. Les trous des yeux étaient minuscules, et une verrue ornait le front de leurs masques. Ils reculèrent lentement jusqu'au milieu de la scène. C'est alors que leurs derrières se touchèrent. Ils figèrent tous les deux et, avec circonspection, tournèrent la tête. Quand ils s'aperçurent, ils pivotèrent en se tortillant, se redressèrent et bombèrent le torse.

— Je suis Arlecchino. Ma mère avait un tempérament si chaud qu'elle me portait dans son ventre cinq jours après son mariage.

Il s'exprimait dans le dialecte de Mantoue.

— Cinq jours? Elle en a mis du temps! La mienne était grosse à peine trois jours après ses noces. Et écoute-moi bien : tu ne peux pas être Arlecchino, car Arlecchino, c'est moi.

L'arlequin qui tenait la lanterne la rapprocha du visage de l'autre.

— Pourquoi as-tu un parasol?

— Il fait chaud ; j'aime transporter un peu d'ombre avec moi.

— Quoi? Tu es fou? Il fait nuit noire, il n'y a même pas de lune. Je cherche une étoile filante ; son nom est Bella et sa traîne fait deux cents lieues. Tu l'as vue?

L'autre ignora la question.

— La nuit? Point du tout, il fait clair comme le jour.

— Écoute, nigaud. Regarde l'horloge sur la tour, fit-il en la montrant du doigt.

— Les horloges. À quoi servent-elles? Elles répètent la même heure deux fois par jour. On ne sait jamais s'il est minuit ou midi. Fi des horloges. Regarde le ciel. Écoute les cloches.

— Tu es vraiment fou, dit-il en levant sa lanterne. Ta tête me dit quelque chose.

— La tienne aussi.

— Es-tu déjà allé à Crémone ?

— Nous sommes à Crémone.

— Mais non. Nous sommes à Mantoue, ici.

— Si tu n'arrêtes pas de me contredire, je vais te casser la figure.

— Seulement la figure ? Pourquoi pas tous les membres ?

L'arlequin à l'ombrelle tira une cliquette de sa ceinture et frappa l'autre à l'épaule. Les deux moitiés du bâton se heurtèrent avec un claquement sec.

Ils entreprirent de se frapper mutuellement la tête et les épaules, une bonne douzaine de fois. Clac ! Clac ! Ils s'échangeaient les coups, chacun attendant bêtement son tour avant de taper l'autre à nouveau.

— Es-tu mort ?

— *Imbecille !* Comment pourrais-je être mort ? Je suis toujours debout, comme toi !

— Bon, très bien, on ne peut pas continuer comme ça, je risque de manquer le souper.

Sur ces mots, l'un balança sa cliquette par-dessous pour frapper l'autre entre les jambes, et la foule grogna à l'unisson avec le comédien blessé.

L'arlequin à l'ombrelle tomba à genoux et s'examina l'entrecuisse avant de s'exclamer, les dents serrées :

— Ah, tu m'as bien esquinté, cette fois, démon !

Il s'effondra, étendit les jambes et demeura immobile tout en continuant de tenir son parasol au-dessus de sa tête.

— Ha ! Il ne lui reste plus qu'un demi-membre, c'est certain. Mais que vois-je ?

Il se pencha et cueillit un objet à la ceinture de son adversaire.

— Une lettre ?

Il l'examina.

— Dommage que je ne sache pas lire. Mais elle pourrait tout de même s'avérer utile.

Il coinça la missive dans sa ceinture et la plia. L'ombrelle s'était inclinée. Il la redressa en quittant la scène.

Alors que l'arlequin « mort » s'éloignait en roulant sur lui-même, Pantalone apparut sur les planches. Le vieil homme écorchait un violon. L'instrument couinait et grinçait, poussant les spectateurs à se boucher les oreilles.

— Aïe, aïe, arrête ! cria le premier arlequin qui revenait en courant. Je ne puis supporter l'horrible supplice que tu infliges à cet instrument. J'ai connu des chats en chaleur qui miaulaient avec plus de finesse, des porcs égorgés qui chantaient leur dernière chanson de façon plus harmonieuse, des chevaux qui pétaient plus mélodieusement.

— C'est bon, c'est bon, j'ai compris, dit le vieux. Elle aime la musique. Que suis-je censé faire ?

— Aïe aïe aïe. Pas ça.

Pantalone avisa la lettre à la ceinture de l'autre. Le vieil-lard, grand et voûté, portait un masque de cuir au long nez crochu. Il était maigre, richement vêtu et parlait d'une voix aiguë.

— Arlecchino, où étais-tu ? Voilà une heure que je t'attends. Je vois que tu as la lettre de Niccolò, le maître luthier, dit-il en pointant la ceinture de l'autre. Donne-la-moi donc. Voici ton besant, ajouta-t-il avant de lui lancer une pièce.

L'arlequin attrapa la pièce qu'il considéra avec perplexité avant de mordre dedans. Il retira la lettre de sa ceinture, et l'examina à son tour.

— Un besant ? C'est tout ? Après tout ce que j'ai fait pour te rapporter cette lettre ? Une douzaine de gardes armés m'ont intercepté. Je les ai tous terrassés, bien sûr, mais ça n'a pas été facile. Un deuxième besant serait certainement opportun, un troisième, très approprié, un quatrième, fort généreux.

Il fit une révérence.

— Ferme ton clapet ou j'exige que tu me rendes le premier besant. La demeure de maître Niccolò n'est pas loin d'ici. Qu'est-ce que tu racontes ? Il n'y a pas de gardes dans les rues.

Il esquissa un grand geste puis tapota la poitrine d'Arlecchino.

— Tu es un menteur, et un lambin de la pire espèce. Je suis même étonné d'avoir reçu la lettre. J'y serais allé moi-même, mais tu sais que je crains de manquer la promenade d'Aurora sur la place. Je ne sais jamais quand elle passera, alors j'attends ici toute la journée et toute la nuit. L'amour fait souffrir l'homme. Oh oui.

Arlecchino lui tendit la lettre.

— Qu'est-ce qui est écrit ?

Il se rapprocha et scruta la page déployée entre les mains de Pantalone.

— Il demande deux cents besants pour me fabriquer un instrument qui m'assurera de gagner le cœur d'Aurora. Deux cents besants ! Je n'en ai pas les moyens ! Je me demande, fit-il en se grattant la tête, s'il m'en prêterait un.

— Deux cents besants ! Je te trouverai un violon convenable pour bien moins que ça ! Je connais un luthier à Mantoue, un dénommé Ugo. Je m'arrangerai pour qu'il t'en fabrique un.

C'est un excellent homme, très doué, bien qu'un peu effrayant. Un nain bossu. Tu devrais voir son chien, un mastiff tellement immense, cela dépasse l'entendement. Grand comme un cheval, et même plus…

— Assez ! Il n'y a pas de bon luthier à Mantoue ; tous les maîtres sont à Crémone.

— Ah, c'est là que tu te trompes, vieillard. Tu te trompes royalement. Ce maître est capable de faire des violons dans le noir.

— La finition risque d'être gâchée par des poils de chien.

— Moque-toi, mais tu sais fort bien que les maîtres crémonais ne te prêteront pas d'instrument, surtout pas un violon magique. Ugo le Mantouan ne fait que des violons magiques au pouvoir stupéfiant.

— Ugo, dis-tu… Si tu me mens…

Il brandit son poing rachitique.

— Non, non, c'est la pure vérité, je le jure devant Dieu. Devrais-je aller le voir et conclure une entente pour toi ?

À ce moment-là, une ravissante jeune femme passa en ignorant les deux hommes. Pantalone la remarqua et suivit exagérément du regard le mouvement de son postérieur. Il se rajusta l'entrejambe et s'écria avec excitation :

— Aurora, qu'il est bon de vous voir sur la place ce soir ! Cela fait longtemps, beaucoup trop longtemps.

— Que dites-vous là ? Vous étiez ici hier, comme chaque soir. Avez-vous vu Ottavio ? Il devait jouer pour moi ce soir. Sa musique me fait fondre le cœur.

— Non, je ne l'ai pas aperçu. On m'a dit qu'il était parti à Rome, ou à Naples, peut-être, pour chercher son frère.

— Voilà qui est étrange. Ottavio n'a pas de frère. Ah, tiens, le voici…

Ottavio, jeune homme élégant au port fier, monta sur scène avec un violon d'un rouge doré à la main. Il se mit à jouer et Aurora se pâma, tombant à la renverse dans les bras de Pantalone, qui se tourna vers Arlecchino.

— Rapporte-moi un violon de chez le Mantouan. Maintenant !

Les musiciens remontèrent sur scène et un interlude musical s'ensuivit, pour charmer et détendre la foule. Pendant ce temps, derrière eux, Arlecchino passa sur un âne aux oreilles énormes, plus hautes que la tête du cavalier. Alors qu'il descendait la rampe, ce dernier lança à Pantalone :

— Attends-moi ici, vieil homme ! Je vais à Mantoue, te chercher un violon au palais d'Ugo.

CHAPITRE IV

Ses miracles s'accumulent, de plus en plus haut, une tour de prodiges qui monte vers le ciel. Les gens y croient, tous autant qu'ils sont. Chaque miracle est attribué à Fabrizio, leur aspirant saint. Un jour, tous les hommes de la ville se sont réveillés avec un stigmate sur la main gauche. Au crépuscule, ces signes de la crucifixion du Christ avaient disparu. Ils disaient que Fabrizio pouvait raviver les plantes fanées en les touchant. Il aurait ressuscité une chèvre morte. On l'aurait vu marcher plusieurs pouces au-dessus du sol et son valet, Omero, avançait à ses côtés en tenant une corde attachée à la cheville de son maître pour l'empêcher de s'envoler jusqu'aux nuages. Que suis-je censé penser de telles lévitations, d'une telle volonté de croire, d'une telle foi ?

＊

UNE RENCONTRE FORTUITE SUR LA PLACE

Après un autre jour de pluie et de brouillard constants, le ciel se dégagea enfin vers quatre heures et demie de l'après-midi. Le soleil se montra, flamboyant, et soudain la grand-place de Crémone se remplit de ménagères en route vers la boulangerie et la boucherie, d'enfants qui se pourchassaient, de jeunes amoureux et de vieux qui marchaient et causaient, tentant de profiter des derniers rayons de soleil de cet après-midi de printemps exceptionnellement chaud.

Les flaques commençaient à rétrécir sous le soleil déclinant qui déferlait sur le bout de la piazza, près de la cathédrale et du baptistère. La rosace du *duomo*, avec ses dix-huit pétales de verre, brillait comme si elle était recouverte de feuilles d'or. Lorsque sonnèrent cinq heures, il semblait que tous les habitants de la ville étaient sur la place et s'attardaient quelques instants avant de rentrer chez eux.

Un groupe de jeunes ouvriers riaient d'une blague vulgaire, alors que, tout près, Padre Merisi devisait avec un marchand. Elettra et une femme aux cheveux blancs se frayaient un chemin en direction de la cathédrale. Comme l'avocat du diable descendait de ses appartements pour prendre l'air après avoir passé l'après-midi à lire les *positiones* de Fabrizio Cambiati, il les aperçut.

Il songea d'abord à s'approcher pour les saluer, mais il décida de rester où il était et de les observer, dans l'ombre de l'étroite ruelle qui séparait la cathédrale du baptistère. La vieille dame marchait avec une canne et s'appuyait lourdement sur le bras de la jeune fille. Elles paraissaient bavarder constamment, penchaient la tête l'une vers l'autre en déambulant sur la place, interrompant leur conversation de temps à autre pour saluer amis et voisins. La vieille femme était voûtée, alors qu'Elettra se tenait bien droite. Même de loin, l'avocat percevait son élégance, ainsi que l'orgueil qu'elle avait sans doute hérité de la vieille femme. Elle était jeune, mais exceptionnellement sûre d'elle.

Finalement, elles approchèrent tranquillement des marches de la cathédrale ; l'avocat du diable sortit de l'ombre et Elettra l'aperçut. Elle s'illumina d'un grand sourire qui respirait la jeunesse, la chaleur et l'énergie.

— Votre Excellence, qu'il est agréable de vous voir.

— Oui, les quelques rayons de soleil ont fait sortir tout le monde.

Elle balaya les lieux du regard.

— C'est merveilleux. Et il fait si chaud.

— Voici sans doute votre arrière-grand-mère.

— Oui. Permettez-moi de vous présenter Maria Andrea, Duchessa di Baldesio.

Il inclina la tête.

La vieille dame le détailla de la tête aux pieds.

— Votre Excellence.

Y avait-il un brin de moquerie dans sa voix ? se demanda-t-il. Son visage desséché était si profondément ridé qu'il avait l'air d'avoir été coupé au couteau. Malgré son âge et ses infirmités, elle avait des manières aristocratiques.

Les yeux gris et voilés de la *duchessa* ne laissaient rien transparaître.

— Soyez le bienvenu à Crémone. Comment trouvez-vous notre belle ville ?

— Tout à fait charmante. Je ne l'ai pas entièrement visitée, mais ce que j'ai vu me plaît beaucoup.

— Et on vous traite bien, Votre Excellence ? demanda la jeune fille.

— Oui. Tout le monde est fort obligeant. Hier, dans la cathédrale, Padre Merisi m'a montré plusieurs sculptures et peintures magnifiques, dont une œuvre du candidat.

— Et vous avez vu l'Échine sacrée, notre sainte relique ?

La *duchessa* le scrutait.

— Oui. Fascinant.

L'avocat du diable sentait que ses interlocutrices auraient souhaité qu'il se montre plus expansif à l'égard de la fameuse relique de leur ville, mais son éternel sens des responsabilités lui dictait la retenue. Ultimement, raisonnait-il, il occupait un rôle neutre, et il tenait à demeurer objectif, car tout était relié : le désir de la ville d'avoir un saint, la fierté civique, la conviction que cette relique était la plus importante de la chrétienté. Une ville très typique à cet égard, songea-t-il. La jeune fille s'aperçut qu'il hésitait ; elle lut en lui, de part en part.

— Ah, mais vous devez rester objectif, c'est ça ? Faire des saints – ou peut-être les défaire – doit transformer plus d'un ami en ennemi. Vous avez beaucoup d'ennemis, Votre Excellence ?

Il considéra la jeune fille. Sa question était tendancieuse, pénétrante. Le genre de question qu'une jeune femme ne posait normalement pas à l'avocat du diable. Il détourna le regard et réfléchit pendant qu'elle attendait qu'il réponde. Mais avant qu'il ne puisse le faire, la vieille femme se pencha encore plus vers la jeune et déclara :

— Je suis fatiguée, très chère. S'il te plaît, raccompagne-moi à la maison.

Elles se mirent en route. Trop épuisée pour se retourner et le regarder, la *duchessa* le salua d'un faible signe de la tête.

Michele Archenti les scruta pendant qu'elles s'éloignaient. Depuis l'extrémité de la place, la jeune fille lança un regard furtif derrière elle pour voir s'il les observait toujours. À en juger par son air, elle fut à la fois effrayée et satisfaite de constater que c'était le cas.

Pendant ce temps, un prêtre hiéronymite couvert d'une capuche noire guettait, rigide, sous le profond portique de la mairie. Son visage était orienté vers le haut, comme s'il examinait le ciel et qu'il s'apprêtait à hasarder une prévision météorologique. Mais un observateur attentif aurait vu que sa bouche était grande ouverte en un rictus de dégoût, et ses yeux brillants tournés non pas vers le firmament, mais vers le bas, vers l'autre côté de la place.

✴

L'AVOCAT INTERROGE LA VIEILLE DUCHESSE

Une semaine après son arrivée dans la ville de Crémone, l'avocat commença ses entretiens officiels avec les résidents qui souhaitaient discuter avec lui de la candidature de Fabrizio Cambiati. L'une après l'autre, ces personnes se présentèrent au parloir, la grande pièce à l'avant de son appartement. Il était situé en haut d'un large escalier qui se trouvait à côté de la cathédrale, dans un des coins de la piazza. Bien que lambrissée de bois sombre, la pièce était étonnamment claire en raison de ses hautes fenêtres donnant sur la place, qui laissaient entrer le soleil. Ou plutôt : qui l'auraient laissé entrer s'il avait été là. Les deux premiers jours d'entrevues s'étaient déroulés sous des nuages bas revenus s'installer sur la ville, et sous une bruine persistante qui mouillait les pavés.

Le troisième après-midi, après avoir ajouté treize entretiens aux vingt et un qu'il avait menés lors des deux premières journées, l'avocat s'assit à côté du scribe local, un homme au visage ciselé nommé Angelo, et attendit. Archenti et le scribe entendaient quelqu'un se traîner dans l'escalier de marbre avec une lenteur et des efforts douloureux. À cet instant, le soleil trouva une brèche dans les nuages et les cinq grandes fenêtres s'éclairèrent et projetèrent au sol cinq parallélogrammes lumineux. L'avocat du diable considéra ces motifs et songea qu'il était étrange que, bien qu'on ne les voie jamais bouger, ils changent de position avec le mouvement du soleil. Il pensa à Copernic un moment, et se questionna. *Ne semble-t-il pas évident que le soleil se déplace sur la terre ? Ne pouvons-nous pas croire nos propres yeux ?* La *duchessa* apparut alors sur le seuil. Elle tenait le bras du gardien. L'avocat lui fit signe d'entrer.

La femme était très âgée et vêtue de noir de la tête aux pieds. Elle vacilla en traversant la pièce, s'appuyant lourdement sur sa canne en bois de poirier. Monsignor Archenti était stupéfait qu'elle arrive à se déplacer seule.

Le jésuite s'installa derrière une table de bois épais. À côté de lui, Angelo se préparait à noter les réponses de la femme aux questions d'usage que lui poserait l'avocat. Ces questions constituaient l'interrogatoire officiel élaboré par les spécialistes du Saint-Siège, fondé sur le témoignage écrit de l'évêque local et d'autres individus qui attestaient des vertus de Fabrizio Cambiati.

Chacun des trente-quatre témoins avait jusqu'alors été confronté aux mêmes questions sur la vie et l'hypothétique sainteté du candidat. Chacun avait chanté les louanges de l'homme, évoqué ses nombreuses guérisons miraculeuses (que Monsignor Archenti considérait comme de simples traitements médicaux qui n'avaient rien de miraculeux). Peu d'entre eux avaient personnellement vécu ces miracles ; ils citaient des histoires familiales qui leur avaient été transmises avec les années. Aucun de ces récits ne paraissait vrai à l'oreille entraînée de l'avocat. À la manière d'un musicien chevronné, il était capable de détecter la moindre fausse note.

La veille, après qu'un certain nombre d'entrevues eut été effectué, le scribe s'était tourné vers lui.

— Qu'en pensez-vous, Votre Excellence ? Je n'ai peut-être pas le droit de vous le demander, mais à ce stade-ci, croyez-vous qu'il était un saint ?

— Je n'ai rien entendu qui puisse m'en convaincre hors de tout doute.

À présent, Monsignor Archenti saluait d'un signe de la tête la vieille femme qui s'installait avec précaution dans le siège devant lui. Elle plaça une main sur l'autre, des serres d'oiseau posées sur sa canne, et elle le fixa sans sourire ni cligner des yeux. Elle avait relevé le menton et, bien qu'elle soit assise plus bas que lui, elle semblait le regarder de haut, les yeux calmes et posés.

— Vous a-t-on expliqué que je vais vous poser une série de questions d'usage qui constituent l'interrogatoire officiel de la Sacrée Congrégation des rites au sujet du candidat à la béatification, soit Fabrizio Cambiati de Crémone, questions auxquelles vous devrez répondre au mieux de vos capacités ?

— *Sì*.

Elle fit un bref signe de tête. Elle semblait prête.

— Quel est votre nom ?

D'une voix qui rappelait le froissement de la paille sèche, elle déclara :

— Mon nom est *la duchessa madre* Maria Andrea di Baldesio.

— Quel âge avez-vous ?

— J'ai quatre-vingt-quinze ans. C'est très vieux, n'est-ce pas ?

— Oui, dit Monsignor Archenti en souriant. Et quel âge aviez-vous lorsque vous avez fait la connaissance du candidat ?

— J'étais une jeune enfant. Notre glorieux Fabrizio a toujours été là, d'aussi loin que je me rappelle. Mais je crois que mon premier souvenir de lui remonte à lorsque j'avais cinq ans.

Je marchais avec ma mère et je lui ai demandé pourquoi l'homme qui était devant nous sur la place brillait. Ma mère ne voyait pas qu'il brillait, mais mes yeux d'enfant, oui. En grandissant, j'ai cessé de voir son halo. Je ne crois pas que son éclat avait diminué, mais plutôt que c'est moi qui avais changé. J'avais perdu ma capacité à voir ce qui était.

— Je comprends. Et la dernière fois que vous avez vu le candidat?

Elle s'interrompit. Ses yeux, comme une eau trouble, prirent cet air absent qu'adoptent les vieux qui se rappellent un passé lointain.

— C'était à ses funérailles, de grandes funérailles à la cathédrale. Toute la ville y était. Toutes les cloches sonnaient. C'était peu après la naissance de ma fille. Personne ne semblait vraiment triste, ce jour-là. En fait, il y avait une grande joie dans l'air.

— Je vois. Merci. Maintenant, avez-vous lu les Articles de la preuve testimoniale des servants de Dieu? Le document qui vous a été envoyé il y a quelques semaines?

— Mes yeux, Votre Excellence, ne voient plus assez bien pour cela. Je n'ai pas été en mesure de l'examiner moi-même.

— Quelqu'un d'autre vous l'a-t-il lu?

— Oui. Mon arrière-petite-fille, Elettra.

— Bien. Vous connaissez donc le contenu du document.

— On me l'a lu. Oui.

— Possédez-vous des informations qui ne sont pas contenues dans ces articles?

— Oh oui, beaucoup.

— Je vous prie d'énoncer clairement les informations que vous souhaitez communiquer.

— Oui, bien sûr. Voyons, par où commencer ? Je vais commencer par la fin, par ses funérailles dont je viens de vous parler et à l'occasion desquelles, comme je l'ai mentionné, une grande foule était rassemblée dans le *duomo*. Tous les habitants de Crémone, et bien d'autres d'ailleurs. Après la messe funèbre, quand je suis sortie sur la piazza, j'ai aperçu un oiseau – je crois qu'il s'agissait d'une hirondelle, l'oiseau avec la queue fendue – qui survolait le toit du palazzo de l'autre côté de la place. Il semblait me fixer et il a continué à voleter à cet endroit sans se poser, comme s'il voulait que je le remarque. Je l'ai regardé. L'oiseau a crié, une fois, puis il s'est envolé vers le soleil. L'oiseau, c'était Fabrizio.

— Est-ce que quelqu'un d'autre l'a vu ?

— Non. Je pense que l'hirondelle était une affaire privée, un moment personnel entre moi et l'âme de Fabrizio.

— Je vais clarifier, si vous le permettez. Vous avez pensé que l'oiseau était l'âme du candidat.

Elle acquiesça.

— Je vois. Autre chose ?

— Oh, il y a beaucoup d'autres choses, des choses que je suis sans doute la seule à avoir vues, personne d'autre, personne d'autre. Vous voyez, Votre Excellence, le regard compte pour beaucoup. Ce qu'il y a dans le cœur de celui qui regarde détermine aussi ce que l'on voit.

— Oui, oui, approuva-t-il avec impatience en lui faisant signe de poursuivre.

— Il y a eu un autre moment, à l'extérieur de la ville. J'étais en route vers Milan dans notre carrosse et j'ai vu Fabrizio marcher dans un champ. J'ai demandé à mon cocher d'arrêter et je l'ai regardé de loin. Il était presque entièrement couvert de minuscules papillons blancs et marchait dans les hautes herbes qui lui montaient à la taille. Il semblait scintiller et flotter, comme un ange. Il avait l'air d'un ange.

— Est-ce que le cocher l'a vu?

— Je l'ignore. Notre vieux cocher est mort depuis des années.

— Je ne sais trop quoi penser des oiseaux et des papillons. Mais poursuivons. Outre celles qui sont fournies dans les articles, avez-vous des informations concernant la jeunesse de Fabrizio Cambiati?

— Non. Je ne sais rien de son enfance. C'était un homme mûr quand je l'ai connu.

— Possédez-vous, à titre personnel ou autre, quelque preuve de la vocation religieuse de Fabrizio Cambiati?

— C'était un bon prêtre et un homme bien. Les deux, comme vous le savez sûrement, Votre Excellence, sont aussi rares qu'une risette de taureau.

Cela fit sourire l'avocat.

— Ah, mais était-il un saint? Voilà la question à laquelle je tente de répondre.

— Il donnait toujours aux gens ce dont ils avaient besoin, peu importe la situation, dit-elle.

— À quelle fréquence étiez-vous en contact direct avec Fabrizio Cambiati?

— Nous parlions à l'occasion. Il a maintes fois entendu ma confession.

Angelo toussa dans un mouchoir. L'avocat du diable s'arrêta et attendit qu'il finisse. Puis il se tourna à nouveau vers la femme et continua.

— Que savez-vous de la relation de Fabrizio Cambiati avec ses parents ou ses frères et sœurs?

— Rien. Je crois que ses parents sont morts avant ma naissance. Je ne connaissais pas ses frères et sœurs. Il me semble que son père possédait une petite plantation de mûriers et une cahute à vers à soie aux abords d'un village de la région. Ils étaient producteurs de soie. C'est tout ce que je sais.

— Savez-vous si Fabrizio Cambiati tenait compte des vertus de foi, d'espoir et de charité ? Si tel n'était pas le cas, où aurait-il échoué dans sa pratique de ces vertus ?

La *duchessa* avait les deux mains posées sur sa canne et fixait le plancher de pierre, subjuguée.

— Avez-vous entendu la question, *duchessa ?*

— J'y réfléchis, dit-elle sans redresser la tête. Je suis une très vieille femme, Votre Excellence, et les souvenirs ne me reviennent pas tellement vite. Et je souhaite présenter les choses correctement.

Elle leva les yeux vers le point le plus haut de la pièce.

— Je crois qu'il était seul. Comme tous les prêtres. Comme vous, peut-être, Votre Excellence. Je suis également convaincue qu'il n'avait aucune faiblesse sérieuse. Je crois que sa foi était grande. Quant à l'espoir, je n'ai aucune idée de ce qu'il pouvait en penser. Qu'est-ce que cela signifie, l'espoir ? Voulez-vous savoir s'il rêvait d'entrer au paradis ? Je ne crois pas qu'il y songeait. C'était un homme de ce monde, de ce monde-*ci*.

Elle donna un coup de canne au plancher et, comme pour y répondre, le soleil réapparut et éclaira la pièce.

— Je crois par contre que la charité est une vertu facile à mesurer. Dans ce domaine, il était fort singulier : il offrait ses talents, mélangeait ses onguents et liniments pour les malades et venait en aide aux gens de toutes les manières possibles, sans jamais se préoccuper de sa propre situation ni de sa sécurité.

— Vous souvenez-vous de certaines de ses bonnes œuvres?

— Oh, elles sont innombrables! Je suis sûre que d'autres vous les auront rapportées. Mais Fabrizio Cambiati était bien plus que ses bonnes actions. Il incarnait la bonté. Vous comprenez? Il suffisait d'être en sa présence pour se sentir bien. Il n'était pas l'esclave des préceptes de la charité; il les vivait, Votre Excellence. Il allait même jusqu'à mettre en danger sa vie et ses chances d'accéder au salut éternel pour combler les besoins d'autrui.

L'avocat du diable était bien entraîné à réagir aux signes les plus subtils, à lire dans le cœur de ses interlocuteurs pour entrevoir, tapie parmi les aspirations et le désir des fidèles d'avoir leur saint, la vérité nue. Après le dernier commentaire de la *duchessa*, il se pencha vers l'avant, flairant une faille, une ouverture vers une région jusqu'alors enveloppée d'obscurité. Ses yeux semblèrent devenir encore plus noirs.

— De quelle manière? Comment exactement mettait-il en danger ses chances d'accéder au salut éternel?

La vieille dame se tourna, comme si elle regardait au loin.

— Il vaut mieux préserver certains secrets.

— Ah, mais c'est là que vous faites erreur. Nous ne devons taire aucun secret, pas un seul, lors du procès d'un candidat à la sainteté.

Elle lui décocha un regard impérieux et esquissa un petit sourire rusé.

— Votre Excellence, sans secrets, le monde périrait.

— J'en doute. Et de toute façon, je ne puis rapporter à mes supérieurs que le témoignage concernant Fabrizio Cambiati est un nid de secrets. Cela serait inacceptable pour les autorités de l'Église et cela serait inacceptable pour moi, chère dame.

— Mais vous n'avez pas le choix, Votre Excellence. Vous ne connaîtrez jamais tout de cet homme. Comment pourriez-vous savoir tout ce qu'il y a à savoir sur un homme, surtout s'il est prêtre ? Les religieux sont attirés par le cléricat par intérêt pour le secret, justement.

— Faites-vous allusion aux confidences du confessionnal, *duchessa* ?

— Oui, bien sûr, ainsi qu'à d'autres secrets ressentis plus vivement, qui n'existent que dans l'esprit et le cœur. Des secrets qui ne requièrent ni confession ni pardon, qui demeureront à jamais inexprimés. Regardez en vous, Votre Excellence. N'y a-t-il pas au moins un secret enfoui ?

Monsignor Archenti s'inquiétait du tour que prenait l'entretien. Il souhaitait éviter un long échange philosophique avec l'astucieuse *duchessa* qui, il le sentait, l'entraînerait vers mille culs-de-sac pour éviter de divulguer un secret qu'elle avait à tout le moins admis détenir.

— Continuons, dans ce cas, dit-il du ton le plus autoritaire qu'il osait adopter. Il reste beaucoup de questions à poser, et une seule et courte vie pour le faire.

Elle accueillit la petite réprimande avec un sourire.

— Oui, bien sûr, continuons.

Une fois la *duchessa* partie et la longue journée d'interrogatoires terminée, l'avocat du diable avait l'impression d'être toujours aussi loin de la vérité qu'auparavant. De la fenêtre de sa chambre, il contemplait les toits de la ville. Le soleil était à nouveau caché au-dessus de la grisaille, mais les nuages étaient imprégnés d'une faible lueur dorée, et les rares traînées de pluie paraissaient bordées d'or. Il s'émerveillait de la profondeur de l'amour que portaient les gens à Cambiati, même ceux qui ne l'avaient jamais rencontré et ne connaissaient ses bonnes œuvres qu'à travers les histoires de leurs aînés. Les récits de ses traitements n'étaient pas imaginaires; ils constituaient d'authentiques signes de générosité et de grande charité. Bien des Crémonais le considéraient déjà comme un saint et lui adressaient chaque jour des prières. Des douzaines de fidèles rapportaient des miracles qu'ils attribuaient à son intercession, mais peu, voire aucun de ces prodiges n'était démontré. L'avocat du diable ignorait s'il fallait donner à Fabrizio Cambiati une église dans chaque ville de la chrétienté ou l'envoyer au bûcher *in absentia* en raison de ses fantasmes alchimiques. *Je sais comment les cardinaux répondraient à ces préoccupations : tu dois décider. En tant qu'avocat du diable, c'est ton devoir, ta responsabilité. Notre mère l'Église ne peut tolérer l'ambiguïté. Tu dois décider.*

Pendant que la pluie roulait en perles grises sur sa fenêtre, Michele Archenti fut à nouveau envahi par le même sentiment de doute qu'il avait éprouvé dans le coche, en chemin vers Crémone. Le fait de penser aux cardinaux lui avait rappelé la terrible situation qui prévalait à Rome. Il savait que le pape Benoît était gravement malade, peut-être même mourant. Si le souverain pontife s'éteignait, tout changerait très vite. Même de loin, il sentait que quelque chose d'affreux était en train de se produire là-bas, quelque chose qui ne lui plaisait pas. Il n'avait pourtant aucune envie de hâter son retour. *Peut-être devrais-je écrire à Neri. Mon vieil ami saura sûrement me rassurer.*

L'avocat décida de braver l'averse. Il mit sa cape et son chapeau et descendit l'escalier. Il traversa la piazza sans remarquer la jeune fille qui s'apprêtait à entrer dans la cathédrale. Elettra s'arrêta dans l'obscurité, juste à l'intérieur des portes, et observa Archenti qui passait, ses yeux glissant de haut en bas sur sa silhouette pour ensuite remonter lentement.

*

LETTRE À UN VIEIL AMI À ROME

Très cher Carlo,

Que Dieu vous bénisse, mon ami. J'espère que votre santé est bonne et qu'il pleut moins à Rome qu'ici, en Lombardie, où le temps est extrêmement humide. Je souhaite aussi de tout mon cœur que votre travail ait progressé au-delà de vos espérances.

Comme vous le savez, depuis environ un mois, je suis à Crémone où j'enquête sur la candidature d'un dénommé Fabrizio Cambiati. L'affaire ne fait que commencer que déjà, elle me hante. Le candidat était un grand faiseur de miracles (si l'on en croit ses compatriotes), cependant il pourrait aussi avoir pratiqué l'alchimie. Mais je ne vous écris pas ce matin pour vous ennuyer avec les détails de mon mandat.

Hormis le fait qu'il est toujours malade, nous sommes sans nouvelles de notre bon Benoît, ici. Je ne doute pas que si le Seigneur le rappelle à lui, nous en serons vite informés.

C'est à l'ami, au confident que j'écris aujourd'hui. Je dois admettre que depuis le début de cette affaire, je suis assailli par le doute. Je vais poursuivre ma mission à Crémone, mais j'ai l'impression qu'il se trame à Rome des choses qui requièrent mon attention. Cozio a-t-il commencé à se positionner pour devenir le prochain pape ? Je le sens, et je sens aussi que cela serait un désastre, pour moi, pour la Compagnie de Jésus, pour l'état de l'Église. Nous, les Jésuites, sommes déjà attaqués en France, en Espagne et au Portugal. Ma tête tourne et mon estomac se noue à l'idée d'avoir le cardinal Cozio comme souverain pontife.

Après Benoît, cela serait un cauchemar aux proportions incommensurables. Pourquoi ai-je soudainement l'impression que le monde est en train de se disloquer ? Est-ce que j'exagère, cher ami ? On dirait qu'il y a dans l'air un vent d'apocalypse, de fin du monde, et cela me fait mal au cœur.

Pour couronner le tout, il y a ici une jeune femme, la fille du duc, qui me donne le sentiment d'être moi-même tombé dans un gouffre.

Tout est possible par les temps qui courent, mon ami, tout.

S'il vous plaît, dépêchez-vous de me dire où en sont les choses. Merci de votre oreille toujours compatissante.

Béni soit notre Seigneur.

Monsignor Michele Archenti, Promotor Fidei

Avant de la sceller, l'avocat relut sa lettre une dernière fois. Il se dit qu'il était fou d'avoir inclus la phrase au sujet de la jeune fille. Il ne se souvenait même pas de l'avoir écrite, et s'étonna d'avoir pu formuler avec tant d'insouciance quelque chose d'aussi cru et compromettant. Il décida de réécrire la lettre entièrement et d'omettre le passage où il évoquait Elettra. Il prit soin de brûler la première version.

✳

L'AVOCAT ÉCHAFAUDE UN PLAN

En tant qu'avocat du diable, Monsignor Archenti était obligé de se mettre à la place de quelqu'un qui réfléchirait commé Satan, avec toute la sournoiserie et la duplicité propres à Belzébuth. À l'époque où il venait d'être nommé à ce poste, cet aspect lui pesait, car il savait que cela constituait un danger considérable. On pouvait développer, par mégarde, certains dons funestes, et la tentation d'en faire usage serait grande. Presque irrésistible.

Comme bien des intellectuels, cependant, il avait une importante faiblesse : l'orgueil. Il était certain que, s'il glissait vers le péché, il saurait le reconnaître, sans comprendre que rien ne garantissait qu'il prendrait conscience de la tentation avant qu'il ne soit trop tard. Peut-être, chez les orgueilleux, l'expérience de la faiblesse ou de l'échec est-elle salutaire.

Dans le cas de la *duchessa,* il était convaincu qu'elle cachait quelque chose de pertinent pour son enquête. Il avait des soupçons sur la nature de ce secret, mais comme avocat, il lui fallait une preuve irréfutable ; il ne pouvait se contenter de suppositions, peu importait à quel point il était habitué à deviner la vérité. Néanmoins, il était assez sage pour savoir que la *duchessa* emporterait son secret dans la tombe. *Une vieille femme rusée et déterminée comme j'en ai parfois rencontré. Elle ne pliera pas. Mais il y a peut-être une autre manière de découvrir la vérité.*

Elettra et son arrière-grand-mère étaient les meilleures amies du monde. Il les avait vues marcher bras dessus, bras dessous dans les rues de Crémone ; il les avait aperçues sur la place, assises sur des tabourets en rotin pendant une représentation de la commedia dell'arte. Il avait remarqué que, durant la pièce ou lorsqu'elles se promenaient ensemble sur la piazza, la *duchessa* se penchait pour chuchoter à l'oreille de la jeune fille, qui accueillait ces confidences en hochant la tête. Il se demandait s'il pourrait trouver un moyen de convaincre cette dernière de révéler les secrets de la vieille. Cette possibilité le fit sourire.

Haut dans les cieux, à l'insu de l'avocat, la comète, avec une infinie subtilité, introduisait sa douce lumière dans le cœur de Michele Archenti.

LA COMÉDIE - ACTE TROIS

LE RÊVE DU MANTOUAN

Dans un monde comme le nôtre, avec ses comètes, ses miracles et ses saints qui compliquent la délicate alchimie du cœur, il est évident que les limites du théâtre sont indissociables des limites de l'imagination, et que le monde de la scène s'étend dans tous les coins du monde réel. C'est ainsi que le public put observer Arlecchino cheminant vers Mantoue sur son âne qui marchait d'un pas régulier. Arlecchino battait des jambes tant il était excité. Il flairait l'odeur de l'argent, et il sentait que la cagnotte serait encore plus grosse quand cette affaire serait conclue. En même temps, il craignait Ugo, le luthier de Mantoue, l'étrange Ugo dans son grand palais vide. Mantoue se profilait au loin. Arlecchino aperçut le sombre château et son cœur s'alourdit. Mais il flairait l'odeur de l'argent. Il talonna son âne et accéléra.

Ugo le Mantouan, un bossu à la lèvre épaisse flanqué d'un mastiff, déambulait péniblement dans son grand palais desquamé. Chaque fois qu'il arrivait dans une pièce où il avait antérieurement aperçu une porte qui menait dehors, il découvrait avec découragement que cette sortie tant espérée avait disparu et qu'à sa place étaient apparues cinq ou huit ou peut-être même treize pièces qu'il ne reconnaissait pas, qui devaient avoir été construites depuis que son rêve avait commencé, un nombre incalculable d'années auparavant. Il avait remarqué que ses pensées étaient à l'image de la complexité du dédale, puisque dans sa tête, il n'arrivait pas à formuler une phrase correcte, simple et entièrement compréhensible, parce que les mots étaient faits de peur et de peine et qu'ils refusaient de s'assembler comme de bonnes vieilles briques, sans cesse interrompus et entravés par d'autres qui commençaient au milieu de la phrase et s'éternisaient et semblaient ne jamais arriver à une fin, ou au moins à une sortie, un éveil de cette errance perdue dans un palais sans frontières ni issues.

De temps en temps, il trouvait un passage vers l'extérieur et, mû par une volonté sombre comme un mauvais augure, s'arrachait à son château pendant quelques jours pour rendre visite à l'évêque de Vérone, borgne et méchant, ou pour assister à une pièce de théâtre sur la grand-place de Crémone. Mais, toujours, il était ramené vers son cocon, attiré par l'atmosphère lourde qui l'envoûtait encore et encore.

C'était sa ville à lui. Un palais de plus de cinq cents pièces avec d'interminables cours et corridors où certains points de vue n'étaient que des fresques en trompe-l'œil exécutées selon les plus récentes découvertes sur la perspective, des toiles si parfaitement réalistes qu'il se laissait sans cesse convaincre qu'il observait le monde alors qu'en fait, il contemplait l'imaginaire d'un artiste inconnu qui maniait le pinceau avec une troublante justesse. Chacune des centaines de fenêtres offrait une vue restreinte de l'étroitesse et de la géométrie d'un jardin, ou alors une perspective oppressante des autres ailes du palais.

Les murs des pièces étaient entièrement recouverts de fresques aux couleurs fraîches ou fanées qui représentaient des scènes de guerre et d'amour et des événements courtois. Dans certaines salles, les peintures n'étaient pas encore sèches ; dans d'autres, l'âge les faisait déjà s'écailler.

Des murales récentes séchaient et disparaissaient comme une tache d'eau sur la pierre après l'arrivée du soleil, alors que des pans de certaines œuvres semblaient apparaître par bandes lumineuses au moment même où le Mantouan entrait dans la pièce avec son chien. S'il s'arrêtait, faisant taire l'écho de ses pas, il parvenait à entendre d'anciennes fresques qui pelaient et tombaient comme une neige sèche sur les planchers de marbre.

Il ne rencontrait aucun ouvrier, aucun peintre, personne. Ugo était seul dans son palais et dans sa ville. Parent éloigné des fameux Gonzaga de Mantoue, réputés pour leur amour des chevaux, il possédait les mêmes yeux méfiants et lèvres sensuelles que les statues de Francesco Gonzaga, dont la famille avait régné sur Mantoue pendant trois cents ans, et même si c'était dans leur palazzo qu'il errait, c'était son château à lui et à personne d'autre ; le labyrinthe de son rêve, un rêve nommé Mantoue.

La devise des Gonzaga était « Hostiles aux bêtes sauvages seulement » et on disait que la famille portait une affection contre nature aux chevaux et aux chiens. Notre Mantouan, avec sa bosse congénitale de Gonzaga, était suivi de près par son énorme mastiff dans les pièces écaillées. Les griffes de l'animal cliquetaient sur les planchers de marbre avec l'autorité et la persistance d'une horloge. Bien que le chien brun boue au collier clouté fût presque de la même taille qu'un poulain d'un an, ce Gonzaga-ci, ce Mantouan-là n'aimait pas les chevaux.

LE FARDEAU DE LA BOSSE

Arlecchino se tenait debout devant Ugo le Mantouan qui était assis à une table, son mastiff à côté de lui. Ugo caressait les oreilles de la bête.

— Dis-moi, fou, es-tu encore dans la pièce de théâtre ou es-tu maintenant dans le monde ?

— Les deux.

— Comment est-ce possible ?

— C'est une question d'imagination.

— Tu en demandes beaucoup à l'imagination.

— C'est un instrument malléable. Elle nous permet de faire ce que nous voulons avec le monde.

Un doute passa sur le visage d'Ugo. Arlecchino poursuivit :

— Prenons l'acteur, par exemple. Pendant qu'il joue, ne demeure-t-il pas un homme sous son masque ? Et quand il est un homme, ne reste-t-il pas quelque chose de l'acteur ?

— Je suppose que oui. Mais cessons de jouer avec les mots. Pourquoi es-tu ici ?

— Un dénommé Pantalone cherche un violon. Un violon spécial, dont il pourrait se servir pour contrer le pouvoir du bel instrument d'Ottavio.

— Dans quel but?

— Séduire Aurora, bien entendu.

— Je vois. Et combien ce Pantalone est-il prêt à payer pour un tel violon?

— Le juste prix, j'en suis sûr.

Arlecchino hocha plusieurs fois la tête tout en s'efforçant de dominer son excitation à l'idée de la petite fortune que cet échange pourrait lui rapporter.

Ugo se leva et s'approcha d'une fresque sur le mur. Il vit un bout de la peau du dos d'un soldat se détacher et voleter vers le sol. Soudain, il se retourna. Arlecchino était là, en train d'examiner sa bosse.

— Pourquoi me fixes-tu, fou? Qu'est-ce que tu crois qu'il y a, dans cette bosse?

Le comédien haussa les épaules.

— Je ne sais pas. De la viande? Du gras? Du cartilage?

— Non, répondit Ugo en secouant tristement la tête. Je suis comme une femme enceinte, grosse non pas d'un futur enfant, mais d'un enfant du passé. Je porte le fardeau des Gonzaga dans cette bosse. Ma famille, mon nom.

Ils étaient dans une pièce dont les murs dépeignaient des scènes de torture.

— Regarde-les, dit Ugo en désignant les fresques, regarde.

Bouche bée, Arlecchino examina une rangée d'hommes – des hommes de la famille Bonacolsi vaincus par les Gonzaga plusieurs centaines d'années auparavant – qui pendaient, les mains attachées au plafond d'une arcade à colonnes. Plusieurs avaient la gorge tranchée ; les entrailles de l'un d'entre eux sortaient de son ventre et tire-bouchonnaient jusqu'au sol. Les soldats des Gonzaga discutaient, l'air de s'ennuyer un peu. À l'extérieur des arcades, on distinguait un petit cheval blanc aux naseaux dilatés et aux yeux écarquillés. On aurait dit qu'il voulait s'enfuir, mais qu'il restait, fasciné par la puissante odeur du sang. Peu habitué aux scènes de violence, Arlecchino frissonna.

— Je n'aime pas cette pièce.

— Je sais. Je sais.

Le Mantouan caressa le crâne osseux du mastiff qui s'était appuyé contre lui en haletant. La langue épaisse de l'animal pendait entre ses dents.

Ugo considéra le chien. Lorsqu'il leva les yeux vers la scène du mur, il semblait penser à autre chose.

— Ce violon, celui sur lequel joue Ottavio, c'est maître Niccolò qui l'a fabriqué, non ?

Arlecchino acquiesça. Ugo réfléchit un moment.

— Comment crois-tu qu'il a fait pour inoculer un tel pouvoir à son violon ? L'instrument semblait étinceler de puissance.

— Tu connais maître Niccolò ?

— Mais oui, tout le monde le connaît. Parle-moi de son violon. Dis-moi, comment lui a-t-il insufflé un tel pouvoir ?

— La musique. C'est la musique qui lui a donné son pouvoir. Ça me semble être le cas d'un bon nombre de ses violons.

— Oui.

Ugo examina la paume de sa main, qu'il replia pour serrer le poing.

— Mais celui-là avait quelque chose de plus… si lustré, empreint de l'éclat de la nacre, comme la peau d'une jeune fille… Il exerçait une attraction, une attraction puissante.

— Voilà pourquoi on l'appelle le maître.

— Le maître, se moqua Ugo. Comme n'importe quel benêt, il est obligé de se prosterner devant ses clients, de ramper aux pieds des ducs et des comtes, petits hommes et petites femmes, idiots et hypocrites. Un très grand artiste se doit d'être très fier. Une fois que mon travail est achevé, je n'y change jamais rien.

— Pourvu qu'au bout du compte, cela améliore la voix de l'instrument… C'est ce qu'ils disent… Le maître ne pense qu'à la musique.

— Bah ! Un imbécile, comme tant d'autres. Ce n'est pas un véritable artiste. Quand je finis un instrument, il reste ainsi. Il est complet et ne requiert jamais de modification. C'est le mien ; c'est la perfection.

— Vous allez fabriquer un violon, alors ? Pour Pantalone et son coup de foudre ? C'est décidé ?

— Oui, oui. Un chef-d'œuvre pour couronner la lubricité d'un vieillard. Il produira une musique qui le fera rêver qu'il est à nouveau jeune.

Il faisait les cent pas en regardant le mur. Il examinait le cheval blanc de la fresque, la peur qui lui agrandissait les yeux. À ses côtés, le mastiff grognait et un filament de bave glissait de sa gueule jusqu'au sol.

LE PRÊTRE HIÉRONYMITE S'EN PREND À LA PIÈCE

Près de la scène, l'avocat du diable était assis sur un tabouret en rotin à côté du duc Pietro. La duchesse Francesca était installée non loin d'eux, de même que la vieille *duchessa madre* et Elettra, dans une section réservée aux riches Crémonais et au clergé local. Les artistes étaient en plein interlude musical lorsque retentit le cri d'un homme à l'arrière de la foule.

Il hurlait chaque mot distinctement, la bouche grande ouverte, le poing brandi en l'air.

— Œuvre du démon ! Bonnes gens de Crémone, bouchez-vous les oreilles pour échapper au mal ! Ne vous laissez pas tenter par le verbiage de Satan ! Arrêtez ! Arrêtez. Cette. Musique. Infernale !

La foule qui l'entourait s'éloigna et il resta seul à gronder, écumer et postillonner. Les musiciens mirent un certain temps à réaliser ce qui se passait, mais lorsqu'ils comprirent, ils cessèrent de frotter leurs violons et de souffler dans leurs cornes pour scruter la place avec perplexité.

Monsignor Archenti se leva pour avoir une meilleure vue.

— C'est un prêtre. Qui est-ce ? demanda-t-il au duc qui, toujours assis, affichait un air agacé.

Celui-ci agita la main en l'air comme pour écarter un détail ennuyeux.

— Padre Attilio Bodini. Un prêtre hiéronymite qui peint des fresques à l'église San Sigismondo. Son ordre a une petite maison capitulaire ici. C'est un individu des plus difficiles. Lors de spectacles comme celui-ci, il vient toujours gâcher le peu de joie dans la vie des gens. Je vais demander à mes hommes de l'expulser.

Se levant, il fit signe à un garde qui fendit la foule en direction du prêtre avec son épée qui se balançait contre ses flancs. Pendant ce temps, l'hiéronymite continuait sa harangue, de plus en plus incohérent.

Le duc poursuivit ses explications :

— Malheureusement, il a rassemblé un petit nombre de disciples parmi les paysans et les citadins les plus simples. S'il n'était pas prêtre, je l'enverrais en prison, ou peut-être en exil. Je m'excuse, Votre Excellence, mais nos clercs semblent toujours pencher vers un extrême ou l'autre. Ils sont soit d'hypocrites libertins, soit des puristes maniaques.

— Et lequel des deux suis-je, à votre avis ?

Le duc lui adressa un regard inflexible.

— Je ne sais pas encore. Nous nous connaissons depuis trop peu pour que je puisse me forger une opinion. Mais je suis un homme du monde, Votre Excellence, et mon expérience me dit qu'avec le temps, l'un ou l'autre fera surface.

— Vous avancez sur un terrain glissant, Votre Grâce.

— Pardonnez-moi, Votre Excellence. C'est ce fauteur de trouble de San Sigismondo qui m'a mis de mauvaise humeur.

Je ne voulais pas vous insulter, ni l'excellent ordre des Jésuites ni notre mère l'Église.

Il se leva et fit la révérence.

Même si l'avocat du diable inclina la tête en retour pour indiquer qu'il lui pardonnait, il doutait de la sincérité du duc. Plus encore, il était troublé par la part de vérité que contenaient ses propos. Le duc interrompit ses réflexions :

— Au fait, Votre Excellence, comment progresse l'enquête sur notre candidat ?

— Elle progresse, répondit l'avocat sans sourire.

Le duc se retourna et, constatant que le prêtre hiéronymite avait été expulsé, il fit un geste pour ordonner aux musiciens de recommencer à jouer.

LE DIABLE DANS L'ÉTABLE

Ugo le Mantouan était assis à une longue table de bois chargée de viande rôtie, de pain dans l'huile, de morceaux de fromage et de vin. Devant lui, Arlecchino grugeait un gigot de mouton, le menton luisant de gras, le costume taché de vin rouge et de gouttes de graisse.

— Dis-moi, Mantouan, pourquoi regardais-tu si fixement le cheval de la fresque, tout à l'heure?

— Arlecchino, tu es vraiment un fou. Oui, je regardais le cheval. J'ai besoin d'un jeune cheval blanc.

Le comédien rota et laissa échapper un bout de viande à moitié mastiquée. En essayant de l'attraper avant qu'il ne disparaisse sous la table, il renversa son plat de nourriture sur ses cuisses.

— Pourquoi? dit-il en levant les yeux.

—J'ai bien réfléchi. Ce Niccolò est comme tous les luthiers: il emportera dans la tombe les secrets de son métier, de sorte que je ne saurai jamais comment il a pu concevoir un violon doté d'une telle puissance. Mais je sais maintenant comment je traiterai *mon* violon, comment je ferai pour lui donner un pouvoir suffisamment ténébreux pour contrer le sien.

Bouche ouverte, son gigot à moitié mangé à la main, Arlecchino était hypnotisé.

— Mais pourquoi vous faut-il un cheval blanc?

— Pas n'importe quel cheval, fou.

Ugo attrapa une côtelette avec ses doigts et se mit à la grignoter.

— Il y a à Crémone une écurie qui appartient au duc. Dans cette écurie se trouve un cheval, et ce cheval a un poulain d'un blanc immaculé qui appartient à la fille du duc.

— Mais pourquoi ce cheval-là?

— Parce que ça ne peut pas être n'importe quel animal. Écoute-moi : au fil des ans, j'ai fabriqué d'innombrables violons. Et je suis un maître des arts occultes. Pour ce violon, ma création la plus parfaite et la plus sombre, il me faut quelque chose que j'aurai pris par vengeance d'une source innocente. Et, dans ce cas, c'est la peur dans l'œil de ce petit cheval que je veux. Ce violon sera ma plus grande œuvre ; sa voix sera si noire qu'elle mettra même les saints et les anges en rut, en pleine rue. Est-ce que tu comprends?

— Vengeance? Pourquoi, par vengeance?

Ugo se retourna et contempla une fenêtre en trompe-l'œil.

— J'ai un passé avec cette famille. Il y a longtemps, ils m'ont insulté, moi, un homme de la plus grande famille de Mantoue. Ils ont ri de moi. J'étais épris d'une de leurs filles. J'ai rassemblé mon courage et j'ai exprimé mon amour au paterfamilias.

— L'actuel duc?

— Non, son père. Il s'est moqué de ma requête. « Un bossu? a-t-il craché. Avec ma fille? » Puis, il m'a offert le poste de nain officiel pour amuser sa fille. J'ai accepté. Et depuis ce temps, je prépare ma vengeance.

Arlecchino remplit son gobelet et répandit du vin sur la table.

— Je vois.

— Enfin, bâilla Ugo. Plus tard, ce soir, nous mettrons le cap sur Crémone, sur les écuries du duc. Il m'est parfois difficile de quitter ce palais, mais tu m'aideras à trouver la sortie.

Alors que la cité et ses habitants sombraient dans l'encre de leurs rêves, deux formes voûtées se hâtaient d'une ombre à l'autre, s'arrêtaient, puis s'élançaient à nouveau. Derrière, un garde du duc était étendu sur le sol près du gourdin ensanglanté qui avait servi à l'assommer.

Les deux silhouettes bifurquèrent et entrèrent dans la cour qui faisait face aux écuries du duc. L'une des deux portait un seau en bois avec une anse de corde. Dans l'ombre plus dense, devant eux, un molosse grogna. Le mastiff d'Ugo bondit silencieusement et, un instant plus tard, le chien de garde était mort, le cou rompu.

Arlecchino s'approcha et chuchota :

— Je ne regarderai pas ce que tu vas faire. Je ne peux pas.

— Tais-toi, siffla Ugo.

Il poussa les portes de l'écurie. Plusieurs chevaux remuèrent dans la nuit, en raison des odeurs et des bruits inhabituels. Le bossu parcourut à la hâte l'allée centrale, ouvrant les portes des stalles pour regarder à l'intérieur.

— Ici. Ici !

Dans la pénombre, il faisait de grands signes pour qu'Arlecchino le rejoigne.

— Apporte le seau.

Le poulain blanc était debout dans la stalle, de la paille entassée à ses pieds. Il se tourna nerveusement quand Ugo entra. Avec le son feutré du sable qui coule, ce dernier sortit un long couteau du fourreau fixé à sa ceinture. Il n'hésita pas. Il tira la tête du poulain vers le haut et l'arrière et exposa son long cou délicat. Sous l'effet de la peur, les yeux de l'animal s'étaient soudainement agrandis. D'un geste précis, Ugo trancha net le cou du petit cheval.

Arlecchino plaqua ses mains sur ses oreilles en entendant le bruit mou de la tête qui tombait sur la paille. Le sang jaillit du cou coupé et le poulain s'effondra.

Quelques instants plus tard, Ugo assénait des coups de poing sur le crâne d'Arlecchino pour le réveiller.

— *Andiamo.*

Sa main qui portait le seau, ses manches et le devant de sa chemise étaient imbibés de sang.

— Tu as pris ce que tu cherchais ? demanda Arlecchino.

— Oui.

Ugo tendit le seau et le bouffon regarda à l'intérieur. Le poing dans la bouche, il étouffa un cri en voyant, au fond du récipient, les yeux du cheval.

Ils revinrent sur leurs pas, se dissolurent dans l'ombre, trouvèrent leur chemin vers les portes de la ville et la campagne, où le cocher d'Ugo les attendait dans la voiture. Ils retournèrent à Mantoue à vive allure ; Ugo exhortait le cocher à fouetter toujours plus fort les chevaux qui filaient sur la route.

Le bossu passa plusieurs jours dans son laboratoire, une pièce sans fenêtre située dans une aile oubliée de son palais.

— Je vais utiliser une solution spéciale pour extraire la peur des yeux du poulain, avait-il expliqué. Je la réduirai ensuite à son essence la plus pure, et je l'appliquerai, avec d'autres mixtures, sur mon violon. Tu verras, fou. Ce sera un violon inouï. Une grande œuvre. Mon nom sera connu dans toutes les capitales d'Europe, et ce Niccolò, ce soi-disant maître, deviendra un inconnu. Un inconnu !

Arlecchino attendait sur un tabouret à l'extérieur de la salle, le mastiff à ses pieds. Parfois, il parlait au chien. Parfois, il se taisait et attendait, sans penser à rien. À l'autre bout de la pièce, une fresque écaillée dépeignait une scène de bataille d'une époque lointaine. Il y remarqua un cheval blanc adulte, seul. Dans un moment de confusion temporelle, il se demanda s'il pouvait s'agir du cheval que le poulain serait devenu. Il se sentait triste et honteux. *Mais c'est fait, maintenant ; qu'y puis-je ?* Il ne croyait pas que le bossu fût un homme véritablement mauvais. Il avait vu ce dont ses mains étaient capables quand il avait façonné un splendide instrument. Il l'avait vu traiter le mastiff avec tendresse, lui flatter la tête et lui chuchoter des mots doux. Il savait que c'était la bosse qui incitait le Mantouan à faire le mal, que les forces de son histoire et le passé qui pesaient sur lui le convainquaient que rien ne pourrait jamais changer.

Le bossu était poussé à jouer son rôle par le destin. Tout comme Arlecchino.

CHAPITRE V

Les comptes rendus de ses miracles deviennent de plus en plus délirants, comme si les gens se battaient pour raconter l'histoire la plus abraca-dabrante. Les récits des actes de Cambiati courent comme la peste au sein de la population. Au beau milieu de la nuit, on l'aurait vu assis dans les marches de la cathédrale; il pleurait en écoutant un ange jouer du violon. Un vêtement de soie qu'il avait porté serait redevenu bombyx avant de s'envoler vers le ciel. On dit qu'il faisait apparaître d'immenses cathédrales dans des endroits inusités – au milieu d'un champ, sous les eaux du Pô, dans les nuages –, mais pour un jour seulement. Les miracles sont si diffus et persistants que je commence à croire que certains d'entre eux sont véridiques.

✳

DIABLES ET DÉMONS

— Diables ! Démons !

Le cri sortait de la bouche quasi édentée d'une servante du palais ducal. La femme traversait la place en courant, son écharpe de guingois, son visage reflétant l'horreur la plus pure.

Mais qu'est-ce que c'est ? L'avocat se rendit à la fenêtre de sa chambre et scruta la piazza hachurée de lumière aurorale et d'ombre. Il vit une femme affolée qui criait et galopait dans tous les sens et une, deux, puis trois douzaines de curieux qui accouraient sur la place au son du chahut grandissant. La frénésie du tollé s'amplifiait au fur et à mesure que les Crémonais arrivaient et entendaient la nouvelle.

L'avocat se retint de se précipiter dans la foule. Il continua à observer. Bientôt, une centaine de personnes s'étaient rassemblées et vociféraient en gesticulant. De sa fenêtre, il vit la foule se diviser pour permettre le passage du duc qui sortait d'une rue étroite à grands pas, suivi de près par Elettra, qui marchait tête baissée. Dans sa main droite, il tenait à hauteur d'épaule la tête sans yeux d'un petit cheval blanc.

Dio mio ! L'avocat se rua en bas et fendit la masse indignée où plusieurs hommes clamaient que c'était l'œuvre de démons.

— Diables, sorcières ! criait le prêtre hiéronymite qui faisait mousser la colère et l'hystérie de la foule.

Alors que deux hommes allongeaient derrière lui le cadavre du garde des écuries, le duc empoigna la tête du cheval par la crinière et la brandit bien haut.

— Celui qui a fait ça le paiera de sa vie !

— Voilà le fruit de vos mœurs dissolues, d'une vie à se vautrer dans le péché, répondit l'hiéronymite à tue-tête.

Personne ne savait s'il parlait du duc ou des habitants de Crémone en général. Dans l'assemblée, on se tortillait, mal à l'aise.

À cet instant, un garçon de quatorze ans à l'oreille ratatinée et au visage sale arriva sur la place, attiré par le brouhaha. Il s'appelait Bruno, et était connu de tous comme un orphelin et un chapardeur qui vivait d'aumônes et des déchets laissés dans les rues les jours de marché. Tout le monde savait qu'il avait dérobé plusieurs chandeliers à la cathédrale, le mois précédent. Il avait été pris sur le fait par Don Merisi, et rossé par les hommes du duc en guise de punition.

Un palefrenier trapu qui travaillait dans les écuries du duc aperçut soudain Bruno et le pointa du doigt.

— Hier soir, je l'ai vu près de l'arrière du palais. Ce vaurien devait être en train de manigancer pour entrer dans l'écurie.

La foule se déchaîna aussitôt ; les femmes hurlaient, les hommes lançaient des regards meurtriers au gamin. Une servante bouscula Bruno, qui était ébranlé d'être ainsi pointé du doigt. L'hiéronymite l'empoigna et le poussa vers le duc. Le garçon tomba à genoux. Aussitôt, tous se souvinrent d'avoir vu l'enfant avec un grand couteau. Ils étaient certains qu'il avait tué le cheval et le garde. Furieux, le duc souleva Bruno par les cheveux et le secoua comme un pommier. Quelqu'un arriva avec une corde.

— Pendez-le ! cria un homme.

— Pendez-le, pendez le démon ! glapissait la foule.

— Je n'ai rien fait, se défendit le garçon en écarquillant les yeux. Rien !

Le duc poussa Bruno vers deux de ses hommes qui lui saisirent les bras pendant que l'on préparait la corde. Le duc la lança sur le cadre d'un étendard accroché à l'entrée de la mairie.

— Je n'ai rien fait ! cria à nouveau le garçon.

Le regard affolé, il tremblait de façon incontrôlable. À ce moment, l'avocat du diable – qui, toujours à l'arrière de la foule, regardait la scène sans s'en mêler – vit Elettra s'avancer.

— Père. Père, répéta-t-elle pour attirer son attention. Arrêtez, je vous en conjure. Il n'y a aucune raison de croire que Bruno a commis cette monstruosité. S'il vous plaît, Père, relâchez-le. Il est innocent.

Le duc la regarda, la corde à la main.

— Comment le sais-tu, ma fille ? As-tu des preuves ?

— J'ai sondé mon cœur. La preuve est là. Je sais qu'il est innocent.

La confusion plissa le visage du duc. La réponse de sa fille le déconcertait. Il détourna le regard en soupirant. Lorsque son regard revint vers elle, il vit l'expression de son visage – un air à la fois triste et suppliant – et toute sa colère le quitta. L'assemblée se tut et les hommes libérèrent le garçon qui disparut dans une ruelle.

Les yeux d'Elettra étaient sombres et mouillés. Elle resta seule pendant que la foule se dispersait. Avant de rentrer chez lui, l'avocat se retourna pour l'observer. Elle était debout, tête baissée, parfaitement immobile. Solitaire et pourtant investie d'une puissance innocente. *Pourquoi a-t-elle dit que la preuve se trouvait dans son cœur et non dans celui du garçon ?* L'avocat secoua la tête. *Comme si elle voulait embrouiller son père et couper court à sa colère, stopper l'enchaînement de ses pensées avec un commentaire sans queue ni tête.* Il vit la jeune fille regarder vers l'horizon indistinct. Son visage adouci par le chagrin affichait aussi la détermination et la dureté, dans l'œil et dans la ligne tendue de sa mâchoire. *Elle ressemble à une sainte,* songea-t-il, *une sainte triste et belle.*

LA MALADIE DE L'AIR PESTILENTIEL

Après une journée d'entrevues suivie d'un repas insatisfaisant composé de foie de veau trop cuit noyé dans le beurre, ainsi que de plusieurs heures de lecture, l'avocat était fatigué. Comme ses yeux ne cessaient de se fermer en relisant le même paragraphe des *positiones*, il décida de descendre l'escalier de marbre et d'aller prendre quelques bouffées d'air frais sur la piazza. La ville entière était sur les dents à la suite des meurtres. Il se rendait compte que cette atmosphère anxiogène l'affectait, lui aussi. Cela lui faisait penser à Rome, et au fait que les nuages de là-bas l'avaient suivi jusque dans cette jolie ville. En déposant le manuscrit sur son bureau, il remarqua le linceul de Fabrizio Cambiati et le fourra dans sa poche.

Quelques instants plus tard, il sortait sur la piazza. Ses inquiétudes au sujet de Rome et de ce qui s'y passait en son absence lui faisaient tourner la tête. Il sentait que quelque chose de terrible était en train de se produire, et il avait l'impression qu'on lui avait fauché les jambes. Le sol se dérobait sous ses pieds.

L'œil de la pleine lune brillait sévèrement dans les cieux, entouré de son assortiment d'étoiles qui surplombait la ville.

Partout sur la piazza, cent flaques d'eau laissées par la pluie reflétaient sa lumière et, lorsque souffla la brise humide, elles se mirent à scintiller. Tout était flux. Les étoiles tournaient soudainement sur place en plus de suivre leur arc dans le ciel. Tout volait en éclats, tout bougeait, en haut comme en bas. Un oiseau couleur de fumée, grand comme un corbeau, se posa sur les marches de la cathédrale trois pieds devant lui. Il marcha de long en large en ouvrant puis en fermant le bec sans émettre le moindre son. C'était agaçant. Enfin, la brise revint et souleva l'oiseau qui s'envola. *Comme le nuage de fumée noire du conclave des cardinaux,* pensa-t-il. Et à cet instant, il sut avec une troublante conviction : *Benoît est mort. Le pape est mort.*

Archenti eut un frisson de doute, l'infime première secousse qui précède un tremblement de terre. Il erra sur la place, se rappelant à peine où il était.

Il se retrouva agrippé à une colonne devant la cathédrale. Son corps tremblait comme si la terre avait disparu et il se souvint que cette cathédrale à laquelle il se cramponnait, cette église, monument de foi, avait été détruite par un séisme plusieurs siècles auparavant, alors qu'on était en train de la construire.

Que dois-je faire ? Je ne puis rentrer à Rome maintenant. Et pourtant, ici, je suis assailli par le doute et l'inquiétude, et par mon incapacité à prendre une décision au sujet du candidat. Pour la première fois de mon parcours comme avocat du diable, j'échoue. J'échoue ! Mais je dois accomplir mon devoir. Je dois trouver la vérité, mais comment puis-je connaître la vérité ? Je déteste cette ambiguïté. Était-il un saint ou pas ? Oui ou non ? Ou bien il était un saint, ou bien il ne l'était pas. Il n'y a pas d'entre-deux. Ou peut-être que si...

Tout de suite, il réagit. Ses années d'apprentissage l'avaient préparé à ce moment. Un seul doute sincère pouvait être une pierre essentielle que l'on retirait de l'édifice de la foi. Il avait passé toute sa vie adulte à soulever des doutes sur la vie de prétendus saints, mais en ce qui le concernait, le doute devait être évité à tout prix. Pourtant, celui-ci continuait à s'imposer avec une force et une urgence qui le terrifiaient.

D'où vient le germe de ce doute; qu'est-ce qui a bien pu le provoquer? Est-ce une chose qui se tramait dans mon ventre, un ver logé dans mes entrailles depuis des années? Ou a-t-il été précipité par cet endroit? Par la vieille femme? La jeune fille? L'impossible Cambiati? Ou peut-être est-ce une sorte de pouvoir céleste, un changement dans les étoiles? Ou alors c'est moi qui sens que le nuage qui obscurcissait mes jours à Rome est en train de foncer jusqu'ici, qu'il vient d'arriver?

Avec effroi et perspicacité, il entrevit une vérité, un genre de vérité qui ne ressemblait à rien de ce qu'il avait rencontré auparavant. *Ou bien ceci, ou bien cela; il n'y a rien entre les deux.* Il plaqua ses paumes contre ses yeux comme s'il pouvait repousser cette vision. *Non, j'ai tort, depuis toujours: tout est entre les deux.* Il mordit dans la sonorité du mot pour mieux le recracher. *Tout…*

Comment ai-je pu l'ignorer? Toutes ces années, toutes ces années à faire mon devoir malgré l'infinie hypocrisie qui règne chez les cardinaux du Vatican. Je devine là des perturbations qui risquent de mettre fin à ma vie. Qui montera en grade? Qui descendra? Les exigences et les tromperies du pouvoir ne sont que pure folie. Elles me rendent malade. Tout cela me rend malade. Mais comment ai-je pu ne pas le voir? Quelque chose d'inexorable s'est altéré dans les cieux, je le sens, et ici-bas, à Crémone comme à Rome, un changement s'amorce. Rien ne sera plus pareil, rien ne demeurera; tout sera renversé.

Cette révélation faillit le faire tomber à genoux et il ouvrit les yeux pour s'agripper à un pilier. Ses pensées galopaient, des images et des formes tournoyaient dans sa tête avec une imprévisibilité qui le terrifiait. *Que se passe-t-il? J'ai besoin de m'accrocher à quelque chose.* Trempé de sueur, il s'affaissa sur le sol froid.

À ce moment, il se souvint du linceul dans sa poche. Il l'en sortit et, prenant une grande respiration, huma son odeur en s'en couvrant la bouche et le nez. Lentement, son esprit se calma ; il inspira et expira et resta longtemps assis à se reposer, les yeux fermés, la tête vide.

Il ignorait combien de temps s'était écoulé – *je me suis peut-être endormi* – lorsqu'il entendit un bruit de pas furtif. Il leva les yeux. Sa crise était passée ; il se sentait à nouveau calme et en contrôle. Il était soulagé que personne ne l'ait vu dans cet état d'agitation. Il était redevenu l'avocat, un homme d'autorité et de rang. Il se releva.

À l'autre bout de la place, la silhouette d'une femme vêtue d'un peignoir blanc avançait lentement et avec raideur dans la nuit chaude. Elle circulait de manière aléatoire : elle s'arrêtait, tournait, s'approchait d'un mur puis s'immobilisait. Il la regarda tourner en rond au centre de la place puis avancer vers l'entrée de la cathédrale. Une fois devant les portes closes, elle changea de direction et contourna le baptistère avant de poursuivre son chemin dans une rue étroite. Intrigué, il la suivit.

En s'approchant, il reconnut Elettra. De toute évidence, elle était somnambule. Ses yeux étaient fermés, cependant elle parvenait à éviter les obstacles sur son chemin et glissait le long des rues sans but apparent. Un fantôme flottant.

— Signorina, dit-il pour la réveiller.

Il se plaça en face d'elle. Elle s'arrêta et il se surprit à reculer de deux pas. La regarder était comme plonger la main dans une flamme. Il était ébranlé par sa beauté, et par l'attirance que celle-ci lui inspirait. Doucement, il répéta :

— Signorina.

Les yeux de la jeune femme papillonnèrent et s'ouvrirent. Lorsqu'elle les posa sur lui, elle éclata en sanglots.

Quelques minutes plus tard, elle était de retour dans son lit au palazzo familial. Près de la porte, la *duchessa madre* jeta un regard nerveux à l'adolescente endormie et chuchota :

— Tous les trois jours, ça lui prend : d'intenses frissons suivis d'une forte fièvre, puis de sueurs abondantes. Si je ne la surveille pas constamment, elle se lève de son lit sans se réveiller et se promène dans les corridors, ou alors elle sort par une fenêtre et disparaît. Sa gouvernante s'est endormie et elle s'est éclipsée.

— On m'a dit que sa mère et son père sont à Paris. Leur a-t-on envoyé un message ?

— Oui, il y a plusieurs jours, Votre Excellence. Mais cela pourrait être long avant qu'ils le reçoivent et puissent revenir.

— Quand cela a-t-il commencé ?

Tout en écoutant la vieille femme, il observait Elettra qui dormait, ses longs cheveux noirs soyeux étalés sur l'oreiller, le rose de ses joues lisses, le bout de sa langue qui pointait entre ses lèvres. Une fois de plus, il fut frappé par sa beauté et dut se forcer à détourner le regard afin de se concentrer sur ce que disait la *duchessa madre*.

— Tout a commencé il y a un peu plus d'une semaine, après notre retour de Mantoue. Nous voulions aller chez une célèbre couturière, là-bas, mais les marais empestaient tellement et les moustiques étaient si nombreux que nous avons dû repartir au bout d'une journée.

— La *mal'aria*, sans doute, le mauvais air. Les exhalaisons des marécages qui entourent Mantoue sont reconnues pour être toxiques. Et la ville est encerclée de marais fétides envahis par les roseaux. Chaque année, il y a des épidémies de cette maladie. Je suis sûr que l'air vicié est en cause. La fièvre la fait délirer et sortir de son lit.

Il s'éclaircit la gorge.

— Dites-moi, je vous prie, de quelle couleur est son urine?

— J'ai donné le pot à la servante hier et je me souviens de l'avoir trouvée bizarre. Elle était rouge pâle. C'est là que j'ai fait appeler le docteur.

— Et?

— Il a dit que la fièvre et le somnambulisme étaient provoqués par l'hystérie féminine. Il doit venir la saigner demain.

— Ne le laissez pas faire. Et assurez-vous qu'elle boive le plus d'eau possible.

Il ouvrit la porte et s'engagea dans le couloir en continuant à parler par-dessus son épaule.

— Il y a un traitement, mais il me faut le faire venir de Rome. Cela prendra plusieurs jours. Avez-vous un serviteur que je pourrais envoyer comme messager?

Il se hâtait déjà dans le corridor.

— Il lui faudra quelques chevaux, les meilleurs du duc…

UN SERVITEUR CHEVAUCHE
VERS ROME

Le serviteur que la *duchessa* envoya à Rome était le meilleur cavalier de la maisonnée. Giorzio était un jeune gaillard qui avait une marque de naissance à la joue gauche, une tache de vin de la taille d'une main de bébé. La *duchessa* mit à sa disposition la monture la plus rapide des écuries, la mère du poulain assassiné, un magnifique animal qu'Elettra avait baptisé Cruna, ainsi qu'un second cheval pour quand le premier serait fatigué. Giorzio avait rarement l'occasion de monter la belle et blanche Cruna ; il lui tardait de serrer l'animal entre ses cuisses et de sentir sa force tempétueuse.

Monsignor Archenti arriva à l'écurie en courant, une lettre à la main. Sur l'enveloppe, la cire portait le sceau de l'anneau officiel du Promotor Fidei. Dès que Giorzio fut en selle, il lui tendit la missive.

— Apporte-la à la Compagnie de Jésus, au Vatican. Attends la réponse et rapporte sur-le-champ ce qu'on te donnera. N'hésite pas. La vie de la fille du duc dépend de toi. Va ! Va, maintenant !

Il asséna une claque sur la croupe de la jument. La monture, son cavalier et le cheval en laisse s'élancèrent sous le portail et disparurent.

Votre Excellence Lorenzo Ricci, Général de la Compagnie de Jésus,

C'est avec un grave sentiment d'urgence que je m'adresse à vous aujourd'hui. Il y a à Crémone une jeune fille issue d'une bonne famille chrétienne qui souffre des fièvres de la mal'aria. Je crois que sa vie pourrait être sauvée si vous me faisiez parvenir un peu de notre herbe des Jésuites que Monsignor De Rosa a rapportée des hauteurs du Pérou. Je suis conscient que l'écorce de quinquina est d'une grande valeur, mais je crois que son père, le duc, serait fort reconnaissant et saurait exprimer sa gratitude si nous arrivions à sauver la vie de sa fille. Cette lettre vous a été remise par Giorzio, serviteur de la maison. Je lui ai demandé d'attendre vos instructions et de revenir ici immédiatement.

Votre fidèle serviteur,

Monsignor Michele Archenti, Promotor Fidei

✴

LA MORT À LA PORTE

À la fenêtre de son parloir, Monsignor Archenti observait le temps qu'il faisait. Il pensait à la jeune fille. Depuis deux semaines, il la veillait en attendant le retour de Giorzio. Le soir précédent, il était resté à son chevet jusqu'à tard dans la nuit. La vieille dame et les serviteurs s'étaient retirés dans leur chambre, se disant que la jeune fille était entre bonnes mains avec un prêtre, ou alors qu'on ne pouvait plus l'aider qu'en priant. Il était heureux de rester là, de contempler son visage, pendant des heures.

Il était certain qu'elle avait frôlé la mort, à maintes reprises. Chaque fois, il l'avait sentie s'approcher du gouffre pour ensuite reculer. Il admirait sa force, convaincu que c'était son caractère et sa volonté seuls qui la maintenaient en vie.

Au plus fort de la fièvre, Elettra s'agitait, les lèvres enflées, les mèches sombres de ses cheveux rendues encore plus noires par la sueur qui recouvrait son front. Il priait et l'observait tour à tour, son souffle montant et descendant avec le sien. Pendant un instant, il oublia de prier et s'assoupit. Puis il s'éveilla en sursaut. Elle était immobile, et sa respiration, faible et sifflante.

Il sentit la présence d'une ombre encore plus profonde que l'obscurité et se tourna vers la porte. Ce n'était pas de la malveillance qui flottait dans l'air, mais plutôt une curiosité crue, avide. *La mort est sur le seuil*, pensa-t-il ; *elle tente de décider si l'heure de la jeune fille est venue. La mort attend de voir qui sera le prochain.* Aussitôt qu'Archenti la remarqua, la présence disparut, s'échappant dans la nuit, comme si le fait que le prêtre l'ait sentie l'avait fait fuir. La jeune fille gémit et se tourna. Même dans cet état, sa peau resplendissait ; sa lumière semblait prendre sa source sous plusieurs couches de chair blanche.

Il la regarda longtemps, fasciné. Parfois, le cœur pose une question que la tête est incapable d'entendre.

Soudain, sa rêverie fut fracassée par la vue d'un cheval blanc et d'un cavalier qui filaient à travers la piazza sous la pluie grise. *Giorzio est revenu !* Il se précipita dans le grand escalier et descendit les marches quatre à quatre.

Au bout d'une semaine, il fut évident que l'herbe des Jésuites avait fait son travail et que la jeune fille se remettrait de sa maladie. C'est alors que la *duchessa* demanda à l'avocat s'il accepterait de donner à Elettra des cours particuliers de latin durant son séjour à Crémone.

— Bien entendu, dit-il en s'inclinant. J'en serais honoré.

En temps normal, il aurait refusé une telle tâche pendant une enquête. Mais dans ce cas-ci, il perçut une ouverture et s'empressa d'accepter. Peut-être que la vieille dame s'était bel et bien confiée à la jeune, qu'elle lui avait chuchoté quelque chose au sujet de Cambiati ; peut-être que l'esprit d'Elettra, dans son innocence, serait plus facile à percer que celui de la *duchessa madre*.

Il décida aussi qu'il n'avait aucun désir de retourner à Rome pour le moment. Il sentait que les événements ne tournaient pas en sa faveur et qu'il ferait mieux de patienter. Le printemps avait passé vite et l'été approchait. La chaleur serait insupportable à Rome, pire encore qu'à Crémone.

Le matin suivant débuta avec le tintement inhabituellement sonore des cloches du campanile. Quand l'avocat arriva en bas de son escalier, il entendit des citadins agités annoncer et propager la nouvelle : le pape Benoît est mort. Cette déclaration était toujours suivie de son corollaire : qui sera le prochain pape ?

Oui, se demanda à son tour l'avocat, *qui sera le prochain ?*

Le soleil matinal se répandait par la fenêtre de la jeune fille. La fièvre était tombée. Elettra était assise dans son lit. Monsignor Archenti, qui attendait sur la chaise à côté d'elle, observait l'épaisse chevelure noire, les grands yeux ronds, d'un noir arabique profond, clair, humide.

— Vous avez entendu ? *Il Papa...*

— Oui.

— Allez-vous retourner à Rome ?

Il nota un certain espoir, une certaine crainte dans sa voix.

— Non. Cela ne sera pas nécessaire.

— Bien. Dites-moi, comment est-ce, là-bas ?

— Que voulez-vous savoir ?

— La vérité. Vous y plaisez-vous ?

Il tourna sa chaise et répondit en regardant par la fenêtre.

— Pour être honnête avec vous, j'étais plutôt content de quitter Rome. La ville est jonchée de ruines païennes décrépites qui grouillent de chats galeux. Ses vieux cirques et amphithéâtres sont imbibés de sang, un sang ancien que l'on sent lors des nuits chaudes d'été. C'est une ville dont l'âme même est païenne, pleine de pensées et de souvenirs maudits.

Cette fille possédait quelque chose qui lui donnait envie de dire la vérité, d'énoncer les choses telles qu'elles étaient ou du moins, telles qu'il les ressentait. Il aurait pu les maquiller avec des mots plus heureux, mais la façon dont elle le regardait exigeait qu'il soulève les couches qui entouraient la vérité. Ce regard était à la fois pénétrant, intelligent et innocent, et le faisait se sentir étrangement démuni, une émotion qu'il considérait comme tout à fait contraire à sa personnalité. *Peut-être suis-je fatigué de tout cela, fatigué de faire semblant, de me cacher, d'utiliser chaque conversation comme un moyen insidieux de soulever le voile. Néanmoins, si je lui en dévoile un, peut-être révélera-t-elle son secret à propos du candidat.*

— Vous serez peut-être choquée de l'apprendre, mais on trouve plus d'un démon en soutane dans les rues de Rome et dans les couloirs du Vatican. Le Mal incarné. Une ambition incommensurable. Oui, j'étais content de quitter Rome. Ces derniers temps particulièrement, quelque chose de troublant flotte dans l'atmosphère, là-bas, un mal qui s'apprête à monter à la surface. Avant de venir ici, j'éprouvais une inquiétude et un malaise profonds.

— Je suis un peu surprise de ce que vous dites.

Elle réfléchit un moment.

— Mais je m'en doutais. Mon père dit qu'il ne faut pas faire confiance aux prêtres, encore moins aux prêtres de Rome.

À nouveau, il fut frappé par sa détermination à se montrer franche, son intelligence naturelle et sa fraîcheur.

— Ne racontez à personne ce que je vous ai dit. Ce sera notre secret, d'accord ?

— D'accord.

Elle baissa les yeux en lui souriant, heureuse d'avoir un secret à partager avec lui.

LE DERNIER TÉMOIN

Au terme du dernier entretien de l'ultime journée d'interrogatoires officiels, l'avocat du diable et son scribe rassemblaient leurs papiers. C'est alors que Beneficio, un serviteur simplet, se présenta sur le seuil de la salle aux hauts plafonds, l'air inquiet, nouant et dénouant ses doigts.

— Euh, Votre Excellence…

Monsignor Archenti leva les yeux vers lui et attendit.

— Parlez !

— Un homme, un homme est ici, il voudrait parler à Votre Excellence. Je ne sais pas si je devrais le laisser entrer.

— Son nom ?

— Rodolfo.

Angelo, le scribe, leva les sourcils.

Avec un soupir, l'avocat du diable esquissa un geste fatigué de la main.

— Faites-le entrer.

Ce qui apparut à la porte tira l'avocat de sa léthargie. Il se tourna vers le scribe.

— Qui est-ce ?

À voix basse, Angelo répondit :

— C'est un fou, il est bien connu dans la région. Il bat la campagne des environs. Je crois qu'il est inoffensif.

L'avocat considéra l'homme pendant un instant puis se dit : *Voyons cela.*

— Entrez. Asseyez-vous.

La chevelure longue et hirsute, l'œil globuleux et jaunâtre, le visage fortement grêlé, il s'avança lentement dans la pièce, accompagné d'un son bizarre. *Que diable ?* Alors que l'homme prenait place, l'avocat réalisa que c'était un squelette accroché à son dos qui cliquetait. Les os étaient fixés ensemble au moyen de lanières de cuir dissimulées par ses habits élimés, lesquelles retenaient le squelette contre lui.

— Qu'est-ce que c'est que ça ? Qui êtes-vous ?

— Je me nomme Rodolfo. Je prie humblement Votre Excellence d'accepter de me parler.

— D'abord, brave homme, expliquez-moi cette grotesquerie sur votre dos.

— Oui, Votre Excellence, bien sûr. Les gens m'appellent l'Homme des roseaux. Il y a bien des années, j'ai commis un crime terrible. Un meurtre. Les détails de cet événement, de ce jour fatidique qui est gravé dans mon âme, n'ont maintenant plus d'importance. Il suffit de dire que j'étais un très jeune homme, prompt à m'emporter, et que j'ai fait fi d'un avertissement. J'en paie le prix depuis, comme l'exige la justice. On m'a condamné à porter sur mon dos le cadavre de celui que j'ai tué, pour le reste de mes jours. Les premiers temps, j'ai failli devenir fou. L'odeur de la chair en putréfaction me suivait partout. Le fantôme du mort pénétrait sans cesse en moi, par ici (il enfonça deux doigts dans ses narines), et il tentait de s'emparer de mon âme, de me torturer. Mais j'ai résisté, et enfin, le fantôme a abandonné, il est parti. Depuis, lui et moi (il désigna le squelette par-dessus son épaule) sommes devenus les meilleurs amis du monde !

L'avocat du diable ne dit rien, mais il examina l'homme attentivement. *Ses yeux brillent comme ceux des fous, mais j'estime qu'il ne l'est pas. Ces yeux me rappellent les peintures de mystiques. Saint Sébastien. Ou peut-être Jérôme.* Les mains sur les genoux, Rodolfo soutint le regard de l'avocat. Lorsqu'il changea de position, le monseigneur aperçut le crâne qui l'observait depuis l'épaule droite de l'homme.

— Et ?

— Votre Excellence, je suis conscient de l'évidence. Nous portons tous un mort sur notre dos. Nous-mêmes, à une autre époque. J'ai été obligé de faire face à cette réalité que la plupart d'entre nous préfèrent ignorer. Je l'ai confrontée. Le mort était mon frère.

Monsignor Archenti ne savait pas s'il employait le terme *frère* littéralement. Il choisit de ne pas demander de clarification.

— Je vois.

Il marqua une pause.

— Vous détenez des informations concernant le candidat, Fabrizio Cambiati ?

— Oui, opina Rodolfo. Je vais vous raconter. Je le connaissais.

— C'est impossible. Je suis convaincu qu'il est mort bien avant votre naissance.

— Je l'ai connu en rêve.

— En rêve ?

— Oui, Votre Excellence. Nous passions souvent l'après-midi à marcher dans les champs, Fabrizio et moi, ou alors nous

nous asseyions sous un arbre, le dernier d'une longue rangée de peupliers.

Ce dernier détail est-il important ? se demanda l'avocat du diable. Il était difficile de déterminer si l'homme avait un pied dans l'asile ou si, mystérieusement, il pointait du doigt une subtile vérité. Un silence remplit la pièce, ce qui fit ressortir le grattement de la plume du scribe. L'avocat se tourna vers la fenêtre pour regarder le ciel de cette fin d'après-midi, qui était du même gris-blanc que le ventre d'une chèvre et laissait tomber une bruine incessante. *Comment puis-je décider de la sainteté d'un homme dans un endroit pareil, où les mystiques et les fous surgissent de tous les coins ? Je pourrais mettre fin à cela maintenant. Le renvoyer...* Il s'approcha d'Angelo, penché sur son travail.

— Arrête.

La plume s'interrompit en plein élan.

— Je ne veux pas que ceci figure dans le rapport.

Il fit signe à Rodolfo de poursuivre. *Je vais le laisser aller, se vider le cœur, et voir où ça nous mène.*

— Le bon Fabrizio. Il m'a ramené d'entre les morts. C'était dans les roseaux, près du fleuve. Voilà comment m'est venu mon surnom, l'Homme des roseaux. Il m'a dit de ne pas commettre le meurtre, mais j'ai ignoré son conseil. Après, quand j'ai commencé à parcourir les champs avec mon ami sur le dos, Fabrizio se joignait à moi et nous causions. Nous avions de grandes conversations qui s'étalaient sur des jours, au cours desquelles nous voyagions à travers le monde et où nous en sommes venus à connaître tout ce qu'il y a à connaître dans le cœur des hommes. Puis, lorsqu'il est mort, nous avons poursuivi nos échanges, lors de songes où il venait s'asseoir à côté de moi sous les peupliers. Je buvais du vin, mais pas lui ; il disait que les morts ne peuvent pas boire de vin.

— Et de quoi discutiez-vous?

— Oh, de bien des choses, comme j'ai dit. Fabrizio et moi, nous parlions souvent de la cité dans le ciel, au-dessus de Crémone. Il la connaissait. Tout comme moi, il avait arpenté ses rues.

— Et quel est cet endroit, cette cité dans le ciel?

— C'est une ville identique à Crémone à tous les égards. Elle inclut Crémone, mais elle est plus que cela.

— Plus? De quelle façon?

— Avec tout le respect que je vous dois, Votre Excellence, c'est difficile à expliquer. Je peux seulement dire que c'est un lieu où le temps est parfait, ou mûr, ou peut-être devrais-je dire: un lieu où le temps est complet.

— Je ne comprends pas. Expliquez-vous.

— C'est une ville où toutes les Crémone qui *ont été* et toutes les Crémone *qui seront* sont visibles, en même temps.

L'avocat marqua une pause.

— Dans le présent?

Rodolfo opina vigoureusement; le crâne rebondit derrière lui et les os s'entrechoquèrent.

— Et Fabrizio la voyait, comme moi.

Lentement, le jésuite joignit les mains devant lui. Les bouts de ses doigts se touchaient. Il réfléchit. Il savait qu'un avocat du diable se devait d'être l'esclave de la raison. Même les miracles – apparitions incroyables, morts qui se levaient, martyrs qui flottaient dans les hauteurs des coupoles –, ils devaient tous ultimement répondre aux lois de la raison, même si ces lois avaient été déformées et tordues sous l'autorité d'une intervention divine.

— Autre chose ?

Rodolfo reprit.

— J'ai rencontré des gens d'un pays lointain, au nord, qui m'ont parlé d'immenses cités de glace qui poussent dans les mers nordiques.

— Ah oui ? Et ces cités sont-elles habitées ?

— Je l'ignore, Votre Excellence. Les histoires que j'ai entendues ne faisaient pas mention d'habitants.

Le scribe leva les sourcils et secoua la tête.

— Mais les cités de glace que l'on voit à la surface sont doublées de villes encore plus grandes, sous l'eau.

— De quelle taille sont-elles ?

— Plus grandes que Crémone. Il arrive que les villes de glace se retournent, et alors la cité qui était en dessous se retrouve sur le dessus, et celle qui était dessus se retrouve dessous.

— Je vois.

Et le monde entier est à l'envers, médita l'avocat, sensiblement mal à l'aise avec la teneur de la discussion.

Rodolfo s'arrêta.

— Je vous raconte une histoire, Votre Excellence, sur Crémone et la cité dans le ciel. Quand le temps aura mûri, quand la comète reviendra, Crémone se retournera et la ville du ciel deviendra la ville sur la terre.

Il me raconte des histoires, maintenant. Une parabole, peut-être ? Ou une fable.

— Je vois. Et quel est le rapport entre cette histoire et la candidature de Fabrizio Cambiati ?

— C'est vrai, l'histoire est vraie. Mais seuls ceux qui connaissent l'existence de la ville dans le ciel remarqueront le changement.

— Qui ?

— Fabrizio Cambiati, moi, et vous, à présent.

L'avocat réfléchit un instant.

— Autre chose ?

Ou bien Rodolfo n'avait pas entendu, ou bien il n'avait rien à ajouter. Il resta assis en silence.

— Je prendrai vos commentaires en considération. *Grazie.*

Rodolfo se leva et le prêtre le regarda partir avec son squelette qui cognait et cliquetait pendant qu'il quittait la pièce.

Monsignor Archenti resta longtemps sans parler, observant la porte que Rodolfo venait de franchir. Le scribe attendait. Après un moment, Angelo déclara, comme si cela concluait l'affaire :

— Un être étrange. Y a-t-il autre chose, Votre Excellence ?

Il veut son vin, son souper.

— Non, rien d'autre.

Après le départ du scribe, Archenti resta assis à fixer le vide. Profondément troublé, il se dit que cette enquête était peut-être plus complexe qu'il ne le pensait au départ. S'il avait été un être plus subtil, moins dépendant de la raison et du devoir et plus en phase avec le monde, il aurait peut-être senti la terre qui déjà commençait à bouger, la faille qui s'étendait de Crémone à Rome et plus loin encore. *Ce Rodolfo. Cette conversation.* Il secoua la tête comme pour tenter d'éloigner ces souvenirs. *Vraiment très étrange.* Il s'installa à la fenêtre et regarda dehors, incapable de quitter la pièce.

★

UN DÉLICIEUX PURGATOIRE DE TEXTES LATINS

Une fois que l'écorce amère des Jésuites l'eut entièrement guérie, Elettra fut prête à commencer les leçons de latin organisées par son arrière-grand-mère et approuvées par ses parents à leur retour de Paris.

Archenti regardait la jeune fille de l'autre côté de la table. Ils se trouvaient dans la bibliothèque du duc et la table était jonchée des livres et des cartes qu'elle consultait afin de satisfaire son intérêt pour les étoiles et les comètes. Elle était complètement remise et semblait même en meilleure santé que jamais. *Seuls les jeunes peuvent se rétablir ainsi,* pensa-t-il ; *seuls les jeunes peuvent rebondir avec une telle vitalité après avoir frôlé la mort.* Elle lisait silencieusement un livre de Virgile en mangeant une pêche. Il la vit sourire à quelque chose dans le texte. Le moindre mouvement de ses lèvres l'envoûtait. Elettra leva les yeux et, s'essuyant la bouche du revers de la main, lui sourit innocemment. Il lui rendit son sourire.

— Avez-vous terminé ?

— Oui.

— Vous avez compris ? Pourriez-vous le traduire ?

Elle haussa les épaules.

— Je vais essayer. Il y a quelques mots que je ne reconnais pas. Vous pourrez m'aider ?

— Bien sûr.

Elle entama une traduction hésitante, mais Archenti l'écoutait à peine, entièrement submergé par sa beauté juvénile. Il l'observait pendant qu'elle parlait, se prenant à anticiper les moments où elle levait les yeux pour s'assurer que sa traduction progressait bien. Il pouvait alors plonger directement dans son regard clair et brillant. Lorsqu'il hochait la tête, elle se penchait à nouveau sur le texte, contente d'elle-même.

Il soupira et secoua la tête. *Non, je ne peux pas. C'est… c'est* – il capitula et admit la vérité – *impossible. De ma vie, je n'ai jamais éprouvé autant de plaisir à regarder un visage.* Il s'essuya le front et s'abandonna encore une fois à sa contemplation.

C'est alors qu'il remarqua ses mains qui s'apprêtaient à tourner la page. Elles semblaient constituer sa seule imperfection, si on pouvait le dire ainsi. Leur apparence était étonnante. Au lieu de doigts fins et pâles, elle avait des mains de paysanne : épaisses, lourdes, fortes, curieusement usées. Mais cela n'atténua en rien son attirance. En fait, cela ne fit qu'ajouter au charme de la jeune fille.

L'avocat se demanda si elle était consciente du désir qui s'était emparé de lui soudainement, sans crier gare, qui le saisissait chaque fois qu'il se trouvait en sa présence. Il n'en était pas certain. Ce n'était pas un sujet qu'il pouvait aborder ; le simple fait d'en parler aurait pu le mener à sa perte. Des années de prêtrise, des années la tête dans les livres, des années à jouer un rôle sacerdotal et voilà qu'il était prêt à céder son âme à une ravissante petite démone au premier signe, au premier mot. Mais il ne pouvait pas en parler ! Il lui était tout aussi impossible de lire dans ses pensées. Lui qui avait mis au jour la vie secrète d'une douzaine de prétendants à la sainteté n'arrivait pas à percer le cœur timide qui se trouvait devant lui.

Comment cela s'était-il produit ? Il savait confusément que c'était lié à ses sentiments par rapport aux derniers événements à Rome. Depuis son arrivée à Crémone, il était divisé. D'un côté, le nuage lourd l'avait suivi. Comment aurait-il pu en être autrement ? Il était logé dans son propre cœur, du moins en partie. Cependant, il devinait une éclaircie. Par moments, il se sentait affranchi de ce nœud corrompu, capable de le voir tel qu'il était ; il était libéré de tout cela. Ici, personne ne l'observait, personne ne manœuvrait, ne complotait ni ne pesait les mots avec une attention délibérée. Du moins, pas avec l'intensité que ces manigances prenaient à Rome. Ici, tous semblaient innocents ; on préférait s'amuser plutôt que de mesurer les jours en convoitant désespérément le pouvoir.

Il la regarda à nouveau avant d'admettre : *Je suis prisonnier de sa beauté. Comme un de ces passereaux sauvages pris au filet par les chasseurs des montagnes.*

Et pourtant, comme une vieille habitude, l'appel du devoir revint. *Il me faut la convaincre de révéler son secret. C'est essentiel. Je n'ai pas le choix. Un avocat du diable, voilà ce que je suis. Sans cela, tout est perdu.* Il se pencha vers elle.

— Dites-moi, Elettra, vous arrive-t-il de parler du candidat avec votre arrière-grand-mère ?

— Parfois.

Elle est distraite, peut-être puis-je la prendre au dépourvu.

— Qu'a-t-elle à dire sur Cambiati ?

— Pas grand-chose.

— La *duchessa madre* le connaissait-elle bien ?

— Plutôt, oui.

— De quelle façon ? Que voulez-vous dire ?

— Est-ce que vous me demandez si elle l'aimait ?

Il fut pris de court.

— Eh bien, oui.

— Je dirais qu'elle l'aimait.

— De quelle manière ? Dans quel sens ?

— Du plus élevé au plus bas, je crois bien.

— Et qu'est-ce que cela signifie, au juste ?

Il ne pouvait supporter les demi-mesures, les insinuations, les suggestions. Il voulait la vérité. Nue et sans équivoque.

— Que pensez-*vous* que ça signifie ? répliqua la jeune fille.

— Ce que je pense est sans importance. Je dois découvrir la vérité.

— La vérité. Oh, la vérité.

— Oui.

Son intérêt semblait décliner.

— Demandez-le-lui vous-même. Je ne sais pas, ajouta-t-elle en souriant. Je ne connais rien à l'amour, au véritable amour.

Il lui apparut qu'ils parlaient soudainement d'autre chose.

— Mais…

— Plus de questions, je vous prie. Vos interrogatoires me fatiguent. C'est pire que traduire du latin.

Elle boudait. Elle jouait à bouder, pensa-t-il.

Un instant plus tard, sans rien dire, elle se leva et quitta la pièce.

L'avocat était au lit, et il écoutait. Des cordes de pluie continuaient à tomber des cieux. L'été était arrivé, avec ses orages et sa chaleur. Le tonnerre grondait dans les rues; de sombres cloches résonnaient sur les murs des étroites ruelles. Il entendait un violon, tout près. Il écouta longtemps, laissant la musique couler en lui comme la lumière traverse l'eau.

Puis, le son s'arrêta au faîte d'une note aiguë, brillante. Le tonnerre rugit dans le ciel, un long grondement qui cascada sur la plaine lombarde sans montagnes ni collines pour l'arrêter ou le contenir, de sorte qu'il roula droit devant lui pendant plusieurs minutes, sans discontinuer. Archenti écouta le tonnerre revenir, rouler à nouveau, et s'endormit avant qu'il ne se taise.

Au milieu de la nuit, il s'éveilla en sursaut, abasourdi par la netteté de son rêve.

Un violon repose au fond d'une cuve, retenu en place par deux pierres rondes. Il regarde dans la cuve et pense que le violon, pâle et oscillant, est un bébé noyé. En le regardant plus intensément, il change d'avis. Le bébé n'est pas mort: il n'est pas encore né. Un fœtus.

Comme un vent altier, le rêve change de couleur. Il s'empare d'un pinceau de bois noir, sa pointe lisse comme une note que l'on tient. Tenant délicatement le pinceau dans sa main, il le lève dans les airs et le plonge doucement dans un pot de liquide, un violet de Solferino à la teinte si profonde qu'il semble noir par endroits. Il enfonce le pinceau dans la substance, imbibant soigneusement les poils jusqu'à ce que des gouttes de pigment coulent du bout lorsqu'il l'en retire. Le pinceau est gorgé, enflé de ce liquide visqueux. En le soulevant, il regarde le ciel.

Devant lui, sur l'établi, se trouve un violon pâle qui n'a pas été verni. Il fait glisser le pinceau sur l'instrument, laissant la teinture pénétrer le bois d'épicéa, sec et docile. Encore et encore, il revient au pot, sature le pinceau et imprègne l'instrument, répandant le liquide dans chaque fissure et crevasse, autour de chaque volute, dans chaque coin secret. À la fin, l'instrument est complètement mouillé. Le violon

*acquiert un éclat, une luminosité et une voix – un soupir frémissant
qui transcende la tonalité habituelle. Un son pur, inaltéré, le souffle
de la lumière qui ruisselle dans une forêt, l'écholalie creuse et claire
du ciel de fin d'après-midi. Dans le rêve, il écoute le son qui scintille
en lui, la douce et plaintive euphorie des cordes.*

Il s'éveilla avec ces mots qui vibraient distinctement dans
sa tête : *une beauté féroce et dangereuse.*

Le jour suivant, avec une trépidation croissante et irrésistible, comme s'il était fasciné par le danger d'un précipice, il
retourna à leurs études latines, ses quatre-vingt-dix minutes
de délicieux purgatoire.

CHAPITRE VI

Le sentiment de vivre dans un rêve commence à me gagner. Cette suren-
chère de miracles et d'histoires abracadabrantes m'étourdit. Fabrizio
aurait été aperçu en train de parler à un cygne au bord du Pô, et la
bête paraissait l'écouter, inclinant la tête d'un côté, puis de l'autre. La
plus célèbre commère de Crémone serait devenue muette pour un jour
après avoir prié Cambiati. En revenant de chercher du bois dans les
Dolomites, un luthier et ses assistants qui avaient croisé une bande de
brigands auraient été sauvés en étant transformés en cerfs. L'endroit
est si rempli de miracles qu'il semble sur le point d'éclater.

✦

L'EXTASE DE SAINTE AGATHE

Pendant les semaines suivantes, Fabrizio repensa plus d'une fois à cette soirée pluvieuse où il avait croisé la duchesse sur la place, et à ce qui s'était passé entre eux, dans l'ombre d'une ruelle. Il avait longuement réfléchi à ce qui avait pu motiver ces actions. Il ne croyait pas l'élixir assez puissant pour le faire renoncer à sa discipline morale. Il n'estimait pas non plus que la potion pût avoir le pouvoir d'amoindrir la peur que lui inspiraient le duc et les complications qu'un tel acte risquait d'engendrer dans la vie de plusieurs. Il admettait qu'il éprouvait depuis longtemps une fascination envers la jeune femme, mais il avait toujours mis cela sur le compte d'une simple curiosité qu'il n'aurait jamais besoin de satisfaire. *C'est peut-être le violon de Niccolò qui m'a poussé à agir,* songea-t-il. L'instrument possédait un pouvoir indéniable, mais le prêtre était convaincu que la musique seule n'était pas la cause. *Peut-être était-ce la somme de tout cela, en plus d'un obscur pouvoir venu des cieux, des planètes alignées.* Oui, il était certain que c'était cela, une conjonction d'éléments multipliant le pouvoir de tous les autres : la musique, l'élixir, l'inéluctable attirance dont il était persuadé qu'elle la ressentait aussi et enfin, les forces du firmament. Puis, il comprit ce qui avait fait pencher la balance. *Elle avait besoin de moi. Elle avait besoin de mon aide.* Il la désirait, bien entendu – il était un homme, après tout –, mais cela n'aurait eu aucune importance si la duchesse n'avait pas si vivement, si ardemment voulu un enfant. Il se sourit à lui-même. *Des mystères par-delà les mystères.*

Quelques jours plus tard, dans une taverne située sur une petite place de forme irrégulière derrière la cathédrale, Niccolò le luthier rejoignit Fabrizio et Omero à une table où un pot de vin baignait dans sa propre sueur. Comme il prenait place, la femme du tenancier apporta encore des verres et des cruches. Le vin, entreposé dans les profonds celliers de la taverne, paraissait frais dans la pièce chaude qui se remplissait de clients.

Tandis qu'ils parlaient et buvaient, Fabrizio observait les mains de Niccolò. Il savait qu'elles avaient autrefois été aussi fines que celles d'une jouvencelle, mais aujourd'hui, elles étaient tellement entaillées, noueuses, éraflées, poncées et grêlées qu'il était étonnant qu'elles produisent quoi que ce soit d'autre que des planches brutes ou des blocs de granite. Elles ressemblaient à des pièces de veau séché, frappées mille fois par un maillet attendrisseur.

Ces mains avaient connu tous les assauts et blessures possibles, du burin au couteau en passant par la scie. Coupures, écorchures, avulsions. Il avait perdu le bout de son index gauche ; la petite cavité de la blessure avait exactement la même forme courbe que le ciseau qui avait glissé et traversé la chair tendre. Des douzaines d'éclats d'érable et de pin flottaient sous la peau de ses mains comme des épines de conifère gelées sous un ruisseau. Et cette même peau était brûlée et tachée de solutions acides et de solvants, si bien qu'elle ressemblait à des pages à moitié décomposées, arrachées à un manuscrit taché d'eau.

Et pourtant, s'émerveillait le prêtre, les violons qui naissaient de ces mains rudes étaient plus délicats que l'enfant Jésus dans les bras de la madone de Boccaccino dans l'église San Sigismondo.

Niccolò se pencha au-dessus de la table, vers Fabrizio ; il agitait la main, comme si cela allait l'aider à se souvenir de quelque chose.

— J'ai vu votre dernière peinture dans la cour du couvent Santa Lucia. Comment s'appelle-t-elle ? *L'extase de sainte Agathe* ?

— Vous avez remarqué ? Elle ressemble à la duchesse, dit Omero en levant son verre.

— Oui, acquiesça Fabrizio en s'adressant à Niccolò. Tu te souviens sans doute que la duchesse m'a servi de modèle.

Omero se tourna vers le prêtre.

— Comment avez-vous fait pour lui donner cet air-là ?

— Quel air ?

— Un air… d'abandon sexuel, je dirais.

— Omero, je t'en prie, un peu de considération pour ton maître !

Fabrizio sourit.

— Il n'y a pas de mal, Niccolò. Je sais qu'il pose la question en toute innocence, puisqu'il n'a jamais connu de femme.

— Contrairement à vous, insinua Omero.

— Omero, ça suffit ! Sinon je serai obligé de te renvoyer à la maison.

L'image de la duchesse apparut dans sa tête. Il prit une longue gorgée de vin, à la fois pour se calmer et pour célébrer le prodige d'un souvenir si ardent.

Omero s'enfonça dans son siège et bouda. Puis, il oublia subitement la conversation et se pencha à nouveau pour jeter un œil dans la poche large et peu profonde que Fabrizio avait cousue à l'avant de sa soutane noire et où il venait d'enfouir la main.

— Que faites-vous, là-dedans ?

Fabrizio sortit un chapelet de perles en verre noir.

— Je frottais mon talisman magique.

Il souleva le petit crucifix métallique.

— Je le frotte pour me calmer, apaiser mes inquiétudes, expliqua-t-il à Niccolò.

Les deux autres examinèrent l'objet. Le pouce du prêtre avait si souvent, si longtemps frotté le Christ que le torse de celui-ci avait complètement disparu. Ses pieds, ses mains et sa tête, n'ayant plus rien pour les relier, semblaient avoir été crucifiés séparément.

— Mais vous l'avez fait disparaître, s'exclama Omero. Franchement, de quoi un prêtre peut-il bien s'inquiéter ?

Fabrizio replaça le chapelet dans sa poche à côté d'un assortiment d'autres curiosités : deux pinceaux encroûtés, une aiguille et une bobine de fil noir à moitié vide, quelques pièces de monnaie, une carte élimée de l'archange saint Michel, un petit linge huileux et un bout de fromage durci. Il ignora la question d'Omero. Un ange passa et le trio but.

— Je vais vous raconter une histoire à propos de ce portrait, commença Fabrizio. Mais commandons d'abord une autre cruche.

Lorsque leurs pots furent bien remplis et qu'ils eurent pris une première gorgée de la nouvelle cuvée, et avant que Fabrizio commence son récit, Niccolò demanda :

— Pourquoi sainte Agathe ?

— C'est justement ce que je voulais vous raconter : comment j'ai choisi mon sujet. La décision a été difficile à prendre, croyez-moi. Au départ, j'avais songé à peindre sainte Catherine d'Alexandrie. J'ai toujours été impressionné par l'idée que du lait et non du sang ait jailli de ses veines lors de sa décapitation. J'aime cette histoire.

— Hmm. La patronne des jeunes filles.

— Oui. Mais ensuite, je me suis dit que sainte Catherine de Sienne serait peut-être plus appropriée : elle est d'ici, c'est une mystique bien connue et tout et tout. Les mystiques m'intéressent, vous le savez certainement. Malheureusement, une chose me préoccupait : son corps est enterré à Rome, alors que sa tête est à Sienne. Cela me dérangeait. J'ai ensuite pensé à sainte Apolline, parce que je souffrais d'une rage de dents cette semaine-là. Mais ça a passé. Je me suis alors tourné vers sainte Cécile…

— Patronne de la musique, l'interrompit Niccolò.

— Et des poètes, renchérit Omero.

— Oui, mais j'avais l'impression qu'elle ne convenait pas, je ne sais pas pourquoi. Quoi qu'il en soit, j'ai envisagé de peindre sainte Barbe, patronne de presque tout : architectes, maçons, ingénieurs, mineurs, artilleurs, pompiers. Comme vous le savez, les gens l'invoquent contre la mort subite, le feu, la foudre et l'impénitence. Je ne pouvais que tomber sur quelque chose d'approprié.

— Les morts heureuses. Vous m'avez dit qu'elle est la sainte des morts heureuses, ajouta Omero, ce à quoi le prêtre acquiesça.

— Encore une fois, cependant, j'ai remis mes motivations en question. Je devais trouver la bonne sainte, la sainte parfaite pour mon portrait. On ne peut pas représenter la patronne des mineurs en pleine extase. Ça ne colle pas. Du moins, pas à mes yeux. J'ai finalement jeté mon dévolu sur sainte Agathe.

— Mais pourquoi ? fit Niccolò, qui paraissait franchement embrouillé.

Fabrizio se tourna vers la gauche et regarda l'arrière de la cathédrale.

— Parce qu'un après-midi, pendant que je peignais, j'ai entendu la cloche de sainte Agathe du *torrazzo* (un *ré* bémol) et je me suis souvenu qu'elle était la patronne des fondeurs de cloches. C'est ce qui a fait pencher la balance.

Omero lui jeta un regard oblique et passa son doigt sur le rebord de sa coupe.

— Vos explications sonnent faux, maître, si vous me permettez ce mauvais jeu de mots. N'avez-vous pas choisi Agathe parce qu'elle guérit la stérilité ? En la peignant en sainte Agathe, n'espériez-vous pas, par une sorte de magie, stimuler la fécondité de notre duchesse que tout le monde sait infertile ?

— Ah, tu es trop vif pour moi, Omero. Un esprit comme le filet d'un pêcheur, qui retient seulement les faits importants et laisse passer les petits détails insignifiants. Je te lève mon chapeau. Bien sûr que je voulais aider cette pauvre femme, par tous les moyens. Et c'est ce que j'ai fait. Ce fut donc sainte Agathe.

✳

UNE VISION À LA CAMPAGNE

Trois semaines avant cette conversation à la taverne, Fabrizio était allé marcher dans la campagne, dans les herbes mouvantes qui roulaient sous la brise comme une mer agitée. Après plusieurs journées improductives et inefficaces à fixer le portrait sur lequel il travaillait au couvent Santa Lucia, il s'était enfin rendu à l'évidence : il était paralysé, bloqué, en panne. Le pinceau refusait de prendre vie. Le visage de la duchesse Agathe n'était rien de plus qu'un amas de pigments. Ni chaleur ni sang ne pulsaient sous la surface de la peau, il n'y avait aucun souffle. Les séances de pose dans le jardin intérieur avaient pris fin deux semaines auparavant, et il semblait bien qu'en partant, la duchesse avait emporté avec elle toute la vie contenue dans le portrait.

Par un après-midi venteux, Fabrizio avait donc quitté la cour du couvent pour traverser la ville d'un pas lourd, descendre la Via del Sale et passer la porte de la muraille. Il avait marché jusqu'à la campagne, avec ses odeurs vertes et sa lumière dorée. Une brise tiède, inattendue, flottait sur la plaine lombarde. Fabrizio s'en remplit les poumons et, au milieu d'un champ, contempla le ciel azur. Il n'avait pas vraiment oublié le portrait, mais sa frustration s'était évanouie. Il savourait la joie toute personnelle de pouvoir parcourir de grandes distances sans transporter quoi que ce soit, sans aller où que ce soit. Le zéphyr semblait le pousser vers l'avant.

Au bout de plusieurs heures, Fabrizio arriva devant une enfilade de huit peupliers qui projetaient un précieux ruban d'ombre. Sous le dernier arbre de la rangée, Rodolfo était assis et buvait du vin à la cruche. Il aperçut le prêtre et lui envoya la main, un sourire fendant son visage grêlé, le crâne du squelette dodelinant sur son épaule. Fabrizio s'approcha.

— Asseyez-vous, *padre*. Buvez un coup.

Fabrizio s'installa à côté de Rodolfo. Il prit la cruche que celui-ci lui tendait et but. À l'autre bout de la plaine, ils distinguaient la cité de Crémone au loin, avec ses églises et ses tours, un mirage à l'horizon.

— On l'appelle la cité aux cent tours. Elle semble à peine réelle.

— Pas plus réelle que la dernière fois, dit Rodolfo.

— Que veux-tu dire ?

— Crémone s'est retournée, la nuit dernière. Le temps est venu. Nous apercevons l'autre côté. De toute manière, chacun d'entre nous rêve sa propre ville. Vous le savez mieux que personne.

— Oui, c'est vrai. Mais comment peux-tu dire cela avec autant de nonchalance ?

— Quand on a vu tout ce que j'ai vu, Don Fabrizio, plus rien ne peut nous alarmer. En d'autres termes, c'est le temps. La ville s'est retournée. Ce qui était en haut est maintenant en dessous, et ce qui était dessous est au-dessus.

— Il s'est peut-être produit quelque chose dans le firmament qui a précipité cet événement ?

— Sans aucun doute. Tout ce qui arrive sur terre se reflète dans les cieux, et tout ce qui arrive dans les cieux se reflète sur terre. Ce sont comme des miroirs. Je sens venir de grands changements de l'ampleur d'un tremblement de terre, une ère où les prêtres deviennent amants et les amants deviennent saints. Une ère de miracles, *padre*. Une ère de miracles sans fin.

Le prêtre opina du menton. Rodolfo but et lui passa la cruche. Après que Fabrizio eut pris une gorgée, Rodolfo se leva dans un tumulte de cliquetis.

— Venez, mon père. Je veux vous montrer quelque chose.

Fabrizio lui emboîta le pas. Bientôt, ils longèrent un ruisselet qui serpentait dans un profond sillon au milieu des champs. Au bout d'un moment, ils arrivèrent à un coude, bifurquèrent, gravirent une butte et là, devant eux, se dressait une gigantesque église. Fabrizio crut d'abord qu'elle était en ruine, car la lumière passait par le plafond ouvert et plusieurs murs étaient abîmés. Mais en y regardant de plus près, il constata que les parties supérieures de la structure grouillaient d'ouvriers qui étaient en train de la construire. Plusieurs peintres s'affairaient sur des fresques que Fabrizio arrivait mal à discerner depuis le sol. Personne ne parlait. Tous travaillaient en silence. Tout près, des oiseaux pépiaient, le ruisseau chantait. C'étaient là les seuls sons.

— Je ne connaissais pas cette église. Quand a-t-elle été commencée ? souffla-t-il à son compagnon.

Rodolfo haussa les épaules et posa un doigt devant ses lèvres.

Le plancher, un lac de travertin, s'étendait à perte de vue. Ils s'avancèrent et contemplèrent les colonnes de pierre qui montaient si haut qu'elles semblaient disparaître dans la lumière du ciel. Fabrizio avait l'impression que sa tête était remplie de soleil. Au pied d'un mur, il vit deux hommes qui tiraient sur des cordes pour hisser dans les airs un jeune garçon debout sur une planche qui supportait également deux énormes bols de pâtes et plusieurs carafes de vin grosses comme des têtes de puits, enveloppées de paille. Le garçon montait servir leur repas aux peintres. Ceux-ci auraient gaspillé la moitié de l'après-midi s'ils avaient dû descendre pour manger et remonter ensuite.

La lumière qui emplissait la cathédrale rayonnait de silence, avec pour seuls remous le chant d'un oiseau, d'un insecte, ou les coups d'un maillet.

Tout en regardant le garçon se dissoudre presque entièrement dans les hauteurs, Fabrizio eut l'impression qu'il se trouvait à la fois dans la cathédrale et dans les champs, comme si l'église était aussi vaste que les prés, comme si elle embrassait un si grand pan du monde qu'elle possédait son propre climat et ses vents. *Ce doit être l'église la plus immense de la création,* pensa-t-il. Soudain, il réalisa : *C'est ici que la terre touche au ciel, l'endroit où il n'y a plus de distinction entre le monde du sacré et le monde tel qu'il est.*

L'air était imprégné de l'odeur du lin et de l'huile de noix, et le ciel avait la couleur du lapis-lazuli. Des feuilles d'or étaient collées aux murs, qui semblaient couverts de trompe-l'œil. Fabrizio n'arrivait pas à savoir si les scènes représentées – des champs, des vaches, des chevaux, des ouvriers qui coupaient le blé, des villes fortifiées, des affleurements rocheux – étaient des illusions peintes ou des brèches dans les murs par lesquelles il apercevait la campagne. Il était incapable de distinguer l'architecture peinte de la vraie. Les feuilles d'acanthe qui débordaient du chapiteau corinthien paraissaient vivantes, et peut-être l'étaient-elles. À certains endroits, les voûtes pointues donnaient à la cathédrale l'air d'une tente, et une apparence d'élégante apesanteur. Alors que ses yeux balayaient la scène, Fabrizio songea que certains peintres étaient peut-être en fait des murales représentant des peintres, et le garçon sur sa planche lui sembla lui aussi s'être fondu dans une fresque – ou peut-être était-ce la distance qui conférait une immobilité aux formes, il n'était pas sûr.

Il n'était sûr de rien. On aurait dit soudain que la pierre était lumière et la lumière pierre, que le dedans était dehors et le dehors dedans, et tout devenait immobile et silencieux dans l'immensité du temps. Puis, elle lui vint. L'idée pour son portrait de la duchesse. *J'inscrirai la vérité dans sa pupille.* Il eut envie de regagner immédiatement la cour du couvent Santa Lucia.

— Attendez, fit Rodolfo. Il y a autre chose dont nous devons parler.

Fabrizio suivit l'Homme des roseaux jusqu'à l'endroit où ils étaient auparavant, mais il remarqua que l'enfilade comptait désormais davantage de peupliers de Lombardie. *Ce doit être un autre lieu, même si ça semble pareil.* Rodolfo s'assit et invita le prêtre à l'imiter.

Renversant la tête, il prit une bonne lampée de vin avant de passer la cruche au prêtre. Puis, il s'essuya la bouche et scruta les champs lointains. Fabrizio attendit, sentant que Rodolfo s'apprêtait à parler.

— La musique que vous avez entendue avec la duchesse ce soir-là, elle venait de l'intérieur de vous, mon père. On pourrait l'appeler la musique qui meut le soleil et les étoiles.

— Comment sais-tu cela ? Comment as-tu su pour la duchesse et moi, et la musique ?

— Certaines choses ne s'expliquent pas. J'ignore comment je l'ai su, je le sais, c'est tout. Je vois le prophétique de la même façon que le vent traverse les herbes, que la lumière se transforme dans les arbres. Quoi qu'il en soit, cela relève de l'alchimie du cœur. Je parle de votre situation, de la musique, de la femme.

— L'alchimie du cœur ?

— Oui. Vous le savez aussi bien que moi : l'alchimie n'a rien à voir avec la transformation de métaux vils en or.

— Ça, je le comprends. La pierre philosophale est un moyen de guérir les maladies, de prolonger la vie, d'amener un renouveau spirituel. L'or n'est qu'un sous-produit.

— La pierre philosophale peut transformer la mort en vie. C'est vrai. Je l'ai vu de mes yeux. Mais même cela est trop limité. Je suis désolé, mais votre pensée est trop étroite. L'élixir d'immortalité, *al-iksir*, comme disent les Arabes, est beaucoup plus que cela.

Il s'interrompit, contempla le point où le champ rencontrait le ciel. Le temps était calme, clair, paisible.

— Un vrai alchimiste ne transmute rien d'autre que son cœur. Si nous voyons la plénitude de chaque chose, si nous parvenons à prendre conscience, à vraiment saisir et réaliser notre humanité commune, n'avons-nous pas déjà atteint l'immortalité ? La comédie humaine, cette farce tragique, ce mystère sans début ni fin se poursuit sans arrêt. Le grand cycle des naissances et des morts et des naissances continue.

Fabrizio pensait toujours à la duchesse.

— Si ce que tu dis est vrai, alors… la consommation serait une sorte de sacrement.

— Bien sûr, en ce sens qu'elle permet la perpétuation de cette pièce de théâtre que nous appelons la vie.

— Et alors la beauté et l'attirance sont une sorte de grâce divine.

— Oui, c'est vrai aussi. Dans cette condition humaine qui nous lie, l'acte charnel devient le serpent Ouroboros qui se mord la queue. On dit «qui se mord la queue», mais ce qu'on veut vraiment dire, c'est qu'Ouroboros se fait l'amour à lui-même.

Fabrizio sentit le parfum du chèvrefeuille dans l'air.

— Ne vous en faites pas pour la femme, mon père. Elle est heureuse.

Rodolfo bâilla.

— Je vais dormir, maintenant.

Fabrizio demanda à Rodolfo de lui indiquer le chemin vers Crémone. Rodolfo pointa le doigt. Lorsque Fabrizio se retourna pour partir, Rodolfo dit :

— Le temps est venu. Cette ère a atteint sa plénitude et maintenant, le temps va tourner. Vous voyez ? Vous le savez, et je le sais. C'est tout.

Le prêtre acquiesça et retourna vite en ville.

Peu après, Fabrizio se retrouva dans la cour du couvent Santa Lucia, devant le portrait. Il méditait sur l'image de la duchesse Agathe. Lorsque la vérité lui fut révélée, son cœur palpita à nouveau dans sa poitrine. *C'est une femme. Elle est le lien parfait entre le ciel et la terre, entre une vie et l'autre. C'est là son extase.*

Trois semaines plus tard, les trois amis se retrouveraient pour boire à la taverne et Omero demanderait à Don Fabrizio :

— Maître, êtes-vous sur le point de fonder un culte du désir ? Vous, un prêtre ?

Et Niccolò rétorquerait :

— Je serai le premier à me convertir.

FOULE AU CONFESSIONNAL

Un mois après, assis dans l'obscurité du confessionnal du *duomo* au jour dit, Fabrizio remplissait son devoir sacerdotal de confesseur. Il fit glisser la petite porte et révéla une fenêtre en treillis de bois par laquelle il aperçut Omero, agenouillé de l'autre côté du grillage.

— Omero ?

— Je veux me confesser d'avoir blasphémé contre mon maître.

— C'est moi, ton maître.

— Oui, et je suis votre serviteur. Les serviteurs ne devraient jamais blasphémer contre leurs maîtres. Du moins, c'est ce qu'on dit.

— C'est vrai.

— Je ne veux pas brûler éternellement en enfer pour une si petite erreur. Mais il faut bien que quelqu'un vous oblige à garder les pieds sur terre.

— Et tu as décidé d'accomplir toi-même cette laborieuse tâche ?

— Elle n'est pas si laborieuse.

— Regrettes-tu d'avoir péché, alors?

— Oh, je suppose que oui.

— Ton manque de sincérité crève les yeux.

— Je le referais, s'il le fallait.

— Je n'en doute pas une seule seconde. Va. Tu es pardonné. Récite une prière. Si tu arrives à t'en rappeler une, ajouta-t-il à mi-voix.

Omero sortit, quelqu'un d'autre entra dans le confessionnal, et quand Don Fabrizio regarda à nouveau, il vit le duc Agostino agenouillé devant lui.

— Père, j'ai péché.

— De quelle façon, mon fils?

Le duc hésita puis déballa sa confession d'une traite.

— Dans l'accès de joie suivant l'annonce d'une bonne nouvelle qui a illuminé mes jours et réchauffé mes nuits, je me suis enivré et sous l'influence de la boisson j'ai troussé une fille de cuisine dans ma cave à vin. Par-derrière.

— Vous pouvez omettre les détails, cher duc.

— Désolé, mon père.

— Regrettez-vous vos péchés?

— Oui. Absolument.

— Dites trois Notre Père et, dans son infinie miséricorde, Jésus-Christ notre Seigneur vous pardonnera.

— Merci, mon père.

Le duc sortit et quelqu'un d'autre entra. À genoux devant Fabrizio se tenait l'Homme des roseaux.

— Rodolfo? C'est la première fois que je te vois ici.

— C'est le temps.

— Comment te portes-tu ? As-tu péché, dernièrement ?

— Comme vous le savez, je suis profondément repentant d'avoir assassiné mon frère il y a longtemps, et je m'en suis confessé, il y a longtemps. Mais récemment, j'ai péché d'autres manières. Bien que je connaisse et comprenne bien des choses de ce monde, je crois que je souffre d'un excès d'imagination.

— Ce n'est pas un péché, mon fils.

— Je crois que c'est une forme de mensonge.

— J'imagine que ça peut l'être. Quoi qu'il en soit, tu es pardonné.

— Il y a autre chose, Don Fabrizio.

— Oui ?

— Quand vous m'avez secouru, dans les roseaux, j'étais un homme mort. Sans peur, vous êtes venu dans cet endroit – le marais des morts – et vous m'en avez tiré. Depuis, j'ai mené une époustouflante seconde vie.

— J'ai simplement mis en application un peu de sagesse pratique que j'avais apprise d'un médecin ayant beaucoup voyagé dans la lointaine Catai, rien de plus.

— Je crois maintenant que je vivrai éternellement. N'est-ce pas d'une impardonnable arrogance ?

— Personne ne vit éternellement, mon fils. Tu vivras long-temps, très longtemps, peut-être, mais, comme n'importe qui, quand le jour viendra, tu choisiras de mourir.

— Je vois.

— Va, maintenant. Tu es pardonné.

Rodolfo se leva ; le squelette cliqueta sur son dos alors qu'il sortait. Quelqu'un d'autre entra. Avant même de voir son visage,

Fabrizio la sentit. *Oh, je connais ce doux parfum d'herbe fraîche et humide, de miel chaud, avec une touche de chèvrefeuille...* La tête lui tournait. Devant lui se trouvait la duchesse Maria Andrea.

— Mon père, j'ai commis un grave péché, cependant mon cœur déborde de joie. Je porte un enfant. Le vôtre.

— Le mien ?

— Oui.

— Vous en êtes sûre ?

— Une femme sait ces choses-là. Vous ne le croirez peut-être pas, mais j'ai senti votre semence s'ancrer dans mon ventre dès l'instant où elle y est entrée. Vous nous avez apporté un grand bonheur, une grande joie à mon mari et moi. Vous nous avez sauvés.

— Allez-vous le lui dire ?

Bien que cette perspective l'effrayât, Fabrizio espérait à moitié qu'elle révélerait la vérité au duc. Il décida qu'il accepterait humblement ce que la duchesse choisirait de faire.

— Vais-je lui dire que l'enfant est de vous ?

— Oui.

— Il y a des moments où le secret m'est insupportable, mais quand je vois la félicité sur son visage, je me dis : « Pourquoi créer des problèmes ? » Croyez-vous que je vis un mensonge, Don Fabrizio ?

— Non, ma chère. Votre bonheur est justifié et naturel. Si vous croyez qu'un aveu ne servirait à rien en ce moment, suivez votre jugement. Êtes-vous certaine que l'enfant est de moi ?

— Oui. Ne suis-je pas une pécheresse, mon père ?

— Eh bien, examinons la situation. Vous avez certainement commis un acte qui est considéré comme un péché, tout comme moi. Mais je crois que nous l'avons fait dans un but honorable. Avez-vous accompli des bonnes œuvres récemment pour contribuer à redresser la balance ?

— Oui, mon père. Cette semaine, j'ai passé deux nuits blanches à veiller l'enfant malade d'une de mes servantes qui était trop fatiguée après sa journée de dur labeur. Le petit était fiévreux et j'ai refroidi son front toute la nuit à l'aide de linges mouillés. À cause de mon état, j'étais exténuée, mais je me suis forcée.

— Vous êtes d'une grande compassion.

— J'ai appris de vous, Don Fabrizio. Quand les gens sont près de vous, ou même quand ils pensent à vous, ils trouvent la paix d'esprit, ils sont heureux.

— Je ne suis pas sûr que mon valet Omero serait de votre avis. Et puis, on ne choisit pas qui l'on est, ma chère. Je ne suis pas un saint, comme vous avez pu le constater. Mais vous feriez mieux de partir. Dans son infinie miséricorde, le Seigneur Jésus-Christ vous pardonnera.

Après son départ, Fabrizio garda les yeux fermés un long moment, se délectant de son odeur qui s'attardait.

CHAPITRE VII

Les gens me présentent les événements les plus banals comme des signes de la sainteté de Cambiati. « Ma vache m'a donné deux seaux de lait au lieu d'un seul. » « Mes furoncles ont guéri en sept jours alors que mon imbécile de beau-frère a mis trois semaines à s'en remettre. Notre bon Fabrizio a exaucé mes prières. » « J'ai eu mal au dos pendant des années, puis ma douleur a disparu comme par magie après que j'eus marché dans ce que je crois être ses pas sur la place. » « J'ai vu un cheval sortir du brouillard sur la route, une nuit. Il avait l'air magique. Au même moment, je pensais au bon Fabrizio. » Quel sens puis-je donner à cela ? Comment puis-je juger ? Ces gens me donnent mal à la tête.

LA TOUR DU MILIEU

Notre histoire revient maintenant à cette première nuit, quand Don Fabrizio et Omero sont montés en haut de la grande horloge, jusqu'au sommet du *torrazzo,* au cœur de Crémone. Depuis, ils sont restés sur la tour ; ils ne sont jamais descendus de la tour, seront toujours sur la tour. Le temps descend de l'intemporel comme la comète descend de l'espace.

Bien haut au-dessus de la place, Fabrizio et son valet avaient attendu, simplement attendu, en surveillant le retour de la comète. Elle suivait une spirale temporelle qui dépassait l'horizon d'une vie humaine normale. De temps à autre, Fabrizio balayait le ciel nocturne de son *telescopio,* puis le lointain, pour ensuite baisser son instrument et regarder à nouveau la ville.

Tout en contemplant la place, il déclara, songeur :

— Mon ami, nous voilà sur cette tour au milieu de cette cité au milieu de nos vies au milieu du temps. Nous sommes toujours au milieu, sur une crête entre passé et futur, entre le dernier instant qui disparaît déjà et le prochain qui n'est pas encore là. Tous les chemins que nous avons empruntés nous ont menés ici, à ce point central, et tous les chemins que nous prendrons partent de là. Il y a une sorte de magie là-dedans, non? Une sorte de miracle?

Omero se versa encore du vin.

— Si vous le dites.

— Nous sommes toujours au milieu d'un miracle, posés sur une tour de miracles de moments passés, sous un vaste ciel de moments futurs.

Il s'interrompit.

— Regarde, Omero, la pièce reprend sur la piazza.

— On peut descendre la voir?

— Pas maintenant. Il faut attendre.

— Qu'est-ce qu'on attend?

— La comète, bien entendu. Tu ne te souviens pas?

— Et qu'est-ce qu'on va faire quand la comète viendra?

— Nous la regarderons passer.

— C'est tout?

— Oui. Ce n'est pas assez pour toi?

Omero haussa les épaules.

— Quand la comète arrivera, la pièce sera terminée et nous l'aurons manquée.

— Oh, je ne m'en fais pas trop pour ça. La pièce se poursuit sans arrêt. En fait, j'ai l'impression que la comète fait partie de la pièce. Ne crois-tu pas qu'ils pourront la voir depuis la place, puisqu'elle est ouverte sur le ciel? Nous aussi, nous faisons partie de la pièce de théâtre.

— Si c'est le cas, comment se fait-il que je ne connaisse pas mes répliques?

— Ce que tu dis est ta réplique. Cette pièce n'a rien à voir avec le fait de mémoriser des répliques, ou avec des répliques que tu es prédestiné à livrer. Omero, tu sais certainement que dans la commedia dell'arte, les acteurs inventent leurs répliques spontanément, sur le moment.

— Comme dans la vie ?

— Oui, comme dans la vie. Tu vois ?

— Je ne vois rien, presque rien. Il fait noir. Je pense que je vois une chandelle brûler à une fenêtre, à l'autre bout de la place. Et je vois au moins mille et une étoiles.

— Tout le monde est en train de faire l'amour, ou de mourir, ou de se retourner dans son sommeil, ou de rêver à la pièce de théâtre sur la place, ou de s'inquiéter pour un enfant. Quelqu'un essaie de résoudre un problème mathématique – *que font treize divisés par huit ?* –, un autre compose un poème dans sa tête, un troisième maudit son voisin ou prépare sa vengeance. Chacun au point central de sa vie.

— Et où est cette damnée comète ?

— Elle est venue, repartie, et elle revient encore. Elle reviendra toujours, car elle suit une inéluctable spirale temporelle. Elle arrive quand elle arrive. Comme une femme qui secoue une rosée d'étoiles de ses longs cheveux.

— Pourquoi ?

— Pourquoi ? Voilà une question que l'on n'entend pas souvent. *Pourquoi ?* Je n'en ai aucune idée. *Pourquoi ?* C'est une question à laquelle je n'ai pas de réponse, une question qui m'émerveille.

Omero le dévisagea. Il chuchota, s'exprimant sans moquerie pour une fois :

— Le saint patron des merveilles.

CHAPITRE VIII

Un autre miracle. Ils disent que ça s'est produit en 1749, le jour de la fête de Cambiati, le 13 août, le même jour que la Saint-Hippolyte, le premier antipape, et que la fête de saint Cassien d'Imola, dont le culte est confiné aux calendriers locaux. Ils disent que du vin coulait dans le Pô, un vin blanc clair d'une fraîcheur et d'une brillance inouïes. La nuit venue, un vin rouge, riche et sombre, l'avait remplacé. Les gens disent qu'ils pouvaient en boire encore et encore sans jamais devenir ivres. Au matin, le fleuve était redevenu normal. Que suis-je censé faire de ces incessantes effusions ?

UN ENTRETIEN AVEC L'HIÉRONYMITE

Padre Attilio Bodini était sur le seuil, vêtu de l'habit blanc et de la cape noire typiques de son ordre. L'avocat reconnut tout de suite le trublion qui avait fait du chahut sur la place pendant la pièce de théâtre. Comme les autres fresquistes expérimentés, ceux qui exerçaient le métier depuis des années, il souffrait d'une blessure professionnelle caractéristique : sa tête était figée vers le haut. Il ne regardait devant lui qu'au prix de grandes difficultés et souffrances ; baisser la tête était hors de question.

Il faisait partie d'une poignée de retardataires qui avaient demandé un entretien avec l'avocat après la fin des interrogatoires officiels. Monsignor Archenti avait décidé d'accepter parce qu'il sentait qu'il était encore bien loin de prendre une décision finale sur les qualifications de Fabrizio Cambiati à la sainteté. Il savait que le candidat et la *duchessa* avaient eu une sorte de relation, mais il lui fallait des précisions, un exposé des faits. Il n'était pas parvenu à tirer un aveu de la jeune Elettra, cette dernière s'étant révélée aussi têtue que son aïeule.

À la gauche de l'avocat, le scribe grattait le papier à qui mieux mieux pendant que Padre Attilio leur faisait face, la tête renversée vers l'arrière, son crâne menaçant de se détacher complètement pour dégringoler le long des nœuds de son échine dorsale. Ses yeux étaient braqués six pouces au-dessus de la tête de l'avocat.

On pourrait croire qu'une telle attitude, qu'une telle posture dénotait un tempérament rayonnant, fort des lumières et des joies des mondes supraterrestres, du ciel et du paradis ; un esprit exalté affectionnant la contemplation de philosophies aériennes, les savants des cieux. Ce n'était pas le cas d'Attilio Bodini. En fait, il était tout le contraire, peut-être par résistance envers ce à quoi les gens s'attendaient naturellement d'une telle posture. Dans la cité de Crémone, il était connu comme un homme qui voyait toujours le pire côté des choses, qui ne songeait qu'au désastre et se réjouissait de propager des rumeurs de fin du monde imminente. On savait qu'il s'échinait sur une immense fresque représentant l'Apocalypse à l'église San Sigismondo. Il avait presque terminé – le projet était en cours depuis six ans – et on chuchotait en ville que le résultat serait choquant. En outre, il était cancanier, toujours en train de parler en mal des gens, jamais un bon mot pour qui que ce soit.

Après lui avoir posé les questions d'usage de la liste officielle sans apprendre grand-chose, l'avocat demanda :

— Maintenant, dites-moi : pourquoi êtes-vous venu me parler, vraiment ?

— Si vous voulez mon avis, Votre Excellence, je crois que ce Cambiati n'était pas un saint.

— Qu'est-ce qui vous fait dire cela ?

— Mon grand-père disait qu'il voyait souvent le bon *padre* boire à la taverne derrière la cathédrale le soir avec ses compères.

— A-t-il dit qui étaient ces compères?

— Un luthier et l'assistant du prêtre. Il se nommait Omero, je crois.

— Savez-vous si le candidat a été vu en train de boire à l'excès, ou de se comporter comme s'il était ivre?

— Mon grand-père ne me l'a pas dit. Mais le seul fait d'être en compagnie de ce coureur de putains d'Omero constituait au moins un péché, celui d'avoir de mauvaises fréquentations. Ce petit homme était une créature diabolique, rabougrie par Dieu en guise de châtiment. On dit qu'il aurait touché ma grand-mère dans l'ombre de la cathédrale alors qu'elle attendait son confesseur. Mon grand-père, lorsqu'il l'a su, s'est rendu chez le prêtre pour se venger, mais Cambiati était un enjôleur et il l'a persuadé de changer d'idée. Je crois aussi qu'il a versé une bonne quantité d'argent à mon grand-père pour l'empêcher de mettre le couteau à la gorge de son assistant. Cet insolent d'Omero était connu dans les bordels de la ville.

— Et comment votre grand-père aurait-il pu savoir cela?

— Je l'ignore.

— Je vois.

Padre Bodini se tut, craignant que l'on n'accorde pas foi à ses importantes révélations. Angelo le scribe s'arrêta et attendit, amplifiant le silence, sa plume flottant au-dessus du parchemin.

L'avocat du diable sentait qu'il lui fallait trouver un moyen de réchapper la situation. Il voulait qu'Attilio continue à parler. Il savait qu'il devait extraire chaque fragment de souvenir de ses interlocuteurs pour lever le voile que les gens rabattaient instinctivement pour protéger leurs ancêtres ou leur famille immédiate. Il se rendait compte que les gens lui parlaient parfois d'une manière fort différente de celle qu'ils adoptaient pour discuter avec leurs voisins et leur amis. Après tout, il était un prêtre de Rome, un jésuite, un avocat officiel du pape, un étranger parmi eux. Il décida de changer de sujet et, peut-être, de provoquer Attilo un peu.

— Avez-vous vu les acteurs sur la place, samedi dernier ?

— Oui. Un spectacle répréhensible. Les acteurs sont pires que des cochons et des ânes. Une telle fange, une telle immoralité devant les portes de la cathédrale ! C'est honteux. Les comédiens devraient être bannis.

— Hmm.

Monsignor Archenti tenta une autre approche, jouant les idiots.

— Vous être fresquiste, n'est-ce pas ? J'ai entendu dire que vous travaillez à San Sigismondo.

— Je suis en train d'y peindre une murale. Connaissez-vous l'église ?

— Oui, bien sûr. Je n'y suis pas entré, mais je suis passé devant. Quelle scène peignez-vous ?

— Le Jugement dernier.

— La Révélation de Jean ?

— Oui. J'ai donné aux damnés les visages de gens de notre ville, une bouche ouverte, un air ébahi. Ils ignorent encore quelles plaies infernales s'abattront sur eux, mais ils savent qu'une terreur profonde approche. Ils sentent le vent qui souffle dans leur direction.

— Il est très difficile de peindre une telle scène.

— J'y travaille depuis six ans. J'aurai bientôt fini. Et je suis sûr que dès que je la dévoilerai pour le prêtre de la paroisse et sa congrégation de damnés, ils se reconnaîtront et exigeront que je la chaule sur-le-champ.

— Est-ce vraiment si horrible?

— Oui. C'est un cauchemar de peurs indicibles. Ils seront incapables de supporter la vérité.

— Vous êtes un homme dur.

— J'ai appris de mon père.

— Vous n'aviez pas une mère pour adoucir les choses?

— Mon père avait appris de ma mère.

L'avocat hocha la tête.

— Je propose que nous revenions au sujet qui nous préoccupe. Vous souvenez-vous que votre grand-père ou un autre doyen de votre famille ait dit quoi que ce soit au sujet de Fabrizio Cambiati, outre ce que vous venez de me rapporter?

— Seulement qu'il avait un cœur de poisson. Trop mou, trop doux. Ils disaient que ses yeux se remplissaient constamment de larmes quand il marchait dans les rues, qu'il était attristé par l'état du monde et de l'âme des hommes. Contrairement à Cambiati, je crois que le péché est une chose qui disparaît seulement après avoir été écrasée et anéantie. Êtes-vous de mon avis, Votre Excellence?

Monsignor Archenti plongea son regard dans les yeux fixés vers le bas.

— Il y a des moments où la dureté est de mise, et d'autres où la douceur est le moyen de pénétrer l'âme.

— Je ne suis pas d'accord. Il y a toujours des gens qui attendent, qui sont prêts à abuser de la douceur. Toujours.

Le jésuite réfléchit un instant en examinant le revers de sa main.

— Je vous remercie, Padre Bodini. Je vous enverrai quelqu'un si jamais j'ai d'autres questions pour vous. Et si vous vous souvenez de quelque chose, de quoi que ce soit, n'hésitez pas à m'en informer. Merci encore.

L'hiéronymite eut une hésitation.

— Il y a autre chose, en fait. Dans la cour intérieure du couvent Santa Lucia, il y a une peinture de Cambiati. Je pense que vous devriez l'examiner attentivement. Elle vous en dira long sur l'homme, si vous avez l'œil.

— Mettez-vous à l'épreuve l'acuité de mes perceptions ? Pourquoi ne me dites-vous pas simplement ce qui vous intrigue dans cette œuvre ?

— Un jésuite, avocat du diable de surcroît, aura certainement la sagacité qu'il faut pour reconnaître ce qui est évident. Si vous désirez le prendre comme une épreuve, soit.

Quelques minutes plus tard, alors que Bodini s'apprêtait à sortir, l'avocat lança :

— Peut-être viendrai-je voir votre œuvre, votre Jugement dernier.

L'hiéronymite ne se retourna pas.

— Votre Excellence fera comme elle l'entend. Mais vous ne me ferez aucune faveur en venant voir mon travail. *Buon giorno.*

✳

UNE ABEILLE DANS LE JARDIN

Avant leur leçon de latin, l'avocat du diable et Elettra se ren-
dirent à la piazza. Le monseigneur avait oublié un livre dont ils
avaient besoin, et avait décidé d'aller le chercher à son bureau.

— Il a crachiné toute la journée et maintenant il fait soleil.
Je vous accompagne, avait déclaré l'adolescente.

Ils s'attardèrent dans la chaleur estivale, parlant avec aisance
de choses et d'autres, profitant de la compagnie de l'autre.
Comme toujours, Archenti prenait plaisir à admirer la jeune
fille, à voir ses lèvres bouger, sa langue darder et ses yeux briller.
Elle riait souvent et le fait d'être avec elle rendait son cœur
léger. Ils ne remarquèrent pas le prêtre hiéronymite qui les
guettait depuis l'ombre du portique de la mairie.

À leur retour, ils s'installèrent dans les jardins de la villa
ducale et Elettra se mit à étudier l'Énéide de Virgile. La pluie
tombée plus tôt dégouttait encore des arbres et des buissons,
mais la rotonde où ils étaient assis était sèche et confortable. La
leçon ne se passait pas bien. La jeune fille paraissait distraite et
Archenti était fatigué, sans raison. À nouveau, Elettra mangeait
une énorme pêche bien mûre qui devait faire la moitié de la

taille de sa tête. Le jus coulait sur son bras et dégoulinait de son coude.

— Vous ne devriez pas manger en étudiant le latin.

Elle s'arrêta et lui sourit.

— Mais j'ai faim, et c'est tellement délicieux. Vous en voulez une bouchée ? offrit-elle en lui tendant le fruit.

— Non. Merci.

Elle le regardait toujours quand, distraitement, elle s'apprêta à prendre une autre bouchée. C'est à ce moment qu'il vit l'abeille qui s'était posée sur la pêche. L'insecte lui apparut avec une étrangeté surnaturelle, énorme et distordu comme un des dessins démoniaques du livre de Stelluti qu'il avait vu dans la bibliothèque de Cambiati. Avant qu'il n'ait pu dire quoi que ce soit, Elettra criait, la bouche grande ouverte, le dard de l'abeille planté au milieu de sa langue.

Archenti bondit vers la jeune fille et pinça le bout de sa langue pour en retirer l'abeille. Elettra criait toujours, les yeux agrandis par la peur et la douleur. Sa langue commença à enfler, puis ses joues, ses lèvres et son menton. La transformation était incroyable. Alertée par le remue-ménage, une servante sortit de la villa.

— Envoyez chercher le docteur. Tout de suite !

La servante rebroussa chemin et se mit à courir.

Pendant ce temps, le monseigneur parvint à allonger la jeune fille sur un banc. Elle n'arrêtait pas de pointer sa gorge en grognant. Sa tête semblait avoir doublé de volume. L'enflure lui obstruait la gorge ; elle peinait à respirer.

L'arrière-grand-mère de la jeune fille apparut, l'air abasourdi.

— Elle s'est fait piquer par une abeille et elle s'est mise à enfler !

— *Dio mio!*

Elle plaqua sa main sur son visage, tourna les talons et s'éloigna en vitesse.

Pendant qu'Archenti tentait de décider quoi faire, Elettra s'agrippait désespérément la gorge. Puis, ses grognements cessèrent et un silence terrible plana pendant qu'elle se débattait. Il se sentait complètement impuissant. Pétrifié de panique, tout ce qu'il put faire fut d'offrir sa main qu'elle serra avec une force stupéfiante. En même temps, il chercha à tâtons la minuscule fiole de chrême qu'il gardait toujours dans la poche de sa soutane pour l'extrême-onction.

La vieille femme revint en courant avec une flasque de liquide vert foncé. Elle porta le goulot aux lèvres de la jeune fille et versa son contenu dans sa gorge. Elettra se convulsa une fois, deux fois, puis, avec un râle, elle se dressa sur ses coudes, toussant et crachant, mais avalant des bouffées d'air.

La *duchessa* serra la tête de la jeune fille contre sa poitrine.

— Merci, mon Dieu. Ça va aller, maintenant. Ça va, ça va.

Elettra sanglotait et tremblait de peur.

Après un certain temps, le reste de l'enflure se résorba et la jeune fille s'endormit sous les yeux attentifs de l'avocat du diable et de la *duchessa*.

— Quel était ce médicament ? demanda-t-il.

— Quelque chose que Padre Cambiati m'a donné il y a des années. Une distillation de plusieurs herbes : anis, cyprès, guimauve sauvage, livèche, je crois, et quelques autres. Il disait que c'était très puissant. Efficace contre les piqûres d'insecte.

Puis, d'un ton rêveur, comme si elle se parlait à elle-même, elle ajouta :

— Dieu merci, elle se remettra à temps pour le mariage.

Archenti se raidit. C'était la première fois qu'il entendait parler de cet événement. Il était surpris qu'Elettra ne l'ait pas mentionné. Lui et la vieille duchesse restèrent assis côte à côte en silence sur des chaises droites. Le jésuite écoutait le vent et se demandait quelles nouvelles catastrophes il allait bien apporter.

✴

LA CÉRÉMONIE DES FIANÇAILLES

Gennaro Pasquali. Elettra éprouva le nom sur sa langue, le cracha et trouva sa sonorité déplaisante. Entièrement remise, elle se reposait dans l'ombre des jardins par un chaud après-midi d'été, une lettre à la main. Elle soupira. Elle n'aimait rien de lui, pas même son nom. *Gennaro Pasquali.* À nouveau, elle goûta le nom avec un rictus méprisant. *Pourquoi faut-il que je me marie avec lui ? Un jeune sot qui ne connaît rien.* Elle se mordit la lèvre avec force et baissa la tête. Elle se sentait prisonnière de sa propre vie. *Non,* se dit-elle.

Plusieurs années auparavant, alors qu'elle avait neuf ans et lui treize, Elettra avait été promise à Gennaro. C'est ce qui avait été décidé au terme de longues négociations entre les deux pères, avec l'aide de la marieuse. Durant son enfance, Elettra s'était efforcée d'éviter de croiser ce Gennaro plus âgé qu'elle, sentant confusément qu'il y avait en lui quelque chose d'étrange et de dangereux. Ou peut-être qu'elle n'aimait tout simplement pas sa tête carrée, ses oreilles en portes de grange et son attitude vantarde, arrogante, si rebutante chez un jeune homme. Parce qu'il était le seul fils et le cadet du plus riche marchand de Crémone, le père d'Elettra s'était dit qu'il avait trouvé le mari parfait pour sa fille, même s'il avait dû racler les fonds de tiroir pour amasser la dot, ce qu'il avait maintes fois rappelé à sa fille. Elle l'avait entendu expliquer à la duchesse, comme si Elettra n'était pas là :

— Tu vois, ma chère, le fait que Gennaro soit à la fois le plus jeune et le seul garçon de la famille est une aubaine. Dans de tels cas, le cadet est celui qui profite le plus de la richesse accumulée par ses parents, et il est le seul qui puisse hériter du commerce.

Le duc refusait de discuter de ses soucis d'argent. Sa femme était bien au fait de leurs problèmes financiers et il savait que le fait d'en reparler avec elle ne ferait qu'attiser sa colère et son inquiétude. Avec les années, l'immense fortune qu'il avait héritée de son père s'était évaporée en raison d'échecs agricoles, de mauvais investissements et d'augmentations de frais. Il voyait ce mariage comme la meilleure manière d'échapper à une misère imminente. Le père de Gennaro avait fait fortune dans la manufacture et le tissage d'étoffes de futaine, ainsi que dans la fabrication de nappes et de serviettes de table, une industrie ancienne et fructueuse à Crémone. Si quelqu'un pouvait faire en sorte que le duc obtienne les prêts nécessaires pour retomber sur ses pieds, c'était certainement le vieux Pasquali.

Elettra se remémora un banquet que le père de Gennaro avait donné le mois précédent. Sa mère maîtrisait l'art traditionnel du pliage de serviettes ; elle était l'experte en Lombardie et connaissait les vingt-six formes classiques, mais Elettra se rappelait qu'elle n'en avait réalisé que huit le soir du festin. Pour les prêtres locaux, il y avait des serviettes pliées en forme d'arche de Noé, un style réservé aux membres du clergé. Bien entendu, on avait offert la poule à son arrière-grand-mère, qui était l'aristocrate de plus haut rang à table. Les autres femmes étaient assises devant des serviettes en forme de poussins, les deux pères reçurent des taureaux et les jeunes hommes, des ours, des carpes et des tortues. Elettra et quelques autres jeunes femmes avaient été honorées par des serviettes en forme de lapin.

Elettra chassa le souvenir de sa tête et relut la lettre du notaire de son père. Vingt minutes plus tôt, un serviteur la lui avait apportée sur un plateau et l'avait placée sur la table. Elle l'avait déjà lue cinq fois :

Grâce à Dieu par qui vient tout ce qui est bon ! En tant que notaire de votre famille, j'ai l'heureux devoir de vous informer, très chère Elettra, que votre père vous a aujourd'hui fiancée à Gennaro Pasquali à la cathédrale, comme convenu il y a longtemps par la marieuse. Gennaro est un beau jeune homme, et il s'est bien comporté en présence d'une vaste et fort honorable assemblée venue de Crémone et des environs. Tous les invités ont manifesté une joie singulière lors de la cérémonie, et des applaudissements spontanés ont fusé lorsque les pères se sont serré la main, paume contre paume, après avoir signé le contrat stipulant les détails de la dot. Il s'agit d'un arrangement opportun et fort réussi entre deux des plus importantes familles de Crémone. Le mariage aura lieu le vingt-sixième jour du mois d'août. Que Dieu vous bénisse en cette grande occasion, ainsi que votre père et votre mère.

Ser Giuseppe Bresciani, Notaro

Elettra savait qu'il était normal qu'une fille ne soit pas présente lors de ses propres fiançailles, mais cela l'irritait quand même. La lettre du notaire était elle aussi typique, sorte de document à la fois légal et traditionnel. Mais elle montait à cheval mieux que Gennaro et, pour elle, cela voulait tout dire.

Les deux familles avaient assisté à la cérémonie à la cathédrale. Tout le monde était là : son père et sa mère, Gennaro et ses parents, son arrière-grand-mère. Elettra était la seule absente ; on ne lui avait pas permis d'y aller. On lui avait dit qu'il y aurait cinquante invités de chaque famille, le nombre étant limité par les lois somptuaires. Il lui était tellement étrange de penser que l'on planifiait sa vie sans elle.

Plus tard, lorsqu'on l'appela pour dîner, elle feignit d'être malade et resta dans sa chambre, refusant de célébrer avec les autres, son humeur balançant entre la déprime et la rage.

Quand, enfin, elle se coucha sur ses oreillers, rêvant éveillée, l'estomac vide, elle se mit à se représenter quelqu'un. Elle se sourit à elle-même et, avec une confiance et une détermination nées d'un mélange volatil de colère et de désir, elle commença à formuler un plan. Elle s'imagina plier une serviette dans un sens puis dans l'autre, en des formes diverses : une tour, un coche, une maison, un bateau et, enfin, un cheval.

★

UNE QUERELLE ET UNE MENACE

La famille du duc avait fini son repas. Un silence tendu planait dans l'air.

— Emmenez-la ici, ordonna le duc à un serviteur.

Sa femme posa la main sur le bras de son mari.

— Je vous en prie, très cher, soyez gentil avec elle.

Il opina, prit une gorgée de vin, s'essuya la bouche avec une serviette et attendit. Des gouttes de sueur perlaient sur son front. À l'autre bout de la table, la vieille *duchessa* restait assise en silence, l'air stoïque. Elle faisait son possible pour ne pas s'en mêler.

— Père ?

— Elettra. Assieds-toi, ma fille. Il faut que l'on se parle.

— Père, vous connaissez mes sentiments, et pourtant vous les ignorez. Pourquoi ?

Son arrière-grand-mère observait attentivement la scène, impressionnée par la ténacité de la jeune fille, un brin fière de son caractère. Elle sourit pour elle-même.

— Ma fille, tu es comme un cheval sauvage, indompté et volontaire.

Ses mains étaient ouvertes devant lui, paumes vers le haut.

— Je vous en prie, Père, vous savez aussi bien que moi que Gennaro Pasquali est un crétin. Voulez-vous vraiment que votre fille unique épouse un abruti ? J'ai connu des ânes plus intelligents que lui.

À la vérité, le duc avait ses réserves envers Gennaro, mais il était trop tard.

— Elettra, Elettra. Combien de fois avons-nous eu cette discussion ? Je suis ton père. Tu dois m'obéir.

Sa mère se joignit à la conversation.

— Ma chérie, il n'est pas si mal, pas aussi médiocre que tu le dis. Avec le temps, sans doute… Tu le connais à peine.

— Je déteste ce que j'ai vu. Je crains que ce que je n'ai pas vu soit pire.

Le duc s'empourpra. Il asséna un puissant coup de poing sur la table qui renversa un verre vide.

— J'ai donné ma parole et ma parole est un serment. Je ne peux revenir dessus. Tu comprends ?

La vieille *duchessa* les scrutait. Une autre fille aurait déjà éclaté en sanglots. Mais le regard d'Elettra se durcit et elle murmura :

— Je ne peux pas l'épouser.

— Tu l'épouseras ! Je te l'ordonne !

La jeune fille ne leva pas le ton.

— Non. Je sauterai du haut de la tour avant de marier ce bouffon.

Sa mère poussa un cri et le duc secoua la tête en serrant les dents.

Elettra se leva, leur tourna le dos et fila vers sa chambre. La femme du duc prit les mains de son mari dans les siennes dans l'espoir de le calmer. En même temps, elle fit signe à l'arrière-grand-mère de suivre Elettra, de tenter de la consoler et, peut-être, de la raisonner.

✳

CONVERSATION SUR L'AMOUR ET LE DANGER
SOUS LES LIMETTIERS

Le jour suivant, sous un ciel de marbre gris, la vieille dame et la jeune fille se promenaient bras dessus, bras dessous dans les jardins en longeant une rangée de limettiers, et discutaient. L'impériale *duchessa madre* et son arrière-petite-fille – plus une enfant, mais pas encore une femme – penchaient la tête l'une vers l'autre.

Une brise pâle soupirait entre les limes.

— On ne peut pas faire confiance à un prêtre dans ce domaine, objecta la vieille dame. Ils sont pris depuis trop longtemps dans leurs quêtes solitaires, si bien que quand l'étincelle d'une idylle s'allume, ce qui arrive inévitablement, elle brûle avec l'incontrôlable intensité d'un jour d'été.

Elles firent encore quelques pas hésitants, puis la *duchessa* s'arrêta et s'appuya sur le bras d'Elettra.

— Cela dit, c'est un homme bien, je dois l'admettre.

— Oui. Signor Archenti m'a sauvé la vie plus d'une fois et pourtant, il me regarde comme si c'était lui qui se noyait. Je pense que j'ai peut-être des « sentiments » pour lui.

Elettra se gardait de révéler à quel point ces sentiments étaient forts. La *duchessa* nota que la jeune fille avait dit «signor» et non «monsignor».

— La situation est dangereuse, ma chère. Ton père est extrêmement fâché et déterminé. De toute façon, l'avocat retournera bientôt à Rome. Son enquête doit toucher à sa fin. Il vaut peut-être mieux cesser tout ça maintenant, avant que ça n'aille plus loin. Je t'avais prévenue de tes pouvoirs. Ne t'avais-je pas dit que les hommes ne pourraient résister à ta beauté?

— Mais, grand-mère, avez-vous oublié? Vous m'aviez demandé de l'adoucir par rapport à Cambiati. De lui ouvrir l'esprit et le cœur à l'égard de notre saint. Et je crois avoir réussi. C'est la raison pour laquelle vous lui avez proposé de me donner des leçons de latin, vous savez bien.

— Oui, oui, je sais. J'avoue que je ne m'attendais pas à ce qu'il s'éprenne autant de toi. Avec toi, il devient un homme différent. Je l'ai vu, quand il t'enseigne. Il te dévisage, comme tu dis. Et je l'ai parfois vu te toucher le bras ou la main en te parlant. En ces instants, il perd sa dureté d'avocat du diable et s'adoucit; il devient plus humain. C'est allé trop loin. Tu dois l'oublier et te concentrer sur ton mariage.

— Est-ce vraiment si important que je fasse le mariage idéal? Ne devrais-je pas aussi écouter mon cœur?

— J'ai bien peur que les deux soient vrais, ma chère petite. Ton père et ta mère s'attendent à ce que tu épouses le jeune homme auquel tu as été promise quand tu étais enfant. Il apportera l'honneur à la famille, et la richesse aussi, cela ne fait aucun doute. Et puis, les fiançailles ont déjà eu lieu. On ne peut pas reculer. Je suis certaine que Gennaro est quelqu'un à qui tu pourras ouvrir ton cœur plus tard, à défaut de le faire maintenant.

— Est-ce ainsi que ça s'est passé pour vous?

— Oui, mentit-elle.

— L'avocat n'est pas si vieux. En tout cas, il ne me semble pas vieux.

Les yeux d'Elettra étaient lourds, et la tristesse les assombrissait.

— Ne le trouves-tu pas un peu sournois?

— Non. C'est étrange. Il est différent des autres jésuites que j'ai rencontrés, et pas du tout comme j'imaginais un avocat du diable.

— Peut-être ne vois-tu que ce que tu souhaites voir.

La vieille s'arrêta et soupira.

— Nous devrions rentrer. Je commence à être fatiguée.

— D'accord.

Elles rebroussèrent chemin.

— Je suis de ton avis. C'est un homme bien. Mais je dois tout de même te mettre en garde, Elettra. C'est très dangereux.

— Je suis prête à voir ce qui arrivera. Tu sais que je suis insensible au danger, de toute façon.

— Oh, je ne voulais pas dire que c'est dangereux pour toi, ma chère. Le danger, c'est lui qu'il guette.

La comète continuait à foncer à travers le ciel comme un brûlant joyau blanc, une tête de cheval chutant dans l'espace avec sa crinière filant derrière, un pinceau imbibé de blanc qui s'avance vers une toile, le front d'un enfant qui surgit dans le monde avec un long cri blanc, un vent de lumière, un vent de lumière ardente et éclatante qui galope dans la noirceur, une grande idée qui jaillit d'une échine jusqu'au firmament.

L'AVOCAT DU DIABLE S'INTERROGE LUI-MÊME

Est-ce que tu l'aimes ?

Je… je ne sais pas.

Crois-tu que tu saurais reconnaître l'amour si tu le voyais ?

Je ne sais pas. Peut-être…

Toutes tes réponses vont-elles être aussi ambiguës ?

Est-ce une question officielle ?

C'est moi qui pose les questions, ici.

Bien sûr, bien sûr, excuse-moi.

La trouves-tu jolie ?

Oui. Par moments, son regard me trouble ; c'est comme si elle voyait à travers moi, à l'intérieur de mon âme.

L'âme existe-t-elle vraiment ?

Ne nous éloignons pas du sujet.

D'accord. Tu la trouves belle, donc ?

Oui. Elle rayonne. Elle possède une luminosité qui brille sous sa peau. Et ses yeux, ses grands yeux sombres… Quand je suis avec elle, je ne cesse de les contempler ; ils sont si clairs, si doux. Comme si elle était remplie d'un désir naturel, un désir qui n'a rien à voir avec la volonté, mais qui brûle innocemment en elle.

Comptes-tu lui faire part de tes sentiments ?

Avant chacune de nos rencontres, je répète ma petite saynète. «Elettra, je dois vous dire une chose. S'il vous plaît, ne soyez pas fâchée de ce que je m'apprête à vous livrer ; je n'en parle que parce que mon cœur déborde. J'ai… des sentiments très vifs pour vous. Oubliez un instant que je suis prêtre, que je suis l'avocat du diable. Souvenez-vous que je suis un homme, que j'étais homme avant d'être prêtre et que je le serai toujours. J'espère que ce que je vais vous dire ne vous offensera pas. » Et ainsi de suite. Mais je ne le dis jamais quand nous sommes ensemble. Les mots ne franchissent pas mes lèvres. Mon cœur monte jusqu'à ma bouche et reste là.

Peut-être qu'elle souhaite seulement être ton amie. N'est-il pas possible qu'elle ne soupçonne nullement tes véritables sentiments ?

Oui, c'est possible. Je n'en sais rien. J'ai l'impression d'être dans un rêve, un homme en train de se noyer qui se débat en songe.

Étant donné que tu es prêtre – de haut rang, qui plus est –, cela ne fait-il pas de toi un hypocrite ?

J'imagine que l'on pourrait dire cela. Pourtant, je ne peux désavouer mon cœur. Tous les hommes sont déchirés par des émotions contradictoires. Je suis un prêtre, certes, mais pas un eunuque.

Bien dit. Serais-tu mû par ton bas-ventre, en plus de ton cœur ?

L'amour, le sexe, le sexe, l'amour : tout cela est si magnifiquement entremêlé dans la bête humaine. Les deux sont inextricables, comme le taureau et son dédale.

Est-ce qu'elle t'aime ?

Je l'ignore. À chacune de nos rencontres, on dirait qu'elle déploie de grands efforts pour se vêtir de manière élégante et séduisante, elle se coiffe et semble ravie de me voir ; ses yeux brillent, sa bouche dessine un large sourire. Il y a plusieurs jours, je me suis assis à côté d'elle pour examiner un texte. Nous étions penchés tout près l'un de l'autre. Sa peau était éclatante, je sentais sa chaleur à côté de moi. Je n'aurais eu qu'à tourner la tête pour poser mes lèvres sur sa joue. Elle était radieuse et si proche. Puis un nuage est passé devant le soleil et j'ai repris mon siège à l'autre bout de la table. Le moment s'était envolé. En vérité, j'ignore ce qu'il y a dans son cœur.

Cela pourrait-il être le fruit d'une innocence juvénile ? Pourrait-elle jouer un rôle simplement pour voir où cela mène ?

C'est possible. Sa délicieuse innocence fait partie de son charme. Elle est jeune, c'est vrai, et moi, je ne le suis plus.

Crains-tu son père, le duc ?

Oui, beaucoup. C'est un homme qui n'a peur de rien. Il n'aurait aucun scrupule à embrocher un ecclésiastique au bout de son épée. S'il pensait un seul instant que je risquais de souiller la réputation de sa fille, ce serait ma fin. Peut-être suis-je un parfait idiot. Mais…

Tu n'es qu'un fiévreux amas d'espoirs, de peurs, d'hésitations, de doutes, n'est-ce pas ?

Oui. Je risque de devenir fou, torturé par un amour inexprimable.

Je te repose la question : es-tu amoureux d'elle ou non ?

Oui. Oui, je l'aime.

FOUDRE ET TONNERRE

Au milieu de la nuit, Archenti se retrouva à sa fenêtre, scrutant l'obscurité où se préparait une tempête d'été. Il le sentait à la façon dont le vent était tombé soudainement, dans l'air chargé d'une humidité insoutenable. À ce moment, reproduisant avec exactitude le tracé du Pô et de ses tributaires – où il se refléta à la perfection –, un éclair fendit le ciel. *À présent, la seule manière de vivre est pour moi d'admettre la vérité : la férocité de sa beauté se répercute dans la férocité de mon désir,* réalisa Archenti.

Puis vint le tonnerre.

✳

UNE PEINTURE DANS UNE COUR INTÉRIEURE

Pendant qu'il traversait la place en direction du couvent Santa Lucia, l'avocat du diable repensait à son troublant échange avec le prêtre hiéronymite fresquiste Padre Attilio.

L'excentrique peintre lui avait conseillé d'aller voir une œuvre de Fabrizio Cambiati dans la cour intérieure d'un couvent. Un portrait de femme, avait-il dit. La vieille *duchessa* dans sa jeunesse, représentée en sainte Agathe. Il avait suggéré au jésuite de demander à la mère supérieure de le lui montrer, laissant entendre que cela pourrait présenter un intérêt pour son enquête.

Mais à quoi Bodini faisait-il allusion ? Il avait ensuite parlé du nom. « *Cambiati*. Le mot est proche du verbe *cambiare*, "changer", avait-il déclaré comme s'il énonçait là quelque chose d'important. Ce n'est pas un nom lombard. Cela vient d'ailleurs, peut-être de nulle part. Sa famille n'était pas d'ici. » Le jésuite ne comprenait pas tout à fait où l'hiéronymite avait voulu en venir, mais il irait tout de même voir la peinture et trouver ce qu'il pourrait. Quel prêtre arrogant et agaçant !

La mère supérieure avait des poils hirsutes au menton et des yeux gris taillés dans le granite. Elle conduisit Monsignor Archenti dans un long corridor qui menait à une porte. Le bruit de leurs pas résonnait, deux métronomes battant des mesures différentes. Avec une clé épinglée sous sa robe, elle ouvrit la porte et révéla une petite cour verdoyante au centre de laquelle gargouillait une fontaine. Les fleurs d'été étaient écloses et le parfum ténu, frais et doux du chèvrefeuille flottait dans l'air. Comme aucun balcon ni fenêtre ne donnait sur la cour intérieure, elle était entièrement fermée et à l'abri des regards, bien qu'ouverte sur le ciel.

La peinture se trouvait sur un mur près du coin opposé, protégée des éléments par un petit auvent de bois fixé au-dessus. La mère supérieure s'y dirigea aussitôt et l'avocat la suivit.

— On dit que Padre Cambiati s'est servi de la *duchessa madre* comme modèle, lorsqu'elle était jeune et belle, expliqua-t-elle. Je dois retourner à mes affaires, mais restez aussi longtemps que vous le souhaitez, Votre Excellence. Faites-moi appeler si vous avez besoin de quoi que ce soit.

Elle referma la porte derrière elle, et laissa le monseigneur dans le silence du jardin. Il écouta l'écho de ses pas retentir dans le corridor pendant un long moment, puis se tourna vers le portrait. Usé par les intempéries, il s'était grandement estompé et des fragments de pigment s'étaient détachés. La robe de sainte Agathe (si c'était bien elle, ce qui n'était pas tout à fait clair) était bleu foncé et or. La femme de la peinture avait un joli visage calme, d'une beauté trop désirable pour une sainte. Soudain, l'avocat du diable eut une révélation. *Cambiati a dû passer des heures ici, dans l'intimité la plus totale avec son ravissant modèle. Ce qui leur aurait laissé assez de temps pour…* Il se retourna et examina la porte. *Il aurait entendu les pas de ceux qui s'approchaient bien avant que la porte s'ouvre.*

En quête d'indices, il s'approcha du portrait. Il n'était pas certain de ce qu'il cherchait, mais Bodini avait insisté : *Regardez de près, de très près, et vous verrez.* Puis, sur la tige rigide de son cou, l'hiéronymite avait hoché sa tête renversée vers l'arrière en ouvrant grand les yeux.

À l'arrière-plan, Cambiati avait dessiné un paysage rural typiquement lombard : des champs de céréales, quelques chevaux, des vaches, une enfilade de peupliers, une rivière qui serpentait au loin. L'avocat ne vit là rien d'inhabituel. Son attention se porta ensuite sur la femme grandeur nature que le prêtre avait représentée debout. Il examina sa robe, plaça son visage à quelques pouces du mur dans l'espoir de recueillir chaque détail. Rien. Elle avait des mains délicates aux longs doigts. De la droite, elle tenait un lys dont la tige verte délavée reprenait les courbes de la rivière en arrière-plan. Son bras gauche était dressé et l'index pointait vers le haut comme pour montrer quelque chose dans le ciel. Ses pieds, sa posture, son torse n'avaient rien de spécial. Il crut voir quelque chose d'étrange à la base de son cou avant de réaliser qu'il s'agissait d'une feuille qui s'y était collée.

Il recula, inspira puis regarda à nouveau le portrait. Il était attiré par le visage, par son éclat ivoirin. Les lèvres légèrement entrouvertes, les joues roses et chaudes, le nez coquet. En se rapprochant, il remarqua que la silhouette avait exactement la même taille que lui. Il regarda la femme droit dans les yeux et c'est alors qu'il le vit. Il étouffa un cri. Là, dans la pupille gauche, un microscopique dessin doré, comme le reflet d'une pépite de soleil.

Quelques minuscules coups de pinceau, et tout était remis en question.

Il quitta la cour à la hâte, assailli par ses pensées. *Pourquoi Cambiati a-t-il peint cela ? Dois-je écrire au général des Jésuites ? Le bon cardinal risque de sauter aux conclusions, aux mauvaises conclusions,* *peut-être. Il en informerait le cardinal Cozio, et les autres, peut-être?* *Mais qu'arrivera-t-il si je ne le révèle pas et que la chose se sait par* *la suite?*

Ce soir-là, alors qu'il tentait de démêler les fils de ses pensées, il décida d'écrire une autre lettre à son ami Carlo Neri, à Rome. Puisqu'il était chercheur à la bibliothèque du Vatican, il aurait accès à ces informations.

Il repensa à Rome et à ce qu'il avait laissé derrière. *Que se* *passe-t-il là-bas, quels complots se trament en mon absence? On ne peut* *pas faire confiance au cardinal Cozio. Neri, par contre, malgré notre* *rivalité, semble m'avoir soutenu ces dernières années. Je regrette parfois* *qu'il n'ait pas été nommé avocat du diable comme il le souhaitait. Le* *rôle lui convenait peut-être mieux qu'à moi. Mais je n'ai jamais noté* *de malveillance ni de jalousie de sa part après que la décision eut été* *prise, ce qui est tout à son honneur. Je lui écrirai à l'aube.*

UNE LETTRE STRICTEMENT CONFIDENTIELLE

De son parloir, l'avocat contemplait l'aube épaissie d'un brouillard qu'on aurait dit éclairé de l'intérieur par un flou nacré. Il pensait au portrait avec son minuscule aleph doré, la première lettre de l'alphabet hébraïque cachée dans la pupille, presque invisible. *Et si Cambiati était secrètement juif, un Juif caché ? Ou avait-il seulement du sang juif, loin dans son passé ? Un saint juif. Voilà qui compliquerait énormément les choses. Bien sûr, s'il s'avérait être un converti, cela ne poserait aucun problème. Mais combien de fois de telles conversions ont-elles été remises en question ? Surtout celles qui ont eu lieu il y a plusieurs années, parfois par la force ?*

Ce n'était pas le genre d'imbroglio qu'il souhaitait envisager, surtout à ce stade avancé de son enquête. Il secoua la tête, se pencha sur le bureau et commença à écrire.

Très cher Carlo,

Que Dieu vous bénisse. J'espère que ma dernière lettre vous a trouvé en bonne santé. Je soupçonne que Rome est en plein tumulte maintenant que Benoît est allé rejoindre le Seigneur. Dites-moi, qui est son successeur le plus probable ? Benoît était un homme bon à l'esprit brillant ; sa présence et son autorité me manqueront. Espérons que le prochain pape sera aussi doué pour maintenir l'équilibre entre les nombreuses forces de son domaine.

L'affaire en Lombardie demeure complexe. Ainsi que je l'ai souvent fait dans le passé, j'aimerais vous demander de m'aider à trouver certains renseignements. Il m'est impossible de chercher ces informations dans une ville de province. Aussi charmant soit-il, cet endroit est loin de représenter un haut lieu pour l'apprentissage ou les études. Je dois donc m'en remettre à vos considérables habiletés afin de répondre à plusieurs questions délicates à propos de la candidature de Cambiati, avec la certitude que mes interrogations et vos recherches demeureront strictement confidentielles.

D'abord, je crois me souvenir que les Juifs ont été chassés d'Espagne en 1492. Y aurait-il des raisons de croire que certains d'entre eux se sont dirigés vers la Lombardie ? J'aimerais savoir si des familles ou des individus espagnols sont venus ici ou dans les régions environnantes à cette époque.

Deuxièmement, je voudrais toutes les informations que vous pourrez rassembler concernant le nom de famille Cambiati. L'avez-vous déjà rencontré dans vos recherches ? Tout renseignement sur ce nom me serait d'une grande aide. Il figure dans plusieurs registres paroissiaux, mais je n'ai rien trouvé qui date d'avant l'an 1577.

J'espère que vous serez en mesure de rassembler ces informations le plus rapidement possible et de me les faire parvenir ici, à Crémone. Encore une fois, je sais que tout ce que vous apprendrez, de même que cette lettre, demeurera strictement confidentiel.

Béni soit notre Seigneur.

Monsignor Michele Archenti, Promotor Fidei

ICARE ET LE RAGOÛT D'ÂNE

Après un lourd déjeuner constitué de *stracotto di asinello* – il n'était pas friand de ce ragoût à la viande d'âne, mais la bonne semblait incapable de concocter quoi que ce soit d'autre que des mijotés à base d'âne, de cheval, et une horrifiante variété d'abats –, l'avocat décida qu'une promenade à la campagne serait plus revigorante que sa *siesta* habituelle.

Comme la chaleur des derniers jours s'était dissipée, il décida d'essayer de trouver une vue agréable au bord du Pô. Le prêtre ensoutané arriva aux murailles, passa la porte du Pô et se dirigea vers le fleuve.

C'était une étincelante journée d'été avec des poussées de brise ; les hautes herbes roulaient par vagues dans les champs plats et le soleil brillait sur cette houle poussiéreuse.

Il marcha un long moment, conscient qu'il aurait dû profiter de l'occasion pour réfléchir au candidat et à tous les détails qu'il avait appris. Mais ses pensées se tournaient inexorablement vers la jeune fille. *Cette vieille femme, on aurait cru qu'elle m'invitait... Ou est-ce moi qui tente encore de me convaincre de quelque chose d'aussi vague que la brume ?*

Au loin, une silhouette marchait d'un pas régulier dans un angle tel qu'elle finirait par croiser son chemin. Bientôt, il constata qu'il s'agissait de Rodolfo.

— Salutations, Votre Excellence.

L'avocat lui adressa un signe de la tête.

— Rodolfo. Vous allez bien?

Rodolfo haussa les épaules; le squelette cliqueta et le crâne rebondit sur son épaule gauche.

— Rodolfo, je me disais... vous avez sans doute expié vos péchés, à présent. Pourquoi ne vous libérez-vous pas de cette chose grotesque?

— Je me suis habitué à lui. Mon frère, vous voyez.

Il sourit, examina sa paume puis la retourna pour révéler la main squelettique fixée au dos de la sienne, les petits os liés ensemble par de fins cordons de cuir.

— Comme vous voulez. Mais vous devriez y penser. Je me porterais volontiers garant de vous.

Rodolfo regardait ailleurs, indifférent. Puis il se retourna vers l'avocat.

— Quelle est votre destination?

— Je pensais aller admirer le fleuve. Connaissez-vous un beau point de vue, par ici?

— Venez, dit Rodolfo.

Il tourna les talons et se mit en route.

— Ralentissez, mon ami. J'ai mangé une tonne de ragoût d'âne pour déjeuner et cela m'alourdit.

Après un moment, ils arrivèrent à une petite butte au bord du fleuve. En contrebas, l'eau glissait, noire et lustrée, au cœur de l'après-midi. Ils s'assirent dans l'herbe et regardèrent, silencieux. Rodolfo désigna un large coude, loin en amont.

— C'est là qu'il est tombé.

— Qui?

— Le malheureux Icare.

— Mais la légende dit qu'il est tombé dans la mer Égée.

— Ce n'est pas vrai. Il est tombé ici, dans le Pô, comme l'affirment nos légendes à nous, en Lombardie. Je l'ai vu. Il se débattait dans les airs comme un oiseau blessé, un goéland rendu fou par la lumière. Vous me faites penser à lui.

— Peut-être que lui aussi était lesté de ragoût d'âne. Vous êtes un être bien étrange, Rodolfo. Je ne sais vraiment pas quoi penser de vous.

— Pensez ce que vous voulez. Assez fou pour voir ce qui est, assez fou.

Il sourit, révélant une bouche presque édentée.

— Je vais vous dire autre chose : regardez par là, en bas, près de l'endroit où l'eau devient sombre et semble couler à la fois vers l'amont et l'aval. C'est très profond. La cathédrale est là, cachée en dessous.

— Comment? Une cathédrale?

— Oui. Une cathédrale en marbre massif, taillée en secret dans les montagnes, en un seul bloc. Cela fait des lustres. Ils l'ont traînée ici, sur la rive, et ils ont construit une barge autour. Ils espéraient la faire flotter jusqu'à l'Adriatique et, de là, à Venise. Mais la barge a coulé. Là, juste là.

— Qui? Qui a accompli cette tâche impossible?

— Des tailleurs et des graveurs de marbre, des hommes sur des fardiers. Il y a une deuxième cathédrale dans les montagnes, un espace vide qui a exactement la même forme que celle qui est sous l'eau. Les gens des montagnes y prient en secret. Certains d'entre eux parlent la langue des Grecs.

— Je vois.

— En vérité, vous ne voyez rien du tout, prêtre. Ou si peu.

— Que voulez-vous dire?

— Ceci, tout ceci est un rêve. Rien de plus. Une fable que nous nous racontons. Une histoire que nous regardons dans un miroir en croyant qu'il s'agit du monde réel. Nous croyons que c'est le seul récit possible. Et ce n'est pas vrai.

— Je ne suis pas votre logique.

— Logique? Cela n'a rien à voir avec la logique.

— En effet.

— L'histoire ressemble au mécanisme d'une horloge, sauf que ce n'est pas la mécanique d'une horloge. Mais je peux me tromper. Je n'invente pas une nouvelle religion. Je ne fais que regarder ce que je vois, ou peut-être plutôt voir ce que je regarde. Peut-être que c'est à la fois la réalité et une fable, un songe et un éveil, une merveille des plus ordinaires.

— Une merveille ordinaire. Intéressant, Rodolfo, mais cela dépasse les limites de mon imagination.

— Vous seul décidez des limites de votre imagination.

Archenti secoua la tête.

— Je vais rentrer, maintenant, Rodolfo. Je crois que j'ai eu mon content de vos contes fantaisistes. Mais vous êtes fort distrayant. Je vous remercie de m'avoir montré ce joli point de vue.

L'avocat se leva et partit, laissant son compagnon couché sur le côté, vautré dans l'herbe dans la pâle étreinte du squelette.

Quelques instants plus tard, il était déjà trop loin pour entendre Rodolfo murmurer :

— Adieu, pauvre Icare.

Pendant le long trajet du retour, l'avocat chassa la jeune fille de son esprit pour réfléchir à Fabrizio Cambiati et aux sept péchés capitaux. Il avait lu un jour que chaque homme se croit défini par l'une des sept vertus cardinales. Puisqu'il était avocat du diable, son devoir l'amenait à envisager le point de vue inverse : que chaque homme est exposé au péril de l'un des sept péchés capitaux.

Il les passa en revue un par un.

L'orgueil. Il fallait bien entendu commencer par celui-là. Cambiati ne lui donnait pas l'impression d'être gouverné par son orgueil. C'était plutôt le contraire : il semblait disposé à s'occuper des pauvres et des mal-portants sans en tirer grand mérite. Son intérêt pour l'alchimie pouvait toutefois indiquer une certaine arrogance ou, du moins, le désir absurde de créer quelque chose à partir de rien, ce qui, bien sûr, ne pouvait être accompli que par Dieu Lui-même.

La paresse. Il ne croyait pas que Cambiati ait été fainéant. Il avait réalisé beaucoup de choses en tant que guérisseur et peintre, en plus de se montrer assidu dans l'exécution de son devoir sacerdotal.

La colère. Aucune des personnes interrogées n'avait rapporté l'avoir vu en colère. Non, tout indiquait qu'il était un prêtre indulgent.

La gourmandise. Tous les témoins avaient mentionné sa maigreur. À moins qu'il n'ait été un de ces clercs gloutons qui parviennent à cacher un ventre rebondi sous une ample soutane (ce qui était assez commun à Rome) ; mais non, il ne croyait pas que ce fût le cas.

L'avarice. Était-il pingre ? Pas du tout, car au dire de tous, il avait mené la vie d'un indigent.

L'envie. Une tare profonde, aux racines longues et difficiles à extraire. Elle découlait d'une impression de ne jamais en avoir assez, du sentiment qu'il existait un vide qui ne serait jamais comblé. Le prêtre n'avait apparemment jamais convoité la richesse ou la gloire des autres. Non. Pas l'envie.

Cela ne laissait plus que *la luxure,* une faiblesse assez commune. Ce portrait de la belle et jeune duchesse dans la cour intérieure en était-il l'illustration ? Possible…

L'avocat franchit la porte et entra dans la ville. Un cheval passa qui sentait le foin chaud ; l'homme se représenta Elettra pendant un instant, puis son arrière-grand-mère, assise devant lui pendant l'entretien. Une lumière, une étincelle loin dans ses yeux lui avait parlé d'une émotion ancienne à l'égard de Cambiati. C'était le feu du désir, il en était certain. Puis, il se souvint d'avoir aperçu sa propre image qui soutenait son regard au fond de ces vieux yeux.

✴

UNE LETTRE DE LA BIBLIOTHÈQUE DU VATICAN

La bruine persistante avait forcé Elettra et l'avocat à s'installer à l'intérieur, dans un petit salon au rez-de-chaussée du palais ducal. Par les fenêtres grandes ouvertes, l'air frais, moite et vert venait inonder la pièce. L'été avait été incroyablement humide. Tel un éclair minuscule, un chardonneret revenait sans cesse se poser sur le rebord de la fenêtre ; son chant liquide emplissait la salle, puis il s'envolait vers un grand pin. Chaque fois qu'il apparaissait, Elettra interrompait son travail et observait l'oiseau jusqu'à ce qu'il reparte à tire-d'aile. Elle paraissait calme, posée et parfaitement satisfaite de son existence.

— J'aime être avec vous, dit-elle.

— Oui.

Il sourit et s'apprêta à ajouter quelque chose, mais elle avait tourné la tête vers l'oiseau qui était revenu à la croisée.

Plus tard, en retournant à ses appartements, Archenti considéra sa situation. Quelque chose était en train de se produire, il le sentait. La jeune fille s'habituait à sa présence, leur lien devenait plus profond. Durant les deux dernières semaines, il l'avait côtoyée tous les jours, et dans ses yeux, il voyait qu'elle était en train de tomber, qu'elle tourbillonnait dans l'espace. Il comprenait ce qu'elle vivait, car il éprouvait la même chose. De ses sourires francs, elle abattait toutes les défenses qui lui restaient.

Sa beauté est une promesse, pensa-t-il. *Chez une jeune personne, une beauté si intense et féroce peut parfois laisser soupçonner que sa forme ne s'améliorera pas, qu'elle fanera sitôt passée sa première effloraison. Dans le cas d'Elettra, par contre, je sens que la beauté persistera longtemps, qu'elle culminera à un moment indéterminé du futur où sa richesse et sa profusion exploseront, fleuriront, courront comme un liquide débordant, désaltérant... Parfois, son regard est sauvage, euphorique, éperdu... dangereux. Elle est dangereuse.*

Il posa la main sur la porte de sa chambre et hésita. *Peut-être devrais-je partir quelque temps, me vider la tête. Un petit voyage...* L'idée de la quitter, ne serait-ce que pour quelques jours, lui était douloureuse, mais il sentait que c'était nécessaire. Il tourna la poignée, enjamba le seuil et pénétra dans sa chambre.

Il y avait une lettre sur son bureau. Il s'en empara. Il vit qu'elle lui venait de Monsignor Neri, l'ouvrit, se rendit à la fenêtre et la lut sous une lumière grise et diffuse.

Très cher Michele,

Je vous offre mes salutations et ma bénédiction la plus fervente. J'ai en effet reçu vos deux lettres, mais, comme vous l'avez laissé entendre, la situation est chaotique ici depuis la mort de notre bon Benoît. Les cardinaux sont réunis en conclave depuis six semaines, mais jusqu'ici, rien d'autre n'est sorti de leur cheminée que de la fumée noire. Selon les rumeurs qui circulent, ils sont près d'arriver à une décision, mais pour l'instant, il est difficile de savoir qui est le favori.

J'ai vu le général Ricci hier. Il m'a demandé de vos nouvelles. Je lui ai dit que j'en avais eu tout récemment et il était heureux d'apprendre que vous vous portez bien. Ne vous inquiétez pas, je ne lui ai pas exprimé mes inquiétudes quant au ton de votre première lettre. J'espère que l'affaire devient moins difficile.

Quant à mon travail, il se poursuit sans fin et ne sera jamais achevé. Mais que ferais-je si c'était le cas ? Comme vous le savez, je suis fort dévoué à l'étude des textes. Je n'ai pas d'ambition plus grande, car, Dieu m'en soit témoin, j'ai renoncé à tout désir d'accéder à des postes supérieurs. La plupart du temps, on me laisse travailler en paix.

Je répondrai maintenant à vos questions au mieux de mes capacités. Je suis heureux de vous venir en aide, vous qui êtes un ami fidèle depuis si longtemps. C'est le moins que je puisse faire pour vous remercier.

D'abord, le nom Cambiati. *Ce n'est certainement pas un nom ancien, et je soupçonne qu'il a été choisi en raison de sa proximité avec* cambiare. *J'ai été en mesure d'établir que plusieurs familles juives de Lombardie l'ont choisi tout simplement parce qu'elles étaient en train de « changer » leur nom à leur arrivée d'Espagne.*

Ce qui m'amène directement à votre autre requête. Oui, beaucoup de Juifs chassés d'Espagne en 1492 sont venus en Italie, mais ils y étaient déjà présents avant cette époque, bien entendu. Vous savez certainement qu'un grand nombre d'entre eux vivaient à Livourne et travaillaient comme banquiers, marchands, médecins, sériciculteurs, teinturiers de soie et verriers. On trouvait également des Juifs dans d'autres villes et villages, bien qu'ils y fussent moins nombreux qu'à Livourne.

Des milliers de séfarades ont été exilés d'Espagne avec rien, ou presque rien, et se sont dirigés à divers endroits autour de la Méditerranée. Alors qu'ils étaient persécutés presque partout, ils furent très bien reçus par les Turcs, étrangement, et ne s'en tirèrent pas trop mal à Naples. Plusieurs se sont aussi installés à Gênes, à Ferrare, à Rome et ailleurs. Dans certaines villes, ils étaient accueillis uniquement parce qu'ils détenaient des secrets relatifs au tissage de la soie, à la teinture d'étoffes et à d'autres métiers.

Quelques-uns de ces Juifs auraient fort bien pu s'aventurer de Gênes vers la région de Crémone, notamment parce que la vallée du Pô est fort propice à la culture du mûrier qui, comme vous le savez sans doute, est essentiel à la production de la soie. J'ai consulté un prêtre originaire de la région qui connaît un endroit non loin de Gênes appelé Casale Monferrato. Dans cette petite ville, il y a une route connue par les gens du coin sous le nom de chemin des Mûriers, et qu'on appelle aussi l'allée des Juifs, car plusieurs y œuvrent dans la sériciculture, et certains dans la teinture de la soie.

Je n'ai pas pu déterminer s'il y avait dans cette contrée une famille du nom de Cambiati.

J'espère que ces renseignements vous aideront dans votre enquête. Je continuerai, bien entendu, à garder strictement confidentielles ces informations ainsi que votre lettre. Si vous avez besoin de mes services pour effectuer d'autres recherches, n'hésitez surtout pas à m'écrire. Ce fut une grande joie de déterrer tous ces secrets des profonds puits des livres, des manuscrits et des registres.

Que la volonté de Dieu soit faite.

Béni soit notre Sauveur.

Monsignor Carlo Neri

LA COMÉDIE - ACTE QUATRE

PANTALONE PERD PATIENCE

Pendant tout ce temps, Pantalone avait attendu qu'Arlecchino revienne de Mantoue avec le violon magique qui devait l'aider à gagner le cœur d'Aurora, attendu que l'objet de ses rêves repasse sur la piazza pour sa promenade du soir, attendu que cette étourdie réalise qu'Ottavio n'était qu'un jeune sot, attendu qu'elle découvre que seul lui, Pantalone, était digne de son affection. Jour et nuit, il marchait de long en large sur les pavés de la place, mangeant à peine, son cœur de vieillard brisé par la perspective de ce dernier amour… Il arrêta d'arpenter la scène et se tourna vers l'assistance.

— La patience n'a jamais été mon fort.

Il laissa le public entrevoir le bâton qu'il tenait derrière son dos.

— Je ne puis attendre plus longtemps. Je ne vivrai pas éternellement. Je la veux. Maintenant !

Il se cacha derrière un paravent, d'où dépassait sa tête rachitique qui espionnait les amoureux alors qu'ils montaient sur scène.

— Une fois Ottavio écarté, elle n'aura d'autre choix que de se tourner vers moi. Il n'y a pas meilleure amante que celle qui souffre. Aaah…

Pantalone émergea discrètement de derrière le paravent, s'approcha par-derrière sur la pointe des pieds et leva son bâton dans les airs. Alors qu'il allait l'abaisser pour fracasser le crâne d'Ottavio, Aurora se pencha vers son amoureux pour lui chuchoter quelque chose à l'oreille. Sans le vouloir, Pantalone la frappa de biais. Elle s'affala sur les genoux avant de tomber face contre terre. Ottavio la regarda avec horreur, une horreur qui se transforma vite en colère quand il vit le bâton qui pendait de la main de Pantalone. Il le lui arracha et se mit à rosser le vieil homme à la tête et aux épaules. Mains et bras en l'air, Pantalone criait pendant que les coups pleuvaient sur lui :

— *Dio mio,* je ne voulais pas la frapper ! Arrête ! Ouille ! Ouille !

Ottavio jeta le bâton, revint vers sa bien-aimée qui gémissait et s'agenouilla pour accueillir sa tête sur sa cuisse et lui caresser le front.

Pendant ce temps, Pantalone, étendu par terre, se lamentait sur son sort. Convaincu d'être sur le point de mourir, il récita ses dernières volontés et son testament à l'auditoire.

— Sachez que je ne meurs pas des coups d'Ottavio, mais d'un cœur brisé. En ces derniers moments, j'annonce donc ce que je lègue : rien du tout à mon épouse, la moitié de rien à chacun de mes enfants, le quart de rien à mes petits-enfants, des tapes sur les doigts à mon tailleur, une bonne fessée à mon confesseur, une gorgée d'eau des marais de Mantoue à mon marchand de vin, une tasse de poison à mon docteur, une tasse de sable à mon boulanger, une tasse d'asticots à mon boucher, une tasse de poussière à mon banquier. Voilà. Je peux maintenant mourir en paix.

— Ferme ton clapet, vieil homme.

Ottavio était penché sur lui, les mains sur les hanches. Derrière lui, Aurora était assise et se tenait la tête à deux mains.

— Elle va s'en tirer, tu as de la chance. Quant à toi, tu as à peine des bleus, espèce de geignard. Je devrais t'arracher les tripes et te les attacher autour du cou (Pantalone grimaça à ces mots), mais je n'en ferai rien, parce que c'est moi qui finirais en prison. Mais fais attention, vieillard, fais bien attention.

Ottavio retourna vers Aurora pour l'aider à se lever. Elle appuya sa tempe sur l'épaule de son amoureux et, cahin-caha, ils quittèrent la scène. Quelques instants plus tard, Pantalone leva la tête et regarda dans leur direction alors que s'élevait le doux son d'un violon. Il grogna, laissa retomber sa tête qu'il se mit à frapper contre le sol.

— Où est-il ? Où sont ce maudit vaurien et le violon qu'il m'a promis ? Il s'est sauvé avec mon argent, j'en suis sûr. Ah, *dio mio*. Je suis un vieil homme. Je souffre. J'ai mal à la tête et j'ai mal au cœur. Ayez pitié de moi, bonnes gens de Crémone, ayez pitié de moi. Je suis encore jeune, en dedans. Mais mon corps me trahit. Ma bourse fonctionne encore avec la virilité d'un homme de dix-huit ans. Je suis certain que ce sera le dernier organe à lâcher. Je suis une fontaine de désir. Vais-je mourir sans qu'une femme connaisse mon talent pour l'amour ? Quel gaspillage, quel dommage ! Vous devriez pleurer en me voyant, gens de Crémone. Je vieillis, je vieillis. Je me suis réveillé un matin et j'étais vieux, et voilà. Baissez les voiles, ramenez les cordes. Il n'y a plus de retour possible, à présent. Je suis vieux.

✳

PANTALONE SE REND À MANTOUE
SUR UN ÂNE INDÉCIS

La coutume a toujours voulu que l'on place l'autel principal à l'extrémité orientale des églises chrétiennes, de sorte que lorsqu'un célébrant se tourne pour bénir la congrégation, il se retrouve face à l'ouest. À leur arrivée sur la piazza, les comédiens avaient monté leur scène du côté occidental pour faire face à l'est, de manière à ce qu'une pièce présentée le matin ou en début d'après-midi soit éclairée par le soleil. Ainsi, le sacré et le profane étaient maintenus en équilibre.

La bride d'un âne à la main, Pantalone se préparait à entrer en scène. Sous les arcades des coulisses, il lisait les courtes descriptions de scènes que l'on avait soigneusement transcrites sur un bout de parchemin épinglé à une poutre, près de la rampe qui menait à la scène.

« Hmm. Pantalone se rend à Mantoue à dos d'âne pour voir ce qui retient Arlecchino. Très bien, allons-y. »

Il essaya de monter sur l'âne, mais glissa. L'animal grimpa sur la rampe puis sur la scène. Pantalone était agrippé à son cou, une jambe sur la bête, l'autre traînant par terre.

— Arrête ! Arrête-toi, stupide animal !

La foule s'esclaffa. Pantalone s'installa sur le dos de l'âne, rajusta ses habits et, voulant traverser la scène, il talonna les flancs de la bête. L'âne fit trois pas puis s'arrêta, comme s'il avait atteint sa destination, et oublié qu'il venait tout juste de se mettre en route.

— Oh, Seigneur ! *Andiamo ! Andiamo !*

Il lui donna encore un coup de talon et la bête effectua trois autres pas avant de s'arrêter à nouveau. C'est à ce rythme saccadé que l'âne et son cavalier franchirent la scène pour enfin atteindre la rampe du côté opposé.

C'est alors qu'un musicien cramponné à un luth accourut.

— Où vas-tu ?

— À Mantoue. Je dois trouver Arlecchino et mon violon magique, sinon mon cœur va se dessécher. Amusez le public jusqu'à mon retour.

Le musicien retint l'âne par la queue.

— Mais tu ne peux pas quitter le spectacle maintenant !

— Je ne quitte pas le spectacle ; le spectacle continue, comme toujours. Assez causé. Je pars. Je reviendrai. *Ciao.*

— *Ciao.*

D'autres musiciens montèrent sur les planches et se mirent à jouer.

Quelque temps plus tard, un Pantalone couvert de poussière, aux épaules voûtées et à la tête basse fut en vue sur son âne. Homme et bête progressaient avec une lenteur insoutenable sur les pavés biseautés de la place Sordello, à Mantoue. L'âne s'arrêtait toujours tous les trois pas. Pantalone avait à peine la force de le talonner. Le manège continua pendant que, lentement, ils approchaient du Palazzo Ducale.

La piazza et toute la ville de Mantoue étaient désertes. Pas une seule âme ne respirait dans les rues ni sur les places. Aucun garde ne se tenait à la porte du palais quand Pantalone arriva et descendit de sa monture. Dès qu'il mit le pied à terre, celle-ci fit demi-tour et se mit à trotter joyeusement à travers la place pour disparaître dans une rue étroite. Pantalone la regarda s'éloigner.

— Bête infernale, lui cria-t-il faiblement.

Il jeta un œil dans la cour, de l'autre côté du portail. Au centre, une petite fontaine crachotait un filet d'eau. Comme il avait désespérément besoin de se désaltérer, il s'y précipita et se pencha pour boire. Aussitôt, l'eau cessa de jaillir, et celle qui restait au fond du bassin s'écoula avec un gargouillis. Pantalone recula d'un pas et fixa la fontaine, attendant qu'elle se remette en marche, mais rien ne se produisit.

Il finit par laisser tomber pour se diriger vers les corridors frais du palais.

Dans une pièce reculée, le mastiff, vautré sous une table, se léchait les parties génitales avec enthousiasme pendant que le bossu et Arlecchino attaquaient un plat de riz noir et d'anguilles. Soudain, les claquements de langue du chien cessèrent. Il dressa la tête en flairant et émit un grognement.

— Chut, lui ordonna Ugo.

Il tira une anguille de deux pieds de l'assiette et le mastiff l'engloutit.

Puis, l'animal releva la tête pour sentir, et un autre grondement fusa de sa gorge.

— Quelqu'un approche, dit le bossu.

De son côté, Pantalone allait et venait dans les pièces où des fresques à la fois démoniaques et élégiaques ornaient murs et plafonds. Perdu dans le dédale de corridors et d'antichambres, il sentait la menace qui pesait.

— Arlecchino! appela-t-il, les mains en coupe autour de la bouche, comme pour éprouver le silence.

Rien d'autre ne lui répondit que des échos vides, des diminuendos déclinants qui se poursuivirent plusieurs minutes, des réverbérations qui semblaient prendre vie.

Pantalone s'arrêta brusquement. *Ouïs-je un grognement de chien? C'est peut-être un gros chien. Un chien affamé, un chien féroce.* Devait-il repartir en vitesse, abandonner tout espoir de retrouver Arlecchino? En convoquant l'image d'Aurora dans son esprit, il trouva le courage de continuer. Solidement agrippé à sa braguette, il pénétra dans la pièce suivante… où le mastiff, crocs découverts, s'élança vers lui, le percuta en pleine poitrine et le cloua au plancher de marbre.

— *Basta!* cria une voix.

Le chien recula, laissant Pantalone étendu et tremblant.

Arlecchino et le bossu se penchèrent sur le vieillard.

— Tu n'as rien, relève-toi. Qui es-tu et que viens-tu faire ici? demanda Ugo.

— C'est Pantalone. Celui qui a commandé le violon.

L'air perplexe, Arlecchino sourit au Mantouan avant de se tourner vers Pantalone.

— Qu'est-ce que tu fais ici? J'ai dit que je t'apporterais le violon quand il serait prêt.

Avec l'aide du bossu, Pantalone se remit debout. Le mastiff grognait en montrant les canines. Le comédien répondit lentement, les dents serrées, mordant dans chaque mot.

— J'en avais assez d'attendre ton retour. Où étais-tu passé pendant tout ce temps? Je t'envoie faire une simple course et tu mets une éternité à revenir. Et pas un mot de ta part. Je suis patient, mais c'en est trop, Arlecchino, c'en est trop. Elle sera bientôt mariée, et il sera trop tard.

Ses longues mains noueuses se refermèrent sur le vide.

— Il me faut ce violon!

D'un geste, le Mantouan l'interrompit.

— Pour faire ce que vous demandez, cher monsieur, il faut du temps. J'ai créé le violon que vous avez réclamé, mais cela a engendré bien des difficultés. Je dois encore régler certains petits détails. Et le prix a doublé.

— Doublé! C'est un scandale! postillonna Pantalone, fulminant.

Frustré, il se tourna vers Arlecchino et déclara prestement:

— J'élimine l'intermédiaire. Merci, Arlecchino, tu es renvoyé. Je vais prendre possession du violon moi-même; il est inutile que tu restes. Adieu, donc.

Il agita la main, comme pour chasser Arlecchino. Ce dernier baissa la tête.

— La vie est trop injuste. Et dire que je suis enceint de treize mois. Que vais-je faire?

Ugo toisa Pantalone, mais s'adressa au bouffon.

— Ne t'en fais pas. Je vais m'assurer que ce roquentin te paie. La commande est venue de lui à toi puis à moi. Le prix a triplé. Le vieux rapiat te paiera, tu verras.

Pantalone tomba à genoux.

— Oh, je ne suis qu'un pauvre et malheureux vieillard. Ne me torturez pas ainsi!

Le bossu croisa les bras.

— Vieux, oui. Pauvre, non. Ne joue pas la comédie avec moi. La fortune que tu as accumulée est légendaire. Le prix continuera d'augmenter jusqu'à ce que tu cèdes. Il est maintenant au quadruple.

— Assez ! Vous avez gagné, vous avez gagné, dit Pantalone en se relevant. Il me faut cette fille, je n'y peux rien !

— Je vais te révéler un petit secret, vieil homme. Le violon ne suffira pas. Tu devras aussi convaincre l'entremetteuse, la marieuse, de changer d'avis.

— Arrgh, un malheur ne vient jamais seul. Comment puis-je y parvenir ?

Ugo frotta la tête du mastiff en réfléchissant. Pantalone attendait. Arlecchino attendait aussi, avec un grand intérêt. Il connaissait la marieuse, une vieille fille hideuse, et se demandait s'il pourrait servir d'entremetteur auprès de l'entremetteuse. La perspective du profit qui pourrait en découler le faisait saliver. Le bossu leva les yeux.

— Il est possible de l'acheter. Mais il faudra la… persuader. Elle est accrochée à ses idées romantiques, mais je crois que si on y met le prix, elle pourrait les envoyer valser.

— Je connais celle dont vous parlez. La femme aux trois verrues, c'est ça ? fit Arlecchino en hochant vigoureusement la tête avant de se tourner vers Pantalone. Moyennant un prix juste et raisonnable, je ferai l'entremetteur auprès de l'entremetteuse.

Pantalone secoua la tête.

— Je suis maudit. D'abord, je mets quatre jours à traverser la plaine la plus morne et plate de toute la création, trois pas à la fois, sur l'âne le plus bête du monde. Et maintenant ça. Je serais mieux mort.

— Allons, allons, mon vieux Pantalone, fit le Mantouan en époussetant le manteau du comédien. Pense à Aurora ! Tout cela en vaudra la peine à la fin, non ?

Un sourire canaille se dessina sur le visage de Pantalone, alors que son regard replongeait dans le bain chaud de son fantasme.

Ugo fit une révérence.

— Et maintenant, joins-toi à notre festin. Tu dois avoir soif, après cette longue route. J'ai un *vino nero* local ; tu dois absolument y goûter.

CHAPITRE IX

Encore un autre miracle attribué à Cambiati, celui-là rapporté par le duc. Il semble que Fabrizio aurait guéri treize résidents d'un asile de fous de la cité. Le même jour, treize prêtres de la maison capitulaire hiéronymite auraient été vus en train de baragouiner de façon incontrôlable, de courir tout nus sur la grand-place et de se comporter comme des possédés. Le matin suivant, ils étaient guéris de leur affliction, mais leur honte était telle qu'ils n'ont pas montré le bout de leur nez en ville pendant des mois.

✴

LE FRUIT DE L'ARBRE DU BIEN ET DU MAL

Installé à un pupitre dans son laboratoire, Fabrizio lisait un volume sur l'importance du mercure en alchimie, et sur son utilisation pour «fertiliser» un mélange. Il s'arrêta et leva les yeux. Depuis les révélations de la duchesse au confessionnal, le couple avait annoncé avec joie que celle-ci attendait un enfant. Le duc était euphorique. En ville, il affichait un large sourire inaltérable. Il se montrait particulièrement gentil avec sa femme et, pour célébrer, il avait englouti l'équivalent d'un lac de vin avec ses amis. Fabrizio était sincèrement heureux pour eux. Il se pencha et reprit sa lecture.

— Ah! Vous êtes là, s'exclama Omero en faisant irruption. Il y avait un messager pour vous de… Pardi, vous ressemblez à un vieux Juif, assis là avec votre livre…

— Omero, le messager. Que voulait-il?

— Il vous apportait un message du duc. J'ai pris la liberté de l'ouvrir, puisque cela semblait assez urgent.

Il tenait l'enveloppe d'une main et la lettre de l'autre.

— Et? fit Fabrizio.

— Il vous ordonne de venir au palais ducal immédiatement.

Fabrizio se figea, referma son livre et déglutit.

— Tu peux disposer, déclara-t-il d'une voix étranglée, sa langue s'étant soudainement asséchée.

Omero s'attarda encore quelques instants, reprenant son manège subtil et insolent où il faisait comme si on ne lui avait pas donné congé, comme si c'était lui qui décidait quand il partait. Il finit par quitter la pièce, emportant la missive avec lui.

Fabrizio songea au cœur dur du duc, tapota nerveusement la couverture du livre. *Il sait. Il sait tout. Que vais-je lui dire ? Je ne puis nier. Oh mon Dieu !*

La duchesse se tenait derrière la servante qui avait ouvert la porte à Don Fabrizio. Elle se tordait les mains ; l'intensité de ses émotions se lisait sur son visage.

— Ah, vous voilà, dit-elle.

— Oui, répondit-il sombrement. Où est-il ?

— Suivez-moi.

Elle tourna les talons et monta le grand escalier de marbre. Fabrizio la suivit. Son cœur se débattait dans sa poitrine.

Ils arrivèrent à une porte. Elle frappa doucement et entra. Une servante plus âgée se leva de sa chaise.

Fabrizio fut surpris de trouver le duc au lit. Comme ils entraient, il se tourna vers eux.

— Don Fabrizio, merci d'être là. Mais où sont vos médicaments ?

— Mes médicaments ?

— Oui. Pour quelle autre raison vous aurais-je fait venir ici ?

Fabrizio cligna des yeux.

— Bien sûr, bien sûr. Je vais commencer par identifier le mal qui vous affecte et je reviendrai avec le remède approprié.

— Quelle perte de temps ! Je souffre tant ! Vous auriez dû les apporter.

Les yeux du duc étincelaient de colère et le prêtre fut soulagé de ne pas avoir à affronter son véritable courroux pour l'instant.

— Oui, oui. Calmez-vous. Qu'est-ce qui ne va pas, Votre Grâce ?

Les deux femmes s'éclipsèrent et le duc rabattit la couverture, souleva sa chemise de nuit et révéla une paire de testicules horriblement enflés.

Le prêtre se pencha pour les examiner de plus près. Il était sur le point de poser le doigt sur l'une des gonades, mais hésita, craignant qu'elle n'éclate. C'est alors que le duc siffla :

— Ne touchez pas !

— J'ai un remède à base d'herbes ; je suis presque sûr que cela vous guérira. Je cours le chercher et je reviens tout de suite.

— Faites vite ! gémit le duc avant de baisser sa chemise de nuit et de remonter la couverture.

La duchesse suivit Fabrizio dans l'escalier et l'accompagna à la porte. Pendant que la servante ne regardait pas, les yeux du prêtre rencontrèrent ceux de la duchesse. Elle sourit tristement, puis se détourna. Il passa la porte et s'élança dans la rue.

LA PIERRE PHILOSOPHALE TROUVÉE,
PUIS PERDUE DE NOUVEAU

Le lendemain, Fabrizio s'affairait à son laboratoire, l'esprit plus tranquille qu'il ne l'avait eu depuis des mois.

Les fenêtres de son laboratoire-atelier étaient recouvertes d'un épais papier imbibé d'huile d'olive. Ainsi, une lumière douce et diffuse, idéale pour la peinture, filtrait dans la pièce. Toutefois, le portrait à moitié achevé qui reposait sur le chevalet demeurait intouché. Depuis deux semaines, Fabrizio s'intéressait davantage à l'alchimie qu'à l'art. De nouvelles idées complexes avaient fait surface, inspirées par un livre ancien qu'il avait reçu d'un ami de Mayence. Fabrizio travaillait dur, poussé par un obscur démon. Il ne pensait qu'à trouver le grand secret qui obsédait les alchimistes depuis la nuit des temps : la pierre philosophale. La réponse absolue à l'énigme de la vie et de la mort. Le joyau d'Ouroboros. Les mots séculaires lui revinrent en tête : « Une pierre qui n'est pas une pierre, une chose précieuse qui n'a pas de valeur, une chose aux formes multiples qui n'a pas de forme, une chose inconnue que tout le monde connaît. » Contrairement à bien des alchimistes, il n'aspirait pas à l'immortalité – cela était insensé ; il souhaitait plutôt guérir le monde de ses souffrances. C'était tout ce qui comptait pour lui. Plusieurs s'étaient approchés de la vérité fondamentale sans parvenir à la saisir, et voilà qu'il se trouvait à l'orée de la grande découverte, et pourtant, pourtant…

Il remua un mélange au fond d'un grand creuset posé sur une flamme. Puis il consulta un livre ouvert, tourna la page, attrapa un pot sur une étagère et en saupoudra le contenu dans le récipient avant de passer à la page suivante. Il se redressa.

— Un demi-navet ? Il doit y avoir quelque essence vitale dans la racine.

Il quitta le laboratoire et revint un instant plus tard, navet à la main. Il le posa sur une table haute, coupa la moitié du légume en dés qu'il lança dans le creuset, laissant l'autre demie sur la table. Au bout de quelques instants, la solution, auparavant gris foncé, prit une couleur dorée, lumineuse. Il l'observa, abasourdi, puis revint à son vieux grimoire.

— Encore un ingrédient… une poignée de bonne terre noire.

Il se précipita vers le petit jardin de fines herbes derrière le laboratoire.

Pendant son absence, Omero arriva dans la pièce où le creuset bouillonnait. Il sentit l'odeur agréable qui flottait et vit la moitié du navet restée sur la table.

— De la soupe au navet ? Drôle de couleur.

Armé d'une cuiller, il goûta.

— Ça manque vraiment de sel.

Il prit la salière sur une étagère et assaisonna généreusement la soupe. La solution perdit sa riche teinte dorée et redevint grise. Il était en train d'y goûter à nouveau lorsque Fabrizio revint du jardin, la terre au creux de sa paume.

— C'est pour la soupe, ça ?

— La soupe ? Quelle soupe ?

Omero jeta un regard vers le creuset.

— Elle manquait de sel. Elle est parfaite, maintenant.

— Du sel ? Tu as ajouté du sel à ma solution ?

Fabrizio regarda dans le récipient et son cœur se serra. Il s'affaissa sur un tabouret.

— Je ne sais pas si je devrais te tuer ou pleurer.

— J'ai vu le navet… j'ai cru…

Il s'interrompit.

— Vous n'avez qu'à recommencer. Reprenez les mêmes ingrédients, voilà tout.

Fabrizio agita sa main vide.

— Ces choses doivent être extrêmement précises ; il faut de la chance pour y arriver. Les étoiles et les planètes doivent être dans leurs positions et dans leurs phases les plus favorables, parfaitement alignées. Tout change en un instant. C'est impossible, impossible…

Il se pencha, huma profondément la terre dans sa main et soupira.

— Qu'est-ce que cela peut bien signifier d'après toi, Omero ? « Une pierre qui n'est pas une pierre, une chose précieuse qui n'a pas de valeur, une chose aux formes multiples qui n'a pas de forme, une chose inconnue que tout le monde connaît. » La légendaire énigme de la pierre philosophale. Qu'en penses-tu ? Qu'est-ce que ça pourrait être ?

— Un mystère, nul doute.

Fabrizio décida qu'il valait mieux ne pas aborder de telles questions avec son valet.

— Bien sûr que c'est un mystère. Je ne sais pas pourquoi je te l'ai demandé. Ce doit être ce désespoir que je ressens tout à coup, cette impression que je ne l'atteindrai jamais, que je ne trouverai jamais la pierre philosophale.

Omero n'entendit pas ces derniers mots. Il était occupé à farfouiller sous l'établi en quête de la fiasque de vin qu'il y avait rangée la semaine précédente.

LA COMÉDIE - ACTE CINQ

LA BELLE FILLE DESSÉCHÉE

Devant Pantalone et Arlecchino marchaient Ugo le Mantouan et son mastiff, qui guidaient les deux comédiens à travers de longs corridors et des pièces du palais où presque personne n'était entré en douze ans. Leurs pas lourds soulevaient de légers nuages de poussière.

— Où allons-nous? chuchota Pantalone.

— Il a dit qu'il avait quelque chose à nous montrer. Ça avait l'air important.

Arlecchino observait les testicules luisants du chien que découvrait sa longue queue en battant de gauche à droite.

Pantalone rota bruyamment et se remémora la saucisse à l'ail dont ils venaient de s'empiffrer. Pendant qu'il y goûtait une seconde fois, Arlecchino balaya l'air de sa main. Le Mantouan les ignorait.

Pendant près d'une heure, ils suivirent des passages qui semblaient s'entortiller sur eux-mêmes comme des viscères; ils traversèrent des pièces sombres et passèrent devant des fenêtres envahies par les couleurs de pêche blette du crépuscule. À l'une de ces croisées, Arlecchino découvrit une vue des marais qui s'étendaient sur plusieurs milles, lacs fétides d'eau stagnante parsemés de massifs compacts de roseaux. Ailleurs, il aperçut une cour remplie de colonnes salomoniques torsadées qui montaient en tire-bouchon vers le néant. Le trio continuait d'avancer dans l'obscurité grandissante.

— Je n'aime pas ça, déclara Pantalone.

Arlecchino hocha la tête en signe d'assentiment.

Ils finirent par arriver dans une pièce dont l'entrée était briquetée jusqu'à hauteur de la taille.

Ugo s'arrêta et se tourna vers eux. Il avait l'œil humide et triste, comme si quelque chose fondait en lui. Il fit un geste de la main.

— Regarde, Pantalone. Et toi aussi, fou. Je vous présente l'amour.

Dans la pièce, sur le siège de velours violet élimé d'une chaise en bois ornementé était assise une femme, ou plutôt une fille, ou plutôt un être qui avait été une fille longtemps auparavant. Son corps était inconcevablement desséché, presque momifié.

— Ouf.

Pantalone se détourna.

— Regardez-la, insista Ugo.

Une extase transcendante illuminait son visage. À la manière dont il la regardait, semblant rêver d'un passé lointain, Arlecchino comprit que le bossu se languissait d'elle. Son visage révélait autant de plaisir que de peine.

Les deux comédiens se tournèrent à nouveau vers la fille. Elle avait sur les épaules une étole de zibeline soyeuse, une fourrure brune au bout argenté. Toujours accrochée au corps, la tête mordait la queue de la martre. La fille tenait un livre en vélin aussi sec et ridé que ses mains et son visage. Elle semblait le regarder.

Imperceptiblement, ses lèvres remuèrent.

— Elle est vivante ! s'écria Pantalone qui recula en trébuchant. *Dio mio,* elle est vivante !

La bouche comme une caverne creuse, Arlecchino fixait la fille avec stupéfaction. Ugo haussa les épaules.

— Vivante. Oui, dans un certain sens. Elle lit le texte qu'elle a entre les mains et cela lui confère l'immortalité. Son auteur avait un grand pouvoir. Il lui a dit que tant qu'elle lirait son poème, elle ne mourrait pas.

— Mais elle vieillit ? fit Arlecchino.

— Oui, répondit Ugo en la regardant avec une sincère tristesse. Elle vieillit.

Arlecchino se pencha vers elle.

— J'aimerais entendre le poème, mais je n'y arrive pas.

Ugo l'attrapa par l'épaule et le tira brutalement vers l'arrière.

— Non ! Si tu écoutes ce poème, sa sonorité et son irrésistible rythme t'en rendront à jamais captif. Tu ne pourras plus t'en détacher.

La pièce était remplie d'objets de valeur, tous recouverts d'une lourde patine de poussière. Des portraits délavés de dieux et de déesses dans leurs extravagants paradis, une paire de luths ornés d'incrustations de nacre représentant des scènes de vendanges, trois violons et un violoncelle qui semblaient converser à voix basse, des livres cadenassés empilés en petits clochers sur les tables et le plancher, des colliers et des bracelets de pierreries entassés sur un plateau d'or terni, des sculptures de bronze, certaines assez belles, d'autres d'une laideur hors du commun. Les murs étaient peints de fresques représentant des vergers de pêches et de poires couleur de sable chaud ; les plafonds décorés de gravures représentant des chérubins jouf- flus et des anges qui semblaient revenir d'une nuit à batifoler dans un cimetière. Des armoires de bois noir exotique renfer- maient des pièces de monnaie, des médailles, des gemmes, des manuscrits anciens, des coupes d'or et d'argent, des crucifix ainsi qu'un crâne aux yeux d'onyx dont le front portait un texte en arabe tracé d'une main élégante.

— Tu l'aimes ? s'enquit Arlecchino.

Ugo ne répondit pas, mais continua de fixer la fille.

— Décrivez-nous comment elle était, avant, suggéra Pantalone. *Per favore.*

Ugo toisa le vieux maraud, s'efforçant de deviner ce qui se cachait derrière sa requête. Il se retourna et contempla la fille.

— Elle avait les yeux les plus bleus, les plus purs, comme du ciel fondu. Et sa voix rauque ouvrait quelque chose en moi, avec son timbre si inattendu chez une si jeune personne. Elle laissait deviner les rivières profondes qui coulaient en elle, des rivières où je voulais m'immerger, boire jusqu'à plus soif, jusqu'à me noyer dans leur douce noirceur.

« Elle était toujours vêtue d'étoffes de soie moirée, ses courbes liquides, sa peau fraîche. Si elle parcourait un verger, les abricots et les prunes, sous l'effet de sa présence, se fen- daient et laissaient couler leur jus sucré. Si elle marchait sous les limettiers, les oiseaux produisaient des arpèges roucoulants pour l'impressionner. Si elle entrait dans une pièce pleine de filles mûries à point, de jeunes hommes aux yeux neufs et durs, elle attirait instantanément tous les regards sans même faire d'effort.

Il s'interrompit et Arlecchino demanda :

— Pourquoi ne pas l'avoir épousée, dans ce cas ?

— Idiot. J'étais son nain officiel. J'étais un Gonzaga, ce qui voulait dire quelque chose jadis, mais pas aux yeux de son père. À l'époque, je n'étais qu'un objet de moquerie, condamné à l'amuser, à la tirer de son profond désespoir. Moi seul savais la faire rire. Et quel rire ! Sans réserve, noir et riche comme la terre, dense et rond comme la lune.

« Mais je n'étais que son nain, son petit joujou, son adorable bossu ; elle était consciente de mon amour comme la panthère est consciente de la douleur qu'elle provoque en écrasant les os d'une petite bête tendre. Elle aurait ri si je lui en avais parlé, elle m'aurait tranché en deux de son regard. Alors j'ai tenu ma langue et j'ai attendu.

— Attendu ? Attendu quoi ? demanda Arlecchino.

— Je ne le savais pas. J'attendais que quelque chose arrive, que quelque chose change, que quelque chose descende des cieux pour tout arranger. Mais cela ne s'est jamais produit. C'est alors que j'ai découvert le poète fou et son poème immortel. Il me l'a vendu pour trois pièces d'or et un tonneau de vin noir. J'ai continué à attendre, mais un plan s'est dessiné dans mon esprit. Avec les années, pendant que sa beauté s'affinait encore davantage, mon amertume croissait. Je ne la posséderais jamais, je ne pourrais jamais la posséder ; quelle sorte de Dieu cruel avait bien pu mettre une telle splendeur sous le nez d'un homme aussi difforme que moi ? Une tentation au-delà de toute résistance. Elle était assaillie de soupirants, une armée de jeunes hommes qui tambourinaient aux portes du palais. Mais je me trouvais dans une situation unique. Les prétendants devaient d'abord passer par moi. Chacun d'eux était forcé d'attendre dans une antichambre, seul avec moi. La fille se disait que son nain officiel les distrairait pendant qu'ils l'attendaient. Je faisais bon usage de ces instants. À l'un, j'exprimais un doute juste au bon moment ; à l'autre, je murmurais que la fortune de la famille ferait bientôt place à des dettes monumentales, ou alors je glissais un mensonge au sujet d'odeurs intimes épouvantablement nauséabondes (alors qu'en réalité, c'était tout le contraire). À un soupirant consterné, je ragotais sur l'infertilité de celle qu'il courtisait; au suivant, je révélais que sa colère avait causé la mort d'un enfant qu'elle avait porté, ajoutant qu'elle possédait des cornes naissantes et des sabots fendus. Elle ne se maria jamais.

— Tu es un homme cruel, dit Arlecchino en regardant la fille avec tristesse.

— J'ai de bons côtés, rétorqua le Mantouan en tapotant la tête du mastiff.

— Et le poème? s'enquit Pantalone.

— J'ai fini par le lui donner, sans lui parler du pouvoir qu'il exerçait si on le récitait à haute voix. Elle le lit depuis ce temps. Encore et encore. C'est de la magie noire de premier ordre. Personne ne la possédera. Personne ne la possédera jamais. Pas même la Mort.

Une heure plus tard, Pantalone et Arlecchino partaient pour Crémone. Ugo leur avait prêté sa voiture et son cocher pour le voyage du retour.

— Nous devons nous hâter. La pièce de théâtre nous attend, cria Arlecchino.

Comme ils s'installaient dans le carrosse, Ugo déclara:

— Tu auras bientôt ton violon, vieil homme. Et quel violon ce sera! La fille sera tienne, n'en doute pas.

✴

PANTALONE ET LA PERSISTANCE DE LA PASSION

Comme s'il s'éveillait d'un rêve, le public qui assistait à la pièce sur la grand-place de Crémone constata que Pantalone et Arlecchino étaient de retour sur scène. La comédie reprenait.

Sur les planches, la table était mise pour le dîner : trois assiettes, quatre plats vides, trois coupes et une cruche de vin en faïence bleu pâle.

Aurora et Ottavio approchèrent de la table. Il s'inclina, elle fit une révérence, il lui tira une chaise et prit place à côté d'elle.

Ottavio avait les épaules drapées d'une cape à doublure rouge, une énorme fraise blanche autour du cou, des hauts-de-chausse et des souliers de cuir. Il retira son feutre à larges bords et secoua sa longue chevelure noire.

Aurora avait un volant de dentelle empesée dans les cheveux, et sa longue jupe écarlate effleurait le sol. Ses yeux et sa peau brillaient, et sa robe était considérablement décolletée.

Serviette au bras, Arlecchino arriva à leur table et se courba.

— *Buona sera*. La signora est ravissante ce soir, et vous, cher monsieur, êtes un vrai gentilhomme. Alors, qu'est-ce que ce sera ? Nous avons un délicieux chapon qui sort de la rôtissoire.

— Ce n'est pas du pigeon ?

— Non, non. Du véritable chapon, monsieur.

— Nous le prenons, dans ce cas.

Arlecchino plongea la main dans son ample culotte et en tira un juteux chapon rôti qu'il laissa tomber dans un plat.

— Du pâté de corbeau ?

— Oh oui, j'en raffole, s'exclama Aurora avec un large sourire.

À nouveau, Arlecchino fouilla dans son pantalon pour en sortir un grand pâté encore fumant.

Dans ses bottes, il prit une demi-douzaine de petits pains qu'il mit dans un plat, auxquels il ajouta une généreuse grappe de raisin rouge extraite de sa chemise. Avec la cruche, il remplit les coupes de vin puis se retira avec une courbette.

— Bon appétit, bon appétit, lança-t-il.

Pendant que, les yeux dans les yeux, les amoureux trinquaient, Pantalone se faufila sur la scène. La braguette bombée, il déshabillait Aurora du regard. Craignant de soulever l'ire d'Ottavio, il se faufila discrètement vers la table.

— Puis-je me joindre à vous ?

Ottavio leva la tête. Après un moment d'hésitation, il sourit.

— Ah, Pantalone. Mais oui, bien sûr. Tout est pardonné. Je sais, elle sait et tout le monde sait (il désigna la foule d'un geste) que tu n'es qu'un vieux chien en chaleur. Le seul qui semble l'ignorer, c'est toi.

— Je ne puis m'en empêcher. En présence d'une jolie femme, je suis complètement désarmé. Elles me font me sentir jeune à nouveau. Je… j'ai peur de vieillir, ajouta-t-il en baissant la tête.

— Je comprends.

— Le désir ne s'éteint jamais, voyez-vous ?

— Dans ton cas, vieux cabot, il n'est même jamais malade.

Pantalone prit place et le trio commença à manger et à boire. À un moment donné, Aurora allongea le bras pour prendre la cruche de vin. Voyant cela, Pantalone poussa discrètement le pichet hors de sa portée. Elle s'étira derechef, se pencha par-dessus la table. Il repoussa le récipient encore plus loin. Ottavio, occupé à gruger une cuisse de chapon, ne voyait rien. Aurora tendit encore la main, toujours incapable d'empoigner le goulot. Chaque fois, elle se penchait plus en avant. Les yeux de Pantalone s'élargissaient de plus en plus devant le décolleté plongeant dont elle débordait pratiquement. Il se lécha les lèvres et enfin, Aurora attrapa la cruche et se rassit.

— Bourrique, siffla-t-elle.

Revenant à son repas, Pantalone, les nerfs surexcités, les mains tremblantes, fut pris d'un spasme. Peinant à arracher une aile au volatile, il tira un bon coup et une goutte de gras s'envola pour atterrir dans le tendre creux à la base de la gorge d'Aurora. Celle-ci était en train de ronger un os et ne s'en rendit pas compte. Pantalone fixait l'amas de gras luisant qui descendait sur sa poitrine.

— Permettez-moi, dit-il en approchant sa main rachitique de son buste.

Ottavio bondit sur ses pieds et dégaina son épée.

— Arrête, mâtin, ou tu quitteras cette table avec une patte en moins.

Pendant ce temps, le morceau de gras avait disparu dans le décolleté.

— Laisse tomber, vieillard. Il va glisser sur son ventre, se nicher entre ses cuisses, et j'en ferai mon en-cas de minuit.

Pantalone baissa la tête, repoussa son assiette et se mit à pleurer, les dents serrées, marmonnant pour lui-même :

— Où est ce satané violon ?

Aurora le considéra.

— Je crois que vous avez trop bu de vin.

— Son sang s'est transformé en vinaigre, fit Ottavio. Cela a aigri son cœur. Laisse-le.

CHAPITRE X

Un matin, Cambiati aurait été vu au sommet du torrazzo, *brillant d'une lumière indescriptible. Ils disent qu'en sautant de la tour, il serait d'abord tombé comme un homme normal pour ensuite se mettre à flotter jusqu'à la piazza, léger comme une feuille. Après qu'il eut atterri, tout ce qu'on a trouvé sur la place est une soutane vide, rien d'autre.*

UNE CONVERSATION DIFFICILE

Michele Archenti emprunta une rue étroite. Il allait donner une autre leçon de latin à Elettra. Déjà, la chaleur montait des pavés. Le latin, réalisa-t-il, était le cadet de ses soucis, et il pressentait qu'il en serait de même pour elle. Il était confus, pour plusieurs raisons. Un prêtre, amoureux. D'une jeune fille déjà fiancée, dont la date du mariage était fixée. Il était par ailleurs tourmenté parce qu'il ne se montrait pas franc avec elle quant aux sentiments qu'il éprouvait à son égard, et aussi parce qu'il se servait d'elle pour percer le secret de la *duchessa*. En même temps, il commençait à soupçonner que la vieille dame et la jeune fille se servaient également de lui pour s'assurer du succès de la candidature de Cambiati. *Mais elle est irrésistible, irrésistible…* Il réalisa qu'il venait d'énoncer cette pensée à voix haute et s'arrêta, regarda autour de lui pour vérifier que personne ne l'avait entendu, puis se hâta, arriva devant les lourdes portes du palais ducal et frappa.

— Il n'y aura pas de leçon de latin pendant quelque temps, car je dois effectuer un court voyage à Casale Monferrato.

Elettra repoussa son livre, fatiguée de son lent travail de version. Dans un bol, elle prit un énorme raisin rouge, presque aussi gros qu'un abricot. Elle le croqua de ses dents blanches et tranchantes. Archenti la regarda fermer les yeux et savourer le jus. Sans les rouvrir, elle s'essuya le coin de la bouche du revers de la main.

— Pourquoi ? Qu'y a-t-il, là-bas ?

— Il y a du nouveau dans mon enquête sur le candidat.

Elle attendit.

— Vous n'allez pas me dire ce que c'est ?

Ses yeux étaient maintenant grand ouverts, fixés sur lui. Archenti hésita.

— Cela vaudrait mieux.

Les épaules de la jeune fille retombèrent.

— Oh, vous, les prêtres, et vos secrets. Dites-moi, ou je raconte à mon père que je n'ai rien appris en vingt leçons de latin avec vous.

— Ce n'est pas vrai. Vous avez beaucoup appris. En fait, la vitesse à laquelle vous avez appris est stupéfiante.

Sans le regarder, elle répondit :

— Pourquoi me dévisagez-vous ainsi ? Chaque fois que nous sommes ensemble, vous me fixez sans arrêt. J'aurais dit que vous vouliez percer mon âme, mais il semble que ce soit plutôt la surface qui vous intéresse, n'est-ce pas ?

Se retournant, elle le confronta, son visage dur et magnifique, ses yeux noirs brûlants.

La bouche de l'avocat s'assécha. *Suis-je en train d'être interrogé par une simple adolescente ?* Il passa la langue sur ses lèvres.

— Je vous dévisage parce que, si je puis me permettre d'admettre la vérité, il m'est impossible de faire autrement.

— Vous me trouvez belle ?

Il opina lentement.

— Vous ne voulez pas me dire pourquoi vous allez à Casale Monferrato parce que vous me pensez trop ignorante pour comprendre votre enquête.

— Non, ce n'est pas vrai.

— Alors, dites-moi. Il le faut.

— Vous êtes persistante.

Il s'arrêta pour réfléchir.

— Si je vous en fais part, cela devra rester entre nous, vous comprenez ?

Si je lui laisse croire que je me confie à elle, peut-être se confiera-t-elle spontanément à moi.

— D'accord.

— Je vais là-bas pour chercher des familles qui portent le nom de Cambiati. Il est possible que la famille du candidat provienne de cette région et qu'ils aient été des producteurs de soie. Il y a un endroit appelé chemin des Mûriers, que l'on nomme aussi l'allée des Juifs.

— Je vois. Sa famille était juive, alors ? Notre saint bien-aimé aurait-il pu avoir du sang juif ?

Il savait sans l'ombre d'un doute qu'elle comprendrait les implications.

— C'est... possible.

— Cela poserait-il problème ? Pour vous ?

— Pas pour moi personnellement.

— Que voulez-vous dire ?

— Je ne veux rien dire. Je n'ai rien contre les Juifs, bien que d'autres semblent les blâmer pour tous les maux de la terre. Cela n'aidera probablement pas sa candidature, à moins qu'il n'ait été un véritable converti, ce qui est pratiquement impossible à prouver après tant d'années.

— Jésus était juif.

— Bien sûr. Mais plusieurs chrétiens reprochent aux Juifs de l'avoir tué.

— Il n'a pas été tué par les Juifs, mais par les Romains.

Il se réjouit une fois de plus de sa clarté d'esprit.

— Il n'empêche que plusieurs, même au cœur de l'Église, blâment les Juifs.

— Ils ont peur d'être eux-mêmes condamnés. Ce sont les Romains qui ont tué notre Sauveur, pas les Juifs. Des Romains comme vous.

Elle avait prononcé ces mots d'un ton si catégorique qu'il sut que la conversation était terminée. Une fois de plus, il se dit qu'elle avait les opinions solides et tranchées des riches, et l'air – un orgueil naturel qui frisait l'arrogance – de ceux qui sont nés pour régner.

Sur le chemin du retour, il réalisa que lui, un homme puissant au sein de l'Église, venait de se faire rabrouer par cette… cette… fille. D'un autre côté, cela ne le gênait pas le moins du monde. En fait, il s'en émerveillait. Mis ensemble, la beauté sublime et le pouvoir naturel devenaient un irrésistible aphrodisiaque. Il s'attarda sur le souvenir de ses joues rouges de colère, de son sang affleurant à la surface, de ses yeux brillants. Les Romains… Oui, bien sûr, c'étaient les anciens Romains qui avaient amené toutes les plus belles femmes du monde connu en Italie pour le plaisir et la reproduction. Elle faisait partie de cette lignée. Sans aucun doute.

✦

UN BREF VOYAGE À CASALE MONFERRATO

Pendant le trajet de soixante-dix milles entre Crémone et Casale Monferrato, située au nord de la cité d'Alexandrie, dans le Piémont, la pluie heurta la terre en diagonale. L'avocat du diable la regardait cribler la surface du Pô pendant que la voiture progressait tant bien que mal dans la boue qui bordait le fleuve. Plus d'une fois, elle s'enfonça dans la route molle et glissante, et l'avocat dut aider le cocher à la dégager. Le voyage dura trois jours, avec des arrêts chaque soir dans des relais humides. Endolori par le périple, Monsignor Archenti fut heureux de voir le soleil les accueillir aux portes de la ville.

— À la résidence du prêtre, près de l'église, indiqua-t-il au cocher en se penchant à la fenêtre.

Ils apercevaient le clocher de l'église qui se dressait non loin de là, au cœur de Casale Monferrato.

Le curé, Padre Grasselli, avait un large derrière et marchait à petits pas, peut-être par peur de tomber et de ne pas pouvoir se relever. Son visage rond et souriant révélait combien il était honoré d'héberger un invité aussi important et distingué.

Ce soir-là, tout en se délectant d'anguille, de tanche et de polenta, le tout arrosé de barbera locale, les deux prêtres firent connaissance. L'avocat du diable expliqua à Padre Grasselli la raison de son voyage à Casale Monferrato.

— Pourquoi vous voulez parler aux Juifs? demanda le *padre* d'un air dégoûté. Tous des fesse-mathieux. On ne peut pas leur faire confiance.

— J'en doute. S'ils sont tous des usuriers et des prêteurs sur gages, comment se fait-il que certains d'entre eux savent cultiver la soie, que d'autres connaissent les secrets de la teinture et de la fabrication du verre?

Le curé haussa les épaules.

— Il me faut trouver un endroit appelé le chemin des Mûriers.

— L'allée des Juifs, renchérit le curé. Je connais, mais vous devriez y aller avec quelqu'un qui comprend ces gens. Ils ne nous font pas confiance à nous, chrétiens. Si vous y tenez, demain, je vous emmènerai à une synagogue que les Juifs d'ici tiennent pour la plus belle du monde. Le rabbin saura peut-être vous renseigner.

Le matin venu, sous le chaud soleil qui séchait la ville, le curé conduisit Monsignor Archenti au temple.

Surplombée de lustres et étincelante d'or, la synagogue était effectivement la plus riche et la plus belle que l'avocat avait vue. Le plafond peint était dominé par une phrase en hébreu qui signifiait «Ceci est la porte des cieux». Sur l'un des murs se trouvait un bas-relief de Jérusalem; une autre ville non identifiée lui faisait face. Des plaques portant des inscriptions en hébreu étaient accrochées partout dans l'enceinte. Monsignor Archenti parcourut les lieux en les déchiffrant pendant que

Padre Grasselli, qui ne connaissait pas cette langue, traînait nerveusement les pieds à sa suite.

Au bout d'un moment, l'avocat demanda :

— Où est-il ? Le rabbin ?

— Il doit être dans son cabinet, au fond.

Ils frappèrent à une porte à l'arrière de la synagogue et, après avoir entendu une voix, ils entrèrent dans la pièce. Perché sur une grande chaise, un homme penché sur un livre marmottait. À côté de l'unique fenêtre, un miroir dirigeait la lumière du soleil vers le livre. Le rabbin avait un visage anguleux et une calotte accrochée à l'arrière de la tête. Il leva les yeux à leur arrivée mais ne sourit pas ni n'interrompit ses prières. *Comme c'est étrange,* songea l'avocat, *il ressemble un peu à mon père.* Au bout d'un moment, le rabbin s'arrêta, referma le livre avec délicatesse et révérence, se tourna vers eux et leur sourit avant de descendre de son siège.

— Padre Grasselli, que me vaut l'honneur de cette visite ?

— Nous avons un invité important en ville, dit-il en désignant Monsignor Archenti. Il nous vient du Vatican, à Rome. Il aimerait vous poser quelques questions.

Pendant que l'avocat l'interrogeait au sujet du nom et de la famille Cambiati, le rabbin l'écoutait, les mains jointes et repliées devant lui, un air patient sur son visage long et fin.

— Oui, je connais cet endroit. Le chemin des Mûriers, là où vivent les sériciculteurs. Plusieurs d'entre eux sont juifs, c'est exact. Une famille porte le nom de Cambiati : un vieil homme qui habite seul et son fils qui demeure tout près avec les siens. Nous pourrions aller les voir. Ce n'est pas loin.

Une heure plus tard, le rabbin et l'avocat se tenaient à la porte d'une masure entourée de mûriers. Un vieil homme voûté au visage chiffonné et aux yeux chassieux et décolorés ouvrit la porte. Il salua le rabbin avec joie tout en regardant le prêtre avec suspicion. Ils entrèrent et s'assirent à une table en bois brut où était posée une lampe de cuivre qui servait à brûler les restes d'huile d'olive. Le plancher était parsemé de roseaux secs. Dans la pièce suivante, Archenti aperçut des piles de ce qu'il crut être des bacs destinés à contenir des cocons de soie.

— Nous, les Cambiati, sommes à l'origine des Séfarades d'Espagne, c'est exact. Il y a longtemps, bien avant mon temps, des Juifs sont venus ici. Pas beaucoup, cinq ou six familles, je crois. Maintenant, il ne reste que moi et la famille de mon fils, de l'autre côté de cette colline, ajouta-t-il en indiquant la fenêtre. J'ignore si certains de ces Cambiati ont déménagé à Crémone. C'est possible. J'ai entendu dire que certains d'entre eux étaient allés vers l'est, il y a des années. Je ne sais pas pourquoi.

À ce moment, la porte s'ouvrit et un homme grand et costaud entra.

— Mon fils.

Le nouveau venu salua le rabbin et jeta un regard sévère à la soutane du prêtre. Il avait les cheveux de jais des Espagnols et des yeux noirs vifs. Le vieil homme lui présenta l'avocat et répéta les questions auxquelles il venait d'essayer de répondre. Le fils n'avait rien à ajouter. Quand il vit que son père et le rabbin traitaient l'avocat avec respect, il changea d'humeur.

— J'ai peur de ne pas pouvoir vous être d'une grande aide, dit-il.

L'avocat et le rabbin se levèrent. Comme ils arrivaient à la porte, le vieillard poussa une exclamation et posa son index sur sa tempe.

— Attendez, attendez, je me souviens, maintenant. Je savais que le nom de cette ville m'était familier, mais pas entièrement.

Ce n'est pas pour Crémone qu'ils étaient partis à l'époque, mais pour un endroit appelé Crema, il me semble. Un village.

— Oui, je connais, dit l'avocat en hochant la tête. C'est tout près de Crémone, au bord de la rivière Serio, sur la route de Milan.

— Je pense que mon grand-père m'a raconté que c'était au temps de son grand-père, ou peut-être même du grand-père de son grand-père. Et il disait qu'une chose terrible s'était produite là-bas, une chose affreuse.

Il jeta un œil au rabbin qui l'encouragea à continuer. Son regard se vida et il murmura :

— Ils sont devenus chrétiens.

— Père, s'interposa le fils, le prêtre est un chrétien ; il ne faut pas insulter notre invité.

— Non, non, ce n'est pas une insulte, protesta le vieil homme en agitant les mains. Ce prêtre romain a toujours été chrétien. Ce sont les Juifs qui changent et renient leur peuple qui commettent une grave erreur. Mais lui, il est chrétien, un chrétien romain, c'est bien.

— Peut-être ont-ils été forcés de se convertir, suggéra l'avocat.

— Terrible. Terrible, répondit le vieil homme en secouant la tête.

L'avocat et le rabbin sortirent et le fils les accompagna.

— Venez, dit-il en bombant le torse. Je vais vous montrer notre hutte à vers à soie.

L'avocat acquiesça et, avec le rabbin, il suivit le fils jusqu'à un bosquet de mûriers où se dressait une hutte de pierre.

À l'intérieur, le fils montra à l'avocat un cocon de ver à soie. Il le plaça devant ses yeux. L'objet délicat contrastait avec ses doigts rugueux.

— Comme vous le savez, le ver à soie s'enveloppe dans son cocon en crachant un filament de soie. Malheureusement, nous devons tuer la plupart d'entre eux avant qu'ils n'en sortent, car l'éclosion brise et gâche les fils de soie du cocon. Bien entendu, nous en laissons quelques-uns en vie afin qu'ils pondent d'autres œufs sur les feuilles des mûriers.

Il continua à expliquer les étapes de la fabrication de la soie. Après l'avoir écouté pendant un moment, l'avocat et le rabbin prirent congé.

Comme ils commençaient à descendre la colline, le fils courut vers eux avec une poignée de cocons. Il les tendit timidement à l'avocat qui comprit clairement, au regard de l'homme, que c'était là un cadeau, le seul que cette famille pauvre pouvait offrir à son invité. L'avocat glissa les chiques dans la poche de sa soutane. Le fils s'inclina et retourna à la hutte.

OMNIA VINCIT AMOR

De retour à Crémone, l'avocat du diable se rendit au palais ducal pour donner à la jeune fille sa leçon de latin. Dans la lumière serpentine du jardin, Elettra traduisit Virgile.

— Saviez-vous que Virgile est né près de Mantoue et que, pendant sa jeunesse, il a été éduqué ici même, à Crémone ? demanda-t-il.

— Je l'ignorais.

Elettra semblait atone, pas tout à fait indifférente, mais préoccupée par autre chose.

— Et à l'époque des Romains, les fermes autour de Crémone ont été retirées à leurs propriétaires et données aux troupes d'Antoine. Votre père pourrait très bien être un descendant de ces soldats.

— Hmm.

Bien qu'elle parût s'ennuyer, son visage affichait un doux sourire.

— On dirait que l'intérêt vous manque, cet après-midi. Nous arrêterons bientôt.

Elettra mit un bon moment à achever de traduire un passage court, mais difficile. Lorsqu'elle eut fini, elle s'arrêta pour regarder un chardonneret qui gazouillait dans un arbre non loin d'eux.

— Son chant est joyeux, aujourd'hui.

Elle sourit à nouveau. Archenti l'observa attentivement pendant qu'elle contemplait l'oiseau. Avec un soupir, elle revint au livre qu'elle avait entre les mains.

— *Omnia vincit amor : et nos cedamus amori.*

Elle marqua une pause, se mordit la lèvre inférieure.

— L'amour… triomphe de tout : nous aussi… cédons à l'amour.

Il inclina la tête.

— Encore.

— L'amour triomphe de tout : nous aussi cédons à l'amour.

Elle l'avait dit vite, comme si elle venait de découvrir la vérité contenue dans ces mots.

— Cela me plaît. Cela me plaît beaucoup.

Elle semblait conciliante, ce jour-là : douce, ouverte et amicale. Un peu lasse, mais peut-être plus intéressée à parler qu'à faire des versions. L'avocat du diable y vit une occasion de lui soutirer l'information qu'il convoitait depuis des semaines. Il savait déjà que la *duchessa* et le candidat avaient eu une relation amoureuse. C'était plus qu'un simple soupçon, mais il voulait en être sûr. *Et pourquoi me faut-il une certitude ? Pour pouvoir passer plus de temps avec la petite tentatrice que j'ai devant moi ? Pour pouvoir justifier ma propre faiblesse en l'observant chez un autre, chez Cambiati, un supposé saint ?*

— Elettra, je sais que nous en avons déjà parlé, mais je dois vous le demander encore. C'est extrêmement important et mon devoir exige que je trouve la réponse à cette question avant de pouvoir conclure mon enquête.

Elle répondit sans sourire, en le regardant droit dans les yeux.

— Et si je ne veux pas que votre enquête se termine ?

— Que voulez-vous dire ?

— Quand vous aurez fini, vous rentrerez à Rome… et je ne pourrai plus apprendre le latin.

Elle prenait plaisir à le taquiner.

— Vous aviez l'air si sérieux, pouffa-t-elle.

— Non, vraiment, Elettra, il me faut une réponse. Déposez votre livre un instant et écoutez-moi. Votre arrière-grand-mère vous a-t-elle donné beaucoup de détails sur la vie de Fabrizio Cambiati ?

— Oui, bien entendu.

— Que vous a-t-elle dit à son propos ?

— Que c'était un homme très bon, fort gentil.

— Il n'y a là rien d'étonnant ou d'inhabituel. C'est ce qu'affirment tous les habitants de la ville. Autre chose ?

Elle réfléchit un instant. Archenti se demanda si elle essayait de décider si elle devait enfin révéler le secret de la *duchessa*. Mais le moment passa et elle secoua la tête.

— Non, rien d'autre, du moins, pas que je me rappelle.

— Pensez-y bien. C'est très important pour mon enquête sur Padre Cambiati.

Les yeux d'Elettra se remplirent soudainement de colère.

— Nous en avons déjà discuté et voilà que vous me questionnez encore. Toujours en train de fouiner, fouiner, fouiner.

Pourquoi tenez-vous absolument à ce qu'il y ait quelque chose de caché à son sujet ? Tout le monde dit que c'était un saint, un être bienveillant, mais vous cherchez toujours à déterrer le pire, comme un cochon qui flaire quelque pourriture dans la boue. Vous avez déjà parlé à mon arrière-grand-mère. Elle ne m'a rien révélé qu'elle ne vous aurait pas dit, rien.

La jeune fille était aussi têtue et intraitable que le reste de sa famille, si ce n'était davantage. Les yeux rembrunis, le corps tendu, elle paraissait sur le point d'exploser.

Même si Archenti se sentait profondément frustré des perpétuelles difficultés qu'il rencontrait dans son enquête, il réalisait aussi que, par moments, il se souciait à peine de découvrir la vérité sur Cambiati. *Pourquoi ?* se demandait-il. Quand il s'efforçait d'aborder sa candidature avec la logique qui avait fait sa renommée, son esprit dérivait et la jeune fille ne cessait de lui apparaître. Ce qui lui arrivait était à la fois merveilleux et terrible. Comme s'il était déchiré en deux : un pied dans une ancienne vie, l'autre dans une nouvelle. Mais il n'arrivait pas à se plonger entièrement dans l'une ou dans l'autre. Son devoir le ramenait toujours vers l'arrière. Il finit par reconnaître qu'il souhaitait que la jeune fille lui révèle le secret. *Même si j'apprends la vérité de la bouche de la vieille femme, cela ne suffira pas. Il faut que ce soit la fille. Je dois l'amener à voir l'irrésistible pouvoir du désir. Pourquoi ?* Il posait la question, mais il savait déjà pourquoi, et savait aussi que cela n'avait rien à voir avec le candidat ni avec l'enquête.

LE RÊVE DU PÔ

D'un brun pâle bordé d'argent émaillé, le Pô paraissait lisse sous le couvert des nuages, et ses longs tendons souples et ondulants pulsaient continuellement, déployant une énergie vitale, comme si le cours d'eau était un animal vivant, un muscle liquide qui se contractait dans les courbes et les larges coudes qui traversaient le paysage plat. En haut, la couche de nuages était assez mince pour que le soleil la perce et apparaisse de temps en temps derrière le gris fugace, comme une pièce d'or ternie.

Rodolfo et l'avocat du diable avaient discuté de bien des choses en parcourant le sentier qui longeait le fleuve. Ils s'étaient finalement coulés dans un silence détendu. Rodolfo trouva un coin confortable en surplomb de la rivière et s'assit dans l'herbe. L'avocat se joignit à lui.

Ils regardèrent l'eau affluer, toujours changeante, toujours pareille. Ils restèrent là un bon moment, tandis que l'esprit de l'avocat dérivait vers la jeune fille, tel un bateau pris dans les roseaux qui finit inexorablement par glisser dans le courant.

— Regardez cette fleur rouge.

Rodolfo tira sur un bouton de fleur, le recueillit dans sa paume avec sa longue tige verte.

— La beauté a toujours suffi aux hommes. La beauté est ce qui a poussé les Grecs à partir pour Troie. Pâris avait devant lui trois choix : le pouvoir temporel, la gloire militaire ou la beauté féminine. Il a choisi cette dernière. Homère n'a jamais évoqué la grande intelligence d'Hélène, ni son talent pour élever des enfants ou faire de la poésie. La beauté a suffi aux hommes pour qu'ils s'enrôlent. N'oubliez jamais que, de tous les dieux, seule Aphrodite avait le pouvoir de l'emporter sur Zeus.

L'avocat regarda Rodolfo, assis à côté de lui. *Il sait à quoi je songe, il révèle mes pensées les plus profondes.*

— Dites-moi, Rodolfo, cette beauté est-elle suffisante ?

— Vous voulez dire : est-ce tout ce qu'il y a ? Non. La beauté est capable de mouvoir le monde, mais elle n'est pas tout. Elle s'étiole, parfois à la vitesse d'un nuage qui passe. Nous nous efforçons de l'attraper au bon moment et elle vieillit entre nos mains. Mais cela n'empêchera jamais les hommes d'essayer de la retenir. La beauté circule constamment dans le monde. Elle est comme le fleuve. L'eau coule, mais il reste toujours de la beauté, un fleuve qui déferle des montagnes. Le seul problème avec vous, prêtre, c'est que votre conception de la beauté est trop étroite. Il y a bien plus de beauté que ce que vous pouvez imaginer, tellement plus.

Le prêtre contempla la rivière, songeur.

— Marchons, proposa Rodolfo.

Il se leva et se mit en route. L'avocat le suivit en observant les os pâles qui reposaient sur son dos. Comme ils progressaient sur la rive, les nuages s'épaissirent et s'assombrirent. Des gouttes de pluie marquaient la surface du fleuve puis disparaissaient, l'eau se fondant dans l'eau, comme une comète dissoute dans la lumière de l'aurore.

Cette nuit-là, Archenti dormit mal dans la chaleur humide. Des images du visage de la jeune fille se superposaient à d'autres de la *duchessa*, alors que les figures du cardinal Cozio, de Neri et des autres se fondaient ensemble et se séparaient. Il se tournait et se retournait dans son lit, enfiévré par l'indécision. Finalement, à l'aube, il s'endormit profondément et un rêve se déversa en lui.

Un livre apparaît qui descend le Pô, quelques pouces sous la surface, un livre lumineux rempli de mots élégants, gracieux. L'eau du fleuve dissout la colle qui relie les pages et le livre se divise en feuilles qui flottent juste sous la surface. Lentement, l'eau dissout aussi l'encre, et les mots fondent dans le courant; ils deviennent liquides. Enfin, avec le temps, les pages blanches se décomposent en fragments, puis en fragments de fragments, jusqu'à devenir à leur tour indiscernables du fleuve.

UNE FRESQUE DE L'APOCALYPSE

Le lendemain, l'avocat du diable décida qu'il devait aller voir la peinture de l'Apocalypse qui avait été dévoilée la semaine précédente à l'église San Sigismondo. Toute la ville en parlait. Comme l'avait prédit Attilio Bodini l'hiéronymite, les fidèles, dont plusieurs s'étaient reconnus parmi les visages torturés des damnés, étaient fous de rage et exigeaient que la fresque soit recouverte de chaux, détruite, retirée.

En entrant dans la vaste église, Archenti sentit l'air moite sur sa peau, l'odeur pesante de moisissure et d'encens. Il aperçut Bodini, facilement reconnaissable à sa tête renversée vers l'arrière, qui parlait avec un autre prêtre dans la nef. Tous deux étaient vêtus de leurs habits blancs et de leur cape noire. À gauche, il vit la fresque en question ; elle couvrait la moitié du mur de l'église.

C'était une œuvre gigantesque, à la fois par sa taille et par son concept qui visait à englober l'histoire de l'Apocalypse dans son entièreté. Elle était de style maniériste, nota l'avocat, exécutée d'une main fiévreuse et tourmentée. Parmi les centaines de visages, aucun ne possédait de pupilles, ce qui était déconcertant.

Tout le récit du livre de la Révélation était représenté sans merci. Sur les bannières qui flottaient au-dessus de la scène, Archenti reconnut plusieurs citations : « Le temps est venu », « Je suis l'alpha et l'oméga », « Je tiens les clés de l'enfer et de la mort », « Il est écrit mon nom nouveau », « En ces jours-là, les hommes chercheront la mort et ne la trouveront pas », « Il n'y aura plus de temps », « La grande prostituée qui corrompait la terre par son impudicité ».

L'effet d'ensemble de la murale était horrible. Où étaient l'amour et la miséricorde si caractéristiques du Nouveau Testament ? Le livre de la Révélation, songea-t-il, semblait issu de l'Ancien Testament, une résurgence à la toute fin de la Bible. Il frissonna devant cette terreur et cette désolation absolue : des centaines d'anges vengeurs ; Dieu Lui-même, les cheveux blancs, l'œil flamboyant, la langue sortie, tenant une épée à double tranchant. Il y avait une myriade de bêtes pleines d'yeux devant, derrière et à l'intérieur de leur tête, chacune dotée de six ailes.

Archenti vit l'amorce du Livre aux sept sceaux avec ses quatre chevaux et leurs terribles cavaliers qui portaient des arcs, des sabres et une paire de balances. Des tourbillons d'énergie frénétique, mauvaise et chaotique rendaient les anges impossibles à distinguer des damnés. Une lune de sang brillait pendant que des tremblements de terre avalaient indifféremment les bons et les méchants. Les trompettes des sept anges faisaient pleuvoir grêle et feu sur tout le monde. Les mers et les rivières se remplissaient de sang, l'abîme sans fond vomissait des monstres à queue de scorpion montés sur des chevaux, et le tiers des étoiles tombaient sur les têtes des uns et des autres.

Jean lui-même était là, dévorant son livre de prophéties pendant que le pressoir écrasait la moisson de la terre, d'où jaillissait du sang ; les sept sceaux faisaient déferler les sept plaies et «les hommes se mordaient la langue de douleur». Stupéfait et accablé, l'avocat constata que pour tous ces maux, l'hiéronymite avait accusé la grande prostituée, la mère des impudiques et des abominations. C'était parfaitement lisible sur la fresque. Elle était là, ivre du sang des saints, parée de violet et d'écarlate, d'or, de bijoux et de perles… Incrédule, Archenti fixa son visage en étouffant un cri puis recula en titubant. Il était bouche bée. Il n'y avait pas de doute possible, Bodini avait dépeint la grande prostituée de Babylone sous les traits d'Elettra.

— Alors, que pensez-vous de mon œuvre, Votre Excellence ?

Bodini apparut à ses côtés. En se tournant vers lui, l'avocat chancelant faillit trébucher à nouveau.

— Vous aurez entendu que l'on demande sa destruction, tel que je l'avais prédit. Ils sont incapables d'affronter la vérité, ces idiots. Regardez attentivement, Votre Excellence. Le temps viendra bientôt.

— Pourquoi ? Pourquoi avez-vous utilisé le visage de la fille ? C'est une abomination. Le duc voudra votre tête.

— Oh, je ne crois pas. Bientôt, il sera davantage intéressé par la vôtre. J'ai vu comment vous regardez la fille. Me croyez-vous aveugle ?

— Qu'avez-vous vu ? Vous n'avez rien vu !

— Je vois tout, mon ami. Je vois tout et je sais ce que vous manigancez, mais je ne vous le reproche pas ; c'est elle que je blâme, elle a le pouvoir sur vous. Elle porte dans son ventre un germe démoniaque.

Avec un air étrange, entendu, il se tourna vers la fresque et contempla la prostituée de Babylone.

L'avocat secoua la tête avec colère et commença à s'éloigner.

— Attendez !

Archenti s'arrêta.

— Qu'y a-t-il?

— Vous avez vu le prêtre à qui je parlais quand vous êtes entré?

— Oui?

— Padre Ghislina. Un hiéronymite, comme moi. Il vient des environs de Livourne. Je lui ai posé des questions sur vous. Il m'a dit qu'il connaissait une famille du nom d'Archenti, là-bas. Des fabricants de verre, Votre Excellence. Des fabricants de verre.

Bodini sourit à l'avocat, qui fit volte-face et sortit à la hâte.

LE DERNIER CERCLE DU PARADIS

Une servante conduisit l'avocat du diable à la bibliothèque du palais ducal, où l'attendait Elettra. La porte s'ouvrit et elle apparut, assise à la table sur une chaise droite, absorbée par un livre.

— Elettra?

Il crut qu'elle ne l'avait pas entendu entrer.

— Un instant, fit-elle, poursuivant sa lecture. Laissez-moi finir ce chant.

Il s'assit et fixa sans gêne aucune la jeune fille qui parcourait la page des yeux, son visage à demi voilé par ses cheveux. Quand elle eut terminé, elle regarda au plafond et soupira.

— Que j'aime la musique de Dante : « *La beauté que je vis en elle outrepassait ce que nous concevons* » et « *me penchant sur l'onde qui s'épanche là-haut pour nous rendre meilleurs* ».

— Oui, je reconnais cela, dit l'avocat. Chant trentième, la vision de la rivière de lumière telle que révélée par Béatrice.

— Faut-il vraiment que nous traduisions encore ces vieux Romains ennuyeux, aujourd'hui ? Ne pourrions-nous pas faire autre chose ?

L'avocat regarda par la fenêtre.

— On dirait qu'il va pleuvoir. Une promenade est hors de question.

Elle posa ses coudes sur la table et, le visage entre les mains, elle l'interrogea.

— Êtes-vous allé à San Sigismondo ? Avez-vous vu la peinture dont tout le monde parle ? M'y avez-vous vue ?

— Oui. C'est un peintre remarquable, mais il est complètement fou.

— Et sot. Je pense que mon père lui fera payer son insolence. Il fera à tout le moins recouvrir la murale. Il refuse de me laisser la voir. Je me demande si c'est l'hiéronymite qui a tué mon poulain.

— J'en doute.

Elle s'interrompit et inclina la tête.

— Est-ce vraiment ressemblant ? Cela vous a-t-il plu ?

— Très fidèle, oui, mais pour me plaire, non.

— Oh ! J'oubliais. Ceci est pour vous. Mon père dit que vous avez refusé toute forme de paiement pour mes leçons de latin, alors je l'ai persuadé de vous l'offrir.

À la grande surprise de l'avocat, Elettra lui tendit l'exemplaire de *La divine comédie* de Dante qu'elle était en train de lire.

Il prit l'épais volume dont la jaquette de cuir s'attachait avec un petit bouton de bois.

— Très beau, dit-il en l'ouvrant au hasard.

— C'est l'un des plus anciens livres de mon père.

Il le referma brusquement.

— Non, je ne peux pas accepter, déclara-t-il en lui remettant l'ouvrage.

— Il ne vous plaît pas ?

— Non, ce n'est pas cela. Le livre est magnifique.

— Je veux qu'il soit à vous.

— J'ai fait un rêve...

— Oui, l'interrompit-elle. Tout tourne autour du rêve de Dante.

— Vous ne comprenez pas.

Excitée de lui offrir le cadeau, elle l'ignorait.

— Lisez le mot sur la première page. C'est moi qui l'ai écrit. Une citation du « Paradiso ».

Il rouvrit le livre.

— « *Mais déjà commandait aux rouages dociles de mon désir, de mon vouloir, l'Amour qui meut et le Soleil et les autres étoiles.* » Le dernier poème, le plus haut cercle du paradis, dit-il, songeur.

— Oui. Ne trouvez-vous pas que le récit est rempli de « tours » ?

— Dans quel sens ?

— L'amour fait tourner le soleil et les autres étoiles. Les comètes aussi, bien sûr. Surtout une comète qui revient sans cesse, n'est-ce pas ?

Elle se délectait de sa propre compréhension.

— Oui, fit-il en opinant du bonnet.

— C'est le même amour qui tourne Dante vers Béatrice. Leur amour est une moindre expression de celui qui meut l'univers. Ne voyez-vous pas? Et les planètes et les étoiles et les comètes aussi.

Elle dansait, virevoltait, tourbillonnait dans la pièce.

— Vous ne voyez pas?

— Si, si, je vois. Je vois.

Elle s'arrêta.

— Vous gardez le livre, alors?

— Oui, je le garde.

Il lui sourit, le cœur plus léger qu'il ne l'avait été depuis des années.

LA COMÉDIE – ACTE SIX

✴

UNE VOLÉE D'INSULTES SUIVIE D'UNE DISPUTE

Sur la scène, Arlecchino et Pantalone se serraient la main. Sous cette poignée de main se trouvait une table, et sur cette table, une grande feuille de vélin aux coins cornés. Le contrat dotal. Au bout de la table, une plume dans un encrier. Pour cette scène, Pantalone jouait le rôle du père d'Ottavio et Arlequin, celui du père d'Aurora. Les deux comédiens avaient enlevé leurs masques habituels et portaient des loups de cuir au nez de cochon.

— Que voulez-vous ? Nous sommes une toute petite troupe d'acteurs sans le sou, expliqua un musicien à l'auditoire. Chacun de nous, comme vous pouvez le constater, doit jouer plus d'un rôle. Comme dans la vie. Le père est un fils et le fils, un père. La mère est tante, grand-mère, arrière-grand-mère, mais toujours une fille. Et ainsi de suite.

Les mains des deux paternels étaient soudées ensemble.

— Mon fils fera un bon mari pour votre fille, annonça Pantalone.

— Ma fille est un excellent parti pour votre garçon, sourit Arlecchino.

— Et je serai… c'est-à-dire qu'il sera… fort heureux d'avoir accès à une dot si généreuse.

— Réglons d'abord les détails du contrat, puis les fiançailles, puis les noces. Une chose à la fois.

— Tout à fait. Eh bien, voilà, nous avons signé. On ne peut plus reculer, à présent. Quoique je me suis laissé dire que vous êtes réputé pour rompre vos contrats.

— C'est faux, c'est faux. On dit que la pomme ne tombe jamais loin de l'arbre, mais j'espère que ce n'est pas votre cas.

— Que voulez-vous dire par là, espèce de carpe aux yeux vides ?

— Je prie pour que votre garçon soit différent de ses ancêtres qui, à ce qu'on m'a raconté, étaient des bouseux des montagnes qui mangeaient du crottin de chèvre et s'accouplaient avec des bêtes sauvages.

Ils se serraient toujours la main, mais de plus en plus fort ; leurs doigts et leurs figures rougissaient.

— En tout cas, ma fille est une jeune femme d'une beauté saisissante.

— Et mon Ottavio, un beau jeune homme viril.

— Est-il bien membré ?

— Bien sûr, comme son père. Votre fille, je dois l'admettre, possède une superbe paire de melons. Elle est ravissante. Contrairement à votre vieille bique de femme.

— Justement, j'ai vu la vôtre s'envoyer en l'air avec les chiens du quartier. Quant à votre fils, eh bien, sa virilité reste à prouver. S'il n'y a pas de géniture dans deux ans, j'exigerai le remboursement intégral de la dot. Le garçon est-il vraiment de vous ? Ou bien votre femme a-t-elle, vous savez (Arlecchino esquissa un geste obscène de la main gauche) avec un autre homme ?

Pantalone était plus préoccupé par son commentaire sur la dot que par les affronts et les injures.

— Que voulez-vous dire ? Vous ne pouvez pas demander le remboursement de la dot. Seulement en partie. Et uniquement si c'est justifié.

— C'est dans le contrat, déclara Arlecchino en désignant le papier vélin.

— Je m'en fiche. Je ne rembourserai jamais les mille florins au complet.

— Avez-vous seulement lu le contrat ? Oh, mon Dieu, cet idiot ne sait même pas lire. Que peut-on espérer du fils, alors ?

Arlecchino et Pantalone resserrèrent encore leur poigne, et leurs doigts entrelacés passèrent du cramoisi au blanc.

— Lâchez-moi !

— Vous d'abord.

— Lâchons tous les deux en même temps.

— Devrions-nous mettre ça par écrit ?

— Corniaud !

— Imbécile !

— Maintenant ! crièrent-ils à l'unisson.

Ils se lâchèrent et se mirent à tituber sur la scène.

— Bon, c'est fait. Le contrat est entendu et ils se marieront bientôt.

— Oui, c'est une bonne journée.

— Espérons-le.

Les deux personnages quittèrent la scène et un instant plus tard, Pantalone revenait au pas de course, à nouveau vêtu de son costume habituel. Il était très agité et regardait dans tous les sens.

— Je vais m'arracher les cheveux ! Je vais me frapper le visage jusqu'à ce qu'il saigne ! Je deviens fou ! Je vais me tuer ! Ce n'est pas possible. Je n'aurais jamais cru qu'ils parviendraient à s'entendre sur le contrat. Ils se détestent ! Mais ils y sont parvenus. Mon Dieu, je vais perdre Aurora, ma dernière chance… Où est ce maudit bouffon avec mon violon ? Pourquoi est-ce si long ? Ah, voici la marieuse ! Signora ? Je vous en prie, il faut que je vous parle.

Devant Pantalone, une matrone au visage plein et rond dont la joue gauche était ornée de trois verrues souriait.

— Oui ?

— Je serai franc, signora. Que faudra-t-il pour que vous changiez d'idée au sujet du mariage d'Aurora et Ottavio, pour que vous me proposiez, moi, plutôt que lui ?

Elle rit de bon cœur.

— Arlecchino m'a posé la même question hier. Je vais vous donner la même réponse qu'à lui : plus que ce que vous possédez, plus que ce que vous êtes prêt à céder, vieux fou.

— Ne vous moquez pas. Tout le monde a besoin de quelques besants supplémentaires, ma chère. Je vous récompenserais généreusement.

— Il n'y a qu'une façon de me pousser à convaincre les pères de changer le cours des choses – surtout aussi près du mariage –, et ça n'a rien à voir avec l'argent.

Elle se rapprocha de Pantalone et, soulevant ses jupes, se frotta sur lui.

Il se couvrit le visage d'une main et secoua la tête.

— Que vais-je faire ?

Pendue à son bras, elle le regardait d'un air suppliant.

— Vous ne pouvez pas savoir à quel point je me sens seule, à faire l'entremetteuse pour chaque amoureux qui me demande de réaliser ses rêves, et mon mari qui est parti depuis si longtemps, vous ne pouvez pas savoir. Je vois bien que vous en êtes encore capable, Pantalone, et si vous voulez qu'elle se donne à vous, vous devrez vous donner à moi en premier.

Arlecchino arriva sur scène.

— Donner, donner, mais de quoi parlez-vous, tous les deux ? Oh, je vois.

Il se tourna vers Pantalone.

— Tu savais que je voulais servir d'entremetteur auprès de l'entremetteuse. Tu sais que j'ai besoin d'argent, mais non, tu fais tes arrangements toi-même, à mon insu. Tu n'es qu'un serpent !

— Un serpent futé, oui. Tu crois que je veux te payer pour quelque chose que je suis parfaitement capable de faire moi-même ?

— Eh bien, c'est ce qu'on verra. Si tu ne me paies pas, j'irai dire à Ugo que tu n'as plus besoin du violon, qui d'ailleurs est presque prêt. Il m'a envoyé te prévenir.

— Non ! Ne fais pas ça ! Il me faut ce violon.

Arlecchino se mit à fanfaronner.

— Eh bien, voyons voir… Tu veux le violon, mais tu ne peux pas l'avoir à moins de me payer pour mes services. On dirait bien que tu es pris au piège, par ta propre paillardise, dirais-je.

— Je peux me passer de tes sermons. Tu te prends pour un prêtre, ou quoi ? Aargh ! Non seulement je dois tringler cette sorcière, mais il faut en plus que je paie pour ce privilège. On dirait que je n'ai pas le choix.

Il sortit sa bourse de cuir, fourragea avant d'en tirer deux gros écus qu'il tendit à Arlecchino.

Ce dernier croqua dans les pièces, les plaça dans sa propre bourse puis esquissa une révérence. Se tournant vers la marieuse, il déclara :

— Auriez-vous l'obligeance de recevoir Pantalone d'une manière qui soit à la hauteur de l'occasion ?

— J'en serais ravie.

Elle attrapa Pantalone par l'oreille et le traîna vers les coulisses.

— Tout est pour le mieux ce soir dans le petit royaume de Crémone, philosopha Arlecchino. Un peu de viande rôtie, une cruche de vin, et je repars pour Mantoue afin de prendre possession du violon. Ah, comme la vie est douce.

CHAPITRE XI

Deux autres miracles attribués à Cambiati. On dit qu'un jour, le lion de pierre à gauche de la cathédrale a disparu. La statue aurait été retrouvée deux jours plus tard dans les roseaux, près du Pô, comme si elle s'apprêtait à y boire, et on aurait repéré des empreintes de fauve dans la boue environnante. Une vieille femme de la campagne affirme avoir vu Don Fabrizio chevaucher le lion dans la brume matinale. Lors du second miracle, une trace de pied humain aurait été trouvée sur la première marche du torrazzo, *imprimée dans la pierre. « Comment savez-vous qu'il s'agit de la sienne ? » ai-je demandé au carillonneur chauve qui l'avait découverte. « À qui d'autre pourrait-elle appartenir ? » a-t-il répliqué.*

★

UNE LETTRE DU GÉNÉRAL
DE LA COMPAGNIE DE JÉSUS

En revenant de sa visite au palais ducal, l'avocat fut accueilli à sa porte par la gouvernante.

— On vous a livré une lettre pendant votre absence, Votre Excellence.

Elle la lui remit en s'inclinant.

La missive venait de Rome, du général lui-même. L'avocat se dépêcha de regagner l'intimité de ses appartements pour la lire.

Monsignor Michele Archenti, Promotor Fidei,

Que notre Seigneur répande sur vous sa bénédiction la plus bienveillante.

Mon cher fils dans le Christ, je vous écris aujourd'hui dans l'urgence. Il se passe des choses à la curie et chez certains de nos collègues dont je pense que vous devez être informé au plus tôt.

Mais d'abord, j'ignore si vous avez appris que nous avons un nouveau pape. Il a fallu plus de deux mois aux cardinaux pour faire leur choix, mais au sixième jour du mois de juillet, le cardinal Rezzonico de Venise a été élu. Il a pris le nom de Clément XIII. Pour l'instant, on ne sait pas de quel côté il penchera, mais le temps nous le dira. Quoi qu'il en soit, son règne s'amorce sous un nuage, comme vous allez le voir.

Sans entrer dans les détails et les complications qui s'y rattachent (elles sont légion), je me contenterai de dire que les alliances changent rapidement ici, et cela n'augure pas tellement bien pour vous, ni pour moi d'ailleurs. J'ai appris de source sûre que votre collègue et prétendu ami Carlo Neri est tombé sur des informations intrigantes pendant qu'il effectuait des recherches pour vous. Il a confié ces renseignements au cardinal Cozio et, ce dernier étant comme vous le savez réputé pour sa haine des Juifs et autres infidèles, lesdites informations ont bientôt été utilisées pour empoisonner l'atmosphère du Vatican.

Je vous vois hocher la tête, persuadé que ces renseignements concernent le cas de Cambiati de Crémone. Rien ne pourrait être plus loin de la vérité. Neri, savant brillant et tenace (n'est-ce pas vous qui l'aviez surnommé « le fouisseur » ?), a découvert autre chose pendant qu'il fouillait dans le passé du candidat. Des informations personnelles à propos de vos origines. Dans nos augustes corridors, on chuchote déjà que vous, tout comme Cambiati, plus méconnu, faites partie d'une lignée qui n'a rien de pur. Comment le cardinal l'a-t-il formulé ? « Souillée par un sang corrompu », c'est ce qu'il a dit, je crois. Pour ma part, je me suis opposé à ce que l'on salisse votre réputation en votre absence. Je n'étais pas entièrement seul, mais presque. Le bon cardinal a décrété que le fait que l'avocat du diable ait du sang impur constituait un sacrilège. Il a maintenant l'oreille de Clément.

Par la force des choses, un homme de votre rang se fait des ennemis. À présent, ils se dressent contre vous. Par le passé, j'ai fermement soutenu vos judicieuses décisions, décisions qui allaient à l'encontre de candidats vénérés à Brindisi, à Venise et ailleurs. On les considère maintenant sous un nouveau jour. Votre succès joue contre vous.

Plusieurs évêques déçus et au moins deux cardinaux exigent votre censure et demandent que les verdicts qui s'opposaient à leurs favoris soient réexaminés et renversés. Cela, comme vous pouvez l'imaginer, est une complication dont ni le nouveau souverain pontife ni moi ne souhaitons être accablés. Mais plutôt que d'en blâmer les instigateurs, Sa Sainteté semble vous blâmer, vous (sous les exhortations du cardinal Cozio, il va sans dire).

Soyez assuré que je ne vous ai pas renié. J'ai mes raisons d'agir comme je le fais et, malheureusement, je ne puis vous offrir d'aide là où j'imagine que vous l'attendiez le plus. Comme toujours, je dois penser d'abord à la Compagnie de Jésus, même au détriment de certains de ses membres. Je suis certain que vous comprendrez la position difficile dans laquelle je me trouve.

Dans les circonstances, mon fils, j'aimerais savoir vous conseiller. Revenir ici serait insensé, sinon dangereux. Peu de gens, voire personne ne pourrait se permettre d'être votre allié. De toute manière, vous m'avez déjà dit que vous considériez la politique du Vatican comme un cloaque : « un harem impuissant d'eunuques chicaneurs », il me semble que c'est l'expression que vous aviez employée. À l'époque, j'avais tressailli en entendant ces mots durs. Cependant, ils se sont révélés justes, et vos pires craintes se sont concrétisées.

Il est maintenant clair que Carlo Neri sera nommé avocat du diable dans quelques jours. Vous serez relevé de vos fonctions et envoyé en mission au Japon. Je regrette de n'avoir pas pu les arrêter ni même vous obtenir une audience. Les chiens sauvages de l'ambition se sont rassemblés pour dévorer un spectre, le vôtre.

Je pars demain à Florence, pour plusieurs mois. Je serai heureux de quitter Rome en cette saison troublée. Je dois vous mettre en garde une fois de plus contre un éventuel retour : je pense que ce serait de la folie.

Je regrette d'être celui qui vous apporte les mauvaises nouvelles, mais je crois que vous sentiez que cela viendrait, un jour. Vous avez l'esprit trop libre pour un endroit pareil. Je suis persuadé que vous saurez quoi faire et que vous agirez dans le respect de la volonté de Dieu.

Dans la miséricorde infinie du Seigneur,

Général Lorenzo Ricci

Compagnie de Jésus

L'avocat examina ses paumes. *Le sang du Juif.* Affalé sur sa chaise, le regard lointain et vide, il tenait la lettre dans sa main gauche. Il n'arrivait pas à croire qu'il n'avait pas vu l'ambition de Neri. À présent, il réalisait quand tout cela avait commencé : cinq ans auparavant, lorsque le général précédent avait pris sa décision, que Neri n'avait pas été choisi pour le poste d'avocat du diable. *Il a bien caché son envie. Elle m'était absolument invisible. Je ne peux pas croire que j'en suis venu à lui faire si pleinement confiance. Quel idiot je suis, mais quel idiot ! Le complot, infusé de colère et d'ambition, a dû fermenter pendant ces cinq années où Neri dissimulait son visage, penché sur ses livres. Et maintenant, il détient le dernier morceau accablant et il l'utilise contre moi.*

Il ne servait clairement à rien de retourner à Rome, où tout était joué et terminé. En son absence, il avait été jugé, trouvé coupable et exécuté. Il n'existait plus.

Tout mon travail et mes efforts ne signifient plus rien. Que suis-je censé faire ? Où aller ? Attendre quelques mois, rentrer à Rome en rampant et supplier pour qu'on m'accorde une sinécure dans l'espoir de servir à quelque chose, quelque part, au Japon, sans doute, comme une condamnation à mort ? Je ne crois pas que je pourrais supporter une telle blessure d'orgueil. Mon orgueil… cela me rend malade. Sans compter que je serais forcé de quémander auprès de ceux-là mêmes qui ont anéanti ma réputation. Il est déjà assez terrible d'avoir des ennemis, il est encore pire de découvrir que celui que l'on considérait comme un ami travaillait contre nous en secret.

Tout était clair, maintenant. Neri ne convoitait pas seulement le prestige de la fonction d'avocat du diable : il se positionnait pour accéder au poste de général de la Compagnie ! Et il l'obtiendrait, réalisa Archenti. Il n'avait auparavant rien vu de ses machinations, mais à présent, une marée de souvenirs lui revenait et il devenait évident que Neri avait planifié ses actions pendant des années, construisant des alliances ici, là et ailleurs. Et maintenant, tout s'était mis en branle, les rouages s'engrenaient et Archenti était pris dans ce mécanisme dévastateur. *Il aura le contrôle total sur ma vie !* Il était dégoûté par cette prise de conscience, et par sa propre stupidité. Son esprit galopait, ses pensées toutes plus atterrantes les unes que les autres. Le sol se dérobait sous ses pieds. La lettre lui glissa des doigts et voleta par terre.

Il se leva et s'agrippa au dossier de la chaise. Il avait l'impression que ses jambes avaient disparu, que la terre avait perdu sa solidité ; ses membres inférieurs s'enfonçaient, il tombait dans l'espace comme une comète en chute libre, comme un enfant qui plonge dans un puits sans fond pour ressortir de l'autre côté de la planète, prêt à naître.

✴

RÊVER DE NE RIEN ÉCRIRE

Cette nuit-là, le sommeil de l'avocat fut torturé ; il se réveillait sans cesse en nage, obsédé par Neri, la colère et la déception bouillonnant dans ses entrailles. Épuisé, il finit par s'endormir comme on sombre dans des eaux insondables.

Dans son rêve, il tirait de l'eau d'un puits. Il vit que le seau était rempli d'une encre épaisse, riche, visqueuse. Il se pencha et prit une plume dans la main d'un scribe sans visage assis près de lui. Il examina la page. Le scribe était en train de tracer le mot *falena,* qui signifie à la fois « papillon » et « cendres de papier ». À ses oreilles, cela sonnait comme un nom de fille. Falena. La main du scribe continuait à bouger au-dessus de la page sans écrire quoi que ce soit.

Soudain, Elettra apparut, allongée devant lui sur son bureau, endormie. Dans son rêve, il pensait qu'elle s'appelait Falena. Elle était entièrement enveloppée d'un cocon de soie brute à travers lequel il parvenait à la voir, comme si la jeune fille flottait juste sous la surface d'une rivière. Archenti trempa la plume dans le seau d'encre et remua, mais après l'avoir placée au-dessus du front de la jeune fille, il devint si affolé à l'idée que sa pointe ne l'incommode que l'instrument se transforma en un pinceau effilé aux poils doux.

Il se mit à écrire par grands traits élégants qui évoquaient l'arabe, mais étaient en fait de l'italien. Un *e,* œil unique et bouche ouverte ; un *n,* portail dans un mur ; un *i* comme une tour surmontée d'une étoile ; le *g* du serpent, cobra digne, tête dressée par la curiosité ; le *m,* des vagues sur une rivière ; et le *a* comme la tête d'une femme aux longs cheveux.

À la base de sa gorge il écrivit *polso,* et l'encre s'y accumula comme dans un étang. Il trempa son pinceau encore une fois et inscrivit *sangue* sur son buste, et l'encre ruissela dans toutes les directions. On aurait dit une carte de Crémone avec les rues qui rayonnaient de son cœur. Il inscrivit *cuore* au bon endroit et ce fut comme si l'encre était absorbée par la soie, dans sa poitrine.

Il se mit à tapisser le cocon de mots : *souffle, musc, fleuve, brume, rosée, sommeil, songe, soie, lumière, fontaine, linceul.* Sur sa joue gauche, le mot *dédale* ; le long de son pied droit, *lait.* Il recouvrit le cocon comme le lierre recouvre un mur, comme les tributaires du Pô débordent sur les basses terres, au printemps.

Puis il sombra, noyé dans un sommeil plus profond, dépourvu de rêves.

✳

LE PLAN DE RODOLFO POUR LES RELIQUES
DE LA CHRÉTIENTÉ

Archenti remplit la musette, la jeta sur son épaule et se mit en direction de la porte du Pô. Le sac était beaucoup plus lourd qu'il aurait dû l'être vu son contenu, et il dut s'arrêter souvent pour reprendre des forces. Il marchait avec une certaine indécision, s'arrêtant de temps en temps pour jeter un œil derrière, mais poursuivait tout de même son chemin. Une heure plus tard, il était près du fleuve, son fardeau par terre à côté de lui. Il regarda l'eau, ses reflets verdoyants. Il s'y voyait lui-même, en train de flotter.

Il renversa son fourre-tout et répandit papiers et documents sur le sol. Les *positiones* qu'on lui avait remises à Rome, et tout ce qu'il avait rassemblé et noté au sujet de Fabrizio Cambiati. Il n'y avait personne dans les parages, seulement deux pêcheurs plus bas sur l'autre rive. À l'aide d'un silex, il parvint à faire jaillir une étincelle qui embrasa une feuille de papier. Il fixa la flamme ténue un instant et souffla dessus jusqu'à ce que le feu soit vif, puis il plaça la feuille sous la pile de documents. Cinq minutes plus tard, les flammes faisaient six pieds de haut et dansaient devant lui comme si Cambiati lui-même était immolé.

La fumée se déplaçait vers l'est.

De la fumée sortit Rodolfo, cliquetant avec son squelette sur le dos.

— Que faites-vous, prêtre ?

— Je brûle les papiers qui concernent la candidature de Cambiati.

— Ah, bonne idée. Ils vous alourdissaient, c'était un fardeau pour vous. Mieux vaut en être débarrassé.

Archenti émit un grognement.

Rodolfo pointa la ville du doigt.

— Regardez, des cendres de papier tombent dans les cheveux de la fille. Comme si elle grisonnait, qu'elle vieillissait sous nos yeux.

Bien qu'Elettra fût trop éloignée pour être vue de manière normale, Archenti aperçut la vision dans les yeux de Rodolfo : elle était debout devant une haute fenêtre, et les cendres des papiers concernant Cambiati se posaient délicatement sur sa tête.

— Falena, dit Archenti.

Rodolfo acquiesça.

— Asseyons-nous. J'ai une histoire à vous raconter.

Rodolfo lui poussa doucement l'épaule pour qu'il s'asseye au sol. Il tira une bouteille de vin de sa besace et la passa à Archenti, qui en prit une lampée avant de la lui rendre. Rodolfo but goulûment puis s'essuya la bouche sur sa manche.

— Il y a très longtemps, commença-t-il, quand j'étais en convalescence chez Cambiati, j'ai trouvé quelque chose dans sa bibliothèque, à l'intérieur d'un de ses nombreux traités d'alchimie. C'était une incantation secrète, un chant compliqué en plusieurs langues anciennes. Elle permettait à son utilisateur de redonner la vie, si on employait la formule avec la bonne attitude. Vous ne le croirez peut-être pas, mais je suis parvenu à ressusciter un moineau mort. J'ai réalisé cette magie plusieurs fois. Je n'en ai jamais parlé à Cambiati, bien sûr. C'était une âme si tendre, si pure, je ne voulais pas l'accabler d'un si grand pouvoir. Par ailleurs, j'étais torturé de remords à cause du meurtre de mon frère. Alors j'ai décidé d'essayer de le ramener à la vie.

« Puis, ça m'a frappé : pourquoi ferais-je une chose pareille ? Mon frère se plaignait continuellement de son existence, il ne voulait même pas vivre une première fois. Pourquoi ressusciter un être profondément malheureux ?

« Une idée magnifique m'est alors venue. En voyant l'Échine sacrée du Christ dans notre cathédrale, j'ai conçu un plan tellement incroyable que je n'ai pas pu résister à son génie et à son audace. J'allais voler toutes les reliques du Christ de toutes les églises d'Italie et Le reconstruire ; j'assemblerais le Christ comme les cinquante-huit morceaux d'un violon, puis je Le réanimerais. Le Christ revivrait ! Je commencerais par voler Son échine à Crémone et Son sang à Mantoue, puis je verserais le sang dans l'échine et je partirais de là, ajoutant fémurs, tibias, jointures et doigts, ainsi que tous les os et le reste, tirés des mille et une églises de notre royaume. Je suis allé partout, j'ai parlé à des centaines de prêtres et de savants pour apprendre où se trouvaient les reliques et comment faire pour y accéder. Et savez-vous ce que j'ai découvert ?

L'avocat secoua la tête.

— J'ai découvert que le Christ que je voulais recréer serait un monstre. Il aurait eu dix-neuf doigts, cinq jambes, treize orteils et une épine dorsale de douze pieds (Il aurait mesuré plus de vingt pieds) tant Ses reliques étaient nombreuses.

Rodolfo rit.

— C'est une histoire, prêtre. Elle vous plaît?

Archenti savait que ce n'était qu'une fable, mais quelque chose dans ce récit, quelque chose chez ce Rodolfo l'attirait et l'irritait à la fois.

Le feu était en train de mourir. Ils finirent le vin et Rodolfo se leva.

— Nous nous reverrons sous peu, mon ami. À bientôt.

Et il s'éloigna le long du fleuve.

LA COMÉDIE - ACTE SEPT

✳

UGO LE MANTOUAN LIVRE LE VIOLON

Arlecchino arriva au palais du Mantouan en fin d'après-midi et, en suivant les aboiements du mastiff, il parvint à retrouver le bossu. Assis sur une chaise à haut dossier, le petit homme contemplait une cour intérieure par la fenêtre. Le violon se trouvait sur l'extrémité d'une table en bois sombre. L'instrument luisait, semblait presque pulser comme une chose vivante.

— Il est prêt ?

— Oui, bouffon, il est prêt, dit Ugo en se tournant vers son interlocuteur. C'est un chef-d'œuvre, je te le dis, un chef-d'œuvre. Je ne peux te laisser le livrer. Il m'est trop précieux, à présent. Il est impératif que je le remette à Pantalone moi-même.

— Oui, bien sûr. Mais je croyais que tu avais du mal à quitter le palais des Gonzaga.

— Avec ton aide, j'y arriverai. C'est quand je suis seul qu'il m'est difficile de trouver une sortie. Ne me demande pas pourquoi.

— Quand partons-nous ?

— Demain matin. Je vais te conduire à tes appartements et tu pourras te reposer jusqu'à ce que j'envoie quelqu'un te chercher à potron-minet.

Arlecchino dormit tout habillé sur son lit, dans une chambre aussi étroite qu'une cellule de moine. Une simple table en bois, une armoire à miroir, un lit avec un matelas de paille creux, creux, creux, comme un cheval ensellé. Il s'éveilla d'ailleurs d'un rêve où il montait à cheval ; la bête roulait sous son corps, des nuages striaient le ciel et des vagues ondulaient plus bas. Mais qu'est-ce qui l'avait réveillé ? Un son. La musique d'un violon. Elle flottait vers lui depuis un coin reculé du palais. Un murmure entêtant, irrésistible. Arlecchino s'assit dans le lit, étira les jambes, se leva et ouvrit la porte. Il se glissa dans le corridor, éclairé par la bougie d'un grand chandelier. Il resta un moment à écouter, puis il se dirigea vers la musique.

Après plusieurs mauvais virages et culs-de-sac aboutissant dans des pièces envahies de gargouilles, de succubes, d'incubes et de cupidons replets semblables à des saucisses roses pleines à craquer, il passa devant une pièce qui servait d'ossuaire, remplie jusqu'au plafond d'os et de crânes jaunis. Il frissonna, mais, attiré par la musique crépusculaire, il brava sa peur et son dégoût.

Il arriva enfin à une porte qui lui révéla trois arches successives. Dans l'arche de la dernière pièce, Ugo jouait du violon, le mastiff couché à ses pieds, entièrement absorbé par l'os épais qu'il s'appliquait à broyer. Ugo s'arrêta, prit l'archet entre les mêmes doigts qui tenaient le violon, se pencha, frotta le cou du chien, puis s'accroupit pour lui embrasser la tête. Toujours occupé à gruger, l'animal l'ignora. Ugo se redressa, soupira bruyamment, reprit l'archet de sa main droite et recommença à jouer.

Arlecchino était envoûté. La musique était un courant noir qui circulait dans les pièces, un son riche, consistant, qui fleurait les chairs intimes et les poudres douceâtres. Elle déchaînait en lui un désir malsain, un besoin de dévaster quelque chose, quelqu'un, n'importe qui. Figé sur place, il remarqua une fresque sur le mur derrière le Mantouan. C'était une scène qu'il reconnaissait: une sorte d'apocalypse, les portes de l'enfer grandes ouvertes, une ville en flammes, des humains et des animaux en rut parmi les ruines, des squelettes qui pourchassaient des enfants paniqués, un homme qui transportait sa tête dans ses mains, une douzaine de crucifixions, un soldat qui enroulait les intestins d'une âme torturée autour de son cou. La musique du violon donna vie à la fresque qui s'agita en un bouillon gémissant d'activité frénétique et d'énergie noire, un délire incendiaire, diabolique.

Tout à coup, le mastiff redressa la tête et, sans se lever, poussa un jappement, réticent à l'idée d'abandonner cet os de premier choix pour aller débusquer la source de l'odeur qui venait de lui parvenir. Ugo cessa de jouer et regarda devant lui.

Arlecchino n'eut aucune hésitation. Il se précipita hors de la pièce et retourna d'où il était venu, trouvant son chemin dans les corridors à la lumière du jour qui commençait à filtrer faiblement par les hautes fenêtres. Une fois revenu dans son lit, il tira la couverture par-dessus sa tête.

Lorsque l'on vint frapper à sa porte une heure plus tard, Arlecchino, toujours au lit, réalisa qu'il n'avait pas fermé l'œil une seule fois depuis son retour. Le cocher d'Ugo venait le chercher pour l'accompagner au carrosse. L'haleine des chevaux fumait quand ils arrivèrent dans la cour. Le comédien se rendit compte qu'Ugo et le mastiff se trouvaient derrière lui, le talonnaient, comme si l'ombre de l'arlequin les transportait à l'extérieur du palais. Les deux hommes montèrent dans la voiture et l'animal se coucha à leurs pieds. Face à Arlecchino, le violon reposait sur le siège à côté du Mantouan, qui flattait les oreilles de son chien.

Ugo jeta un œil au violon, comme s'il hésitait à parler en sa présence.

— Je te le dis, il s'agit d'un chef-d'œuvre. Il est terriblement difficile pour moi de m'en défaire. C'est le violon le plus sublime, le plus parfait que j'aie créé. Je crois que Pantalone sera content. Non pas que cela m'importe. Il est à moi, il sera toujours mien, ma création, mon enfant.

La voiture manœuvra à travers le portail du palais ; le mastiff bâilla, se leva, tourna sur lui-même dans l'exiguïté des lieux puis se recoucha pour s'endormir.

Ugo tendit à Arlecchino un bout de pain et une saucisse sèche. Ils se passèrent une cruche de vin coupé d'eau. Le Mantouan se tournait sans cesse pour contempler le violon. Au bout d'un moment, il le prit et commença à jouer.

Dans l'espace restreint du carrosse, le son du violon rendait Arlecchino follement claustrophobe, bien qu'Ugo en jouât doucement, en sourdine. Encore une fois, sa voix lui parut contenir une plainte en arrière-fond, la vibration gutturale de sombres passions ; elle faisait monter de noires pensées à la surface de l'esprit du comédien. Il commença à sombrer, comme s'il tombait à la renverse, dans le mirage de ses rêveries et de ses fantasmes.

Pendant des heures, Ugo joua ; Arlecchino allait et venait du sommeil à l'éveil, et la voiture cahotait à travers la plaine lombarde sous un soleil caché derrière des nuages couleur de fumée.

Lorsqu'ils arrivèrent à Crémone en début de soirée, toute la fureur d'un orage s'abattait sur eux. Portée par le vent, la pluie se déversait par vagues et l'eau ruisselait sur les murs et entre les pavés. Le carrosse s'arrêta devant une ruelle trop étroite pour qu'il puisse s'y engager. Au bout se trouvait l'auberge où devait dormir le Mantouan. Arlecchino ouvrit la porte de la voiture et sauta dans la tempête tandis qu'Ugo couvrait son violon de sa cape pour descendre à son tour, précédé de son mastiff.

À l'entrée de la venelle, un cheval était attaché à un poteau. Arlecchino reconnut Cruna, la mère du poulain assassiné. Lorsque le mastiff et son maître débarquèrent du carrosse, la jument les reconnut et releva nerveusement la tête. Le chien et l'homme se mirent à courir sous la pluie en direction de l'auberge ; la jument tira de toutes ses forces sur sa corde qui se rompit. Le long roulement du tonnerre sur les plaines et dans la ville couvrit le fracas des premières enjambées de l'animal qui chargeait le Mantouan. Quand Ugo se retourna et vit l'énorme bête blanche fondre sur lui, ce fut comme une apparition. Dans sa stupeur, il lâcha le violon et bondit pour s'écarter. La jument le doubla à toute vitesse et, une fois au bout de la ruelle, accula le mastiff grondant au mur. Le violon, qui avait été heurté par un sabot, glissa sur les pavés mouillés et s'immobilisa aux pieds du chien. L'animal grogna et fit claquer ses mâchoires tandis que la jument se cabrait bien haut, battant de ses pattes antérieures. Puis, d'un coup puissant, elle s'abattit sur le mastiff. Le chien éclata comme un sac de chair et d'os, le sang giclant de sa gueule, le violon pulvérisé sous son corps. La jument piétina le mastiff encore et encore, le sang se mêlant à l'eau de pluie. Ugo, les yeux exorbités, regardait la scène. Enfin, Giorzio, le serviteur du duc, arriva au pas de course et attrapa ce qu'il restait de la corde pour reprendre le contrôle de la bête.

Toujours posté à l'entrée de la ruelle, Arlecchino était incapable de bouger. Quand Giorzio éloigna la jument, Ugo les ignora, les yeux rivés sur son mastiff. Une côte blanche brillait à travers sa fourrure. Le bossu s'approcha de l'animal brisé et s'agenouilla, les cheveux ruisselants de pluie. Il effleura doucement la tête du chien mort et souleva un morceau du violon cassé comme s'il ne le reconnaissait pas. Arlecchino continua à les observer, les yeux rivés sur le dos voûté. Puis, au bout d'un moment, il s'éloigna, laissant le Mantouan à genoux sous la pluie.

CHAPITRE XII

Un autre miracle, celui-là livré par la duchessa madre et auquel je suis enclin à croire, j'ignore pourquoi. En fait, quelque chose a changé. J'ai complètement perdu ma volonté d'être sceptique. Au départ, je ne croyais aucune de leurs histoires, convaincu que les miracles n'étaient que des rêves, des espoirs, des imaginations. Et soudainement, j'ai foi en chacun d'eux. Ils sonnent tous vrai à mes oreilles. Cet état d'esprit a clairement été précipité par le prodige que la duchessa m'a rapporté. Je suis complètement perdu, ou peut-être sauvé, qui sait ? Elle m'a donc raconté que le duc et elle possédaient un vieux violon fabriqué par maître Niccolò à l'époque de Cambiati, violon avec lequel le luthier avait parfois joué pour le prêtre alors qu'il peignait. En 1713, le jour de la fête de Fabrizio, elle se rappelle avoir vu surgir, au cœur de la spirale du manche de ce vieil instrument sec, une feuille verte et fraîche.

UN GRAND SAUT

Haut dans les cieux, sans que personne l'ait remarquée, la comète courait dans les champs d'étoiles, tournoyait à travers le temps au-dessus de la tête des comédiens, des prêtres, des amants, des saints et des démons. Pendant soixante-seize ans, elle avait filé dans l'éther et, maintenant, elle revenait sur la scène humaine, elle sortait une fois de plus des bancs de brume, tard un soir, tôt un matin, traînant sa queue scintillante chargée d'événements, de hasards et de coïncidences, sa queue qui partout semait lumière et étincelles.

Le jour du mariage d'Elettra commença sous une bruine dense, avant l'aube. Après s'être habillée, elle ouvrit sa porte et tendit l'oreille pour entendre les ronflements du serviteur qui gardait la lourde porte du palazzo. Sans effort, elle fila sous son nez, hors de la maison et dans la rue, puis courut vers la grand-place. Juste avant de partir, elle avait avalé un doigt de belladone pour agrandir ses pupilles et paraître plus belle, une astuce qu'elle tenait de son arrière-grand-mère.

En se faufilant entre le baptistère octogonal et la cathédrale, elle remarqua à travers les bandes de brouillard ondulant sur la piazza une silhouette qui déambulait, les épaules voûtées, le regard rivé au sol. Elle fut surprise de reconnaître Michele. Elle faillit l'appeler, mais se retint, préférant l'observer. Il s'arrêta à l'entrée du campanile, pivota et regarda dans la direction d'où il était venu, sans voir la jeune fille. Puis, comme s'il venait de régler quelque chose dans son esprit, il pencha la tête, tourna les talons et disparut à l'intérieur de la tour.

Que pouvait-il bien fabriquer? La veille, en fin d'après-midi, elle avait demandé à sa servante la plus fidèle de lui livrer un mot en secret. Dans son message, elle lui demandait – non, lui intimait – de la retrouver le lendemain matin près de là, dans un endroit caché sous un portique en face de la cathédrale. Ils n'étaient plus qu'à dix minutes de l'heure dite. Elle avait l'intention de lui déclarer son amour, et elle était certaine qu'il la suivrait dans la fugue qu'elle avait organisée. En fait, il lui était impossible d'imaginer qu'il ne réponde pas par l'affirmative; elle était si sûre de son amour pour lui qu'elle ne pouvait même pas envisager qu'il ne partage pas ses sentiments, ou que sa réaction soit mitigée. Ils courraient aux écuries, récupéreraient la bourse d'argent qu'elle y avait cachée, puis ils prendraient sa jument et chevaucheraient ensemble vers le fleuve. Quand on se rendrait compte que son lit était vide, ils seraient déjà loin. Elle ne s'était pas demandé ce qui arriverait par la suite.

Dissimulée dans la grisaille et le brouillard de cette fausse aube, elle hésitait. Elle savait qu'elle prenait un risque terrible, mais c'était le jour de ses noces et elle ne pouvait supporter l'idée de passer une seule nuit avec l'exécrable Pasquali. Elle ne doutait pas que Michele Archenti fût amoureux d'elle. Elle avait lu dans son cœur comme dans le sien; c'était clair. Et puis, le rossignol n'avait-il pas chanté, deux nuits auparavant, au moment exact où, dans son lit, elle avait prononcé son nom à voix haute? C'était un signe. Mais à présent... pourquoi allait-il dans la tour? Pourquoi maintenant? Ce n'était pas le lieu de rencontre qu'elle avait indiqué dans sa lettre.

Elle se dépêcha de traverser la place pour atteindre le *torrazzo*, y pénétra, souleva ses jupes et gravit les marches quatre à quatre, montant en spirale vers les cieux.

Lorsqu'il eut atteint le sommet du campanile, Archenti haleta quelques instants. Tout en bas, la campagne et la cité s'étalaient. Le brouillard était plus épais au bord du Pô ; on aurait dit un serpent blanc qui sortait du fleuve en se tortillant, en ondulant. Il se prit la tête entre les mains. Puis, il retira sa soutane sous laquelle il portait des vêtements ordinaires, et il lança l'habit en bas de la tour. Il contempla le fait qu'il n'était plus avocat du diable, qu'il n'était plus Monsignor Archenti. Il était redevenu Michele Archenti, simplement, comme au commencement, comme toujours. Un homme, rien de plus, rien de moins. Il regarda l'étoffe noire flotter vers le sol comme un linceul vide.

Puis il grimpa sur le muret en chancelant. De sa poche, il tira l'enveloppe que lui avait envoyée la jeune fille, toujours scellée. Il sentait que la missive était d'une importance cruciale, mais il avait peur de l'ouvrir ; il ne pouvait se résoudre à lire ses mots, quels qu'ils soient. S'en voulant de sa faiblesse, il déchira la lettre en mille morceaux qu'il jeta en bas. Il regarda le Pô au loin, imaginant qu'il palpitait comme une veine géante dans le cou du dieu du fleuve. Il se vit se débattre dans les airs comme Icare dans sa chute, depuis la tour jusqu'à son reflet à la surface du fleuve. *Je ne peux pas faire ça. Mais il le faut. Il le faut!* Il n'arrivait pas à comprendre pourquoi. L'explication la plus rationnelle ne signifiait rien face au poids de la déception qu'il éprouvait envers la vie, envers lui-même. Où pouvait-il aller sinon à Rome, ce qui était désormais impossible ? Pourquoi ne parvenait-il pas à suivre ses sentiments pour la jeune fille ? Ou alors, pourquoi ne pouvait-il pas simplement l'oublier ? *L'un ou l'autre ; tout sauf cette fièvre, cette indécision.*

Tout à coup, il se rappela être allé à son bureau avant de quitter son logement. Agité et inquiet, il avait pris le suaire de Cambiati et l'avait fourré dans sa poche. Il l'en sortit et le tint dans sa main. Une prière monta spontanément à ses lèvres. « Saint Fabrizio, s'il vous plaît, aidez-moi en cette période difficile. » *Voilà que je prie un homme dont je ne suis toujours pas certain qu'il soit un saint ! Et pourtant, malgré tout, je commence à croire à ses miracles. Aidez-moi, bon Fabrizio. Oui, aidez-moi à décider. Aller vers la fille ? Rentrer à Rome, dans cette affreuse vacuité, dans cette atmosphère empoisonnée ? Étrangler Neri de mes mains ? Sauter ? Faire quelque chose, n'importe quoi !*

Complètement vide, il ne trouvait pas de bonnes raisons de ne pas sauter.

— Michele ? Que faites-vous ?

Il regarda derrière lui et aperçut la jeune fille, hors d'haleine au sommet de l'escalier. Ses yeux étaient rivés sur lui.

Il se détourna et désigna le lointain.

— Croyez-vous que j'arriverais à plonger dans le Pô, d'ici ?

— Seulement si vous aviez des ailes. Le fleuve est loin.

Il fixa l'horizon et déglutit.

— J'ai reçu votre mot. J'avais… j'avais peur de l'ouvrir.

— Cela n'a plus d'importance. Descendez. Parlez-moi.

Il fut abasourdi de sentir que, comme toujours, ce qu'elle disait sonnait comme un commandement. Un ordre doux, mais un ordre quand même. En vertu de sa position, elle s'octroyait un pouvoir sur lui, et il s'y pliait. Sans poser la moindre question. Il descendit, remit le suaire dans sa poche, et ils s'assirent contre le mur.

— Regardez, dit-elle. Dans le ciel. Cette étoile, là, elle bouge. Comme une étoile filante qui ne s'éteint pas.

La comète, tel un pinceau imbibé de pigment argenté, était encore visible dans la lumière de l'aube qui tardait à poindre. Ils ne dirent rien, se contentant de la regarder. Enfin, il détourna la tête, se couvrit la figure de ses mains et se mit à trembler. Elle appuya sa tête contre lui ; il se cachait toujours le visage. Au bout d'un moment, ses soubresauts cessèrent. Il voulut parler, mais elle plaça son doigt sur ses lèvres.

— Écoutez, dit-elle en se penchant vers lui.

Quelques instants plus tard, elle acheva de lui murmurer à l'oreille ce qu'elle avait planifié en secret pour eux. Son souffle était un vent lumineux qui nageait à travers lui. Lorsque les deux aiguilles de l'horloge du campanile se rejoignirent pour indiquer six heures trente, elle lui prit la main et la colla contre sa joue. Elle mit son autre main derrière la tête d'Archenti, agrippa son épaisse et riche chevelure pour l'amener vers elle, sur elle.

Haut dans les cieux, la comète clignota et se fit plus brillante ; une étoile d'une beauté singulière tombait dans l'espace.

Quand ils eurent fini, le brouillard s'était complètement dissipé et la lumière pleuvait sur la ville. C'était une matinée d'une clarté remarquable, la journée idéale pour un mariage.

LA JOURNÉE IDÉALE POUR UN MARIAGE

Peu de temps après avoir ouvert son cœur à Michele, Elettra entraînait Cruna hors de l'étable. Un chœur d'oiseaux accueillait le début de la journée. Dans le petit matin, le ciel était d'un bleu pâle comme elle n'en avait jamais vu. Le garçon d'écurie ne s'étonnait pas de la voir là, car Elettra montait souvent à cheval aux premières heures. De toute façon, ce n'était pas à lui de remettre en cause ses actions, si inhabituelles soient-elles. S'efforçant timidement de ne pas la regarder, il sella donc le cheval et l'aida à monter. Elle s'éloigna sans regarder derrière.

Dans l'ombre de la porte du Pô, déjà ouverte pour laisser passer les pêcheurs descendus au fleuve à l'aube, Michele attendait. Pendant qu'il patientait, il considérait les incommensurables événements qui s'étaient produits sur la tour. Tout avait changé. Elle lui avait révélé le secret de Cambiati et de la *duchessa*, dont il se doutait depuis longtemps. Cambiati, réalisa-t-il, était l'ancêtre de la jeune fille.

Elettra arriva et il sauta derrière elle. En quelques secondes, ils avaient passé la porte et galopaient dans les champs aux herbes étincelantes, à bout de souffle, incapables de parler.

Pendant que, de ses cuisses, elle poussait le cheval à accélérer, Archenti, cherchant à s'accrocher à quelque chose, entoura la taille d'Elettra de ses bras. Les rênes dans une main, elle posa l'autre sur les siennes et les attira contre son ventre.

Ils se dirigeaient vers le fleuve et, quand ils arrivèrent, ils empruntèrent un sentier qui suivait les courbes du cours d'eau. Archenti voyait leur reflet dans l'eau, son reflet et celui de cette belle jeune femme volontaire qui filaient sur un cheval. C'était comme un rêve en plein soleil.

Étourdi par l'excitation et la peur, il se demandait si quelqu'un les avait suivis et souhaitait qu'ils puissent aller encore plus vite. Il se retourna et ne vit rien. Puis, il distingua un filet de fumée qui sortait d'une cheminée au loin, et il sut que la ville s'éveillait. On découvrirait bientôt leur absence. Il se tourna vers le fleuve, les champs, le matin qui montait de la terre et les spectres de brume qui virevoltaient hors des eaux.

✴

UN FLOT DE PAPILLONS À SOIE

La vieille *duchessa* ne dormait presque plus. En fait, elle trouvait ardu de distinguer l'éveil du sommeil. Il lui semblait qu'elle passait souvent la nuit allongée, du coucher au lever du soleil, sans jamais fermer l'œil. D'autres fois, elle avait l'impression de traverser des jours entiers comme si elle était profondément endormie et qu'elle rêvait des événements de la journée.

Étendue dans son lit, elle regardait par la fenêtre, où les premières lueurs diffuses de l'aube coloraient le ciel en gris, rose et blanc. C'est alors qu'elle aperçut un objet noir déroutant, semblable à un corbeau brisé ou à un fantôme sans tête pris de spasmes, qui flottait lentement. *Dieu du ciel, qu'est-ce que c'était que ça ?* Avec tous les ratages et craquements propres aux os d'une femme de plus de quatre-vingt-dix ans, elle s'extirpa du lit et traîna les pieds jusqu'à la fenêtre pour regarder dans la rue. Elle fixa la chose pendant cinq bonnes minutes avant de comprendre de quoi il s'agissait. *Une soutane. Une soutane de prêtre ? J'ai vu bien des choses dans ma vie, mais…* Elle leva les yeux au ciel et vit une traînée lumineuse qui parcourait le firmament. *Quel matin étrange.* Elle retourna s'asseoir sur son lit et réfléchit.

Elle dut s'assoupir quelques instants, car elle s'éveilla en sursaut. Devant elle se tenait… une apparition ? un spectre ? un souvenir ? Elle ignorait comment le nommer, mais elle était bien certaine qu'il s'adressait à elle.

— Ma chère, chère *duchessa.*

— Fabrizio ? C'est vous ? Après toutes ces années ?

— Oui.

— Vous n'avez guère vieilli.

Elle marqua une pause.

— Ils veulent vous canoniser.

— Quels imbéciles.

— Je n'ai rien dit à l'avocat au sujet de notre… notre…

— Je sais. Vous avez tenu parole. Vous avez un cœur merveilleusement bon et je vous remercie. Mais je suis ici pour vous demander une faveur.

— Une faveur ?

— Oui. Vous évoquiez l'avocat. La faveur que je sollicite le concerne, ainsi que votre arrière-petite-fille Elettra.

— Ah oui, elle s'est entichée de lui. Mais elle épouse le jeune Pasquali aujourd'hui, et tous ses rêves de petite fille vont devoir cesser. C'est dommage, mais ainsi va le monde. Le garçon n'est pas si mal, en fait. Je suis sûre qu'elle finira par l'aimer, avec le temps.

— Je crains qu'elle ne soit un peu plus entêtée que vous le pensiez. Elle s'est enfuie avec le prêtre.

— *Dio mio !*

Elle baissa la tête.

— Mais je ne devrais pas m'en étonner. J'imagine que c'est en partie ma faute.

— Le duc vient d'être informé par la servante de la petite que celle-ci n'est pas dans sa chambre, et bientôt, un garde à la porte du Pô lui dira que l'avocat et elle ont été vus en route vers le fleuve. Il ne fait aucun doute qu'ils seront rattrapés. Je vous demande de bien vouloir partir en carrosse dès maintenant. Votre sang-froid sera nécessaire pour éviter que ce petit *opera buffa* tourne au tragique. Dites à votre cocher de suivre la piste du duc, car il rattrapera bientôt les deux fugueurs et il faudra que vous y soyez. Michele aura besoin de votre aide. Allez, maintenant.

— Attendez, Fabrizio. Il faut que je sache. Est-ce uniquement l'élixir, le philtre d'amour, qui nous a poussés l'un vers l'autre, ou y avait-il autre chose ?

Elle le considérait d'un regard inquisiteur.

— Ma chère *duchessa*. Je vous aimais longtemps avant l'élixir, et je vous ai aimée longtemps après. La potion, la musique, le magnétisme des étoiles… tout cela n'a fait que nous aider à laisser libre cours à nos sentiments les plus profonds.

Il sourit.

— Je vous aime depuis toujours.

Sur ces mots, Fabrizio Cambiati disparut.

La *duchessa* resta là un moment, avec le sourire de Fabrizio qui s'attardait dans son cœur. Puis, elle appela sa servante pour qu'on l'habille en vitesse. Une fois vêtue, elle sortit de sa chambre, frappant le plancher de marbre de sa canne en criant «Carlo! Carlo! » pour appeler son cocher.

Après cette longue course, Cruna transpirait abondamment et haletait. Elle avait besoin de boire. Elettra et Michele descendirent et laissèrent la jument se désaltérer bruyamment au fleuve. Puis, ils se mirent à marcher avec le cheval sur le sentier qui bordait le cours d'eau, tandis que le soleil pointait sur l'horizon.

Ils avaient cru que l'on mettrait un moment à remarquer l'absence d'Elettra, et que le duc aurait beaucoup de mal à découvrir quelle direction ils avaient prise. Ils n'avaient pas songé au fait qu'un deuxième cavalier ralentirait Cruna.

Le duc Pietro et ses six hommes les rattrapèrent si rapidement qu'ils n'eurent même pas le temps de remonter à cheval pour s'enfuir. Pantois, Archenti et la jeune fille virent des chevaux apparaître d'un tournant, leurs sabots martelant le sol. Ils n'étaient qu'à cent verges du couple. Elle reprit ses esprits avant lui.

— Sautez dans le fleuve. Sautez !

— Je... je ne sais pas nager.

La jeune fille baissa la tête.

— Tout est perdu maintenant. Perdu !

Les cavaliers les encerclèrent. Le duc descendit et fit signe à ses hommes d'en faire autant. Il ne dit rien, mais toisa le prêtre et se mit à tourner en rond autour de lui. Michele Archenti demeurait immobile, les yeux baissés, mortifié.

Finalement, le duc cracha.

— Ma fille. Le jour de ses noces. Et vous, un prêtre.

Il dégaina son épée.

— À genoux.

Elettra se précipita devant Michele.

— Non, Père ! Je vous en prie.

Le duc la repoussa brutalement, le regard rivé sur le prêtre qui s'agenouillait en fixant le sol, tête baissée.

— Je vais vous embrocher pour ça. Ah, les prêtres !

L'épée étincela sous le soleil lorsqu'il la souleva pour la pointer sur la poitrine d'Archenti. Un des hommes du duc retenait la jeune fille qui se débattait.

Tous se retournèrent en entendant le bruit d'un carrosse. La voiture s'arrêta, la porte s'ouvrit et la *duchessa madre* en sortit tant bien que mal, aidée par un des soldats. Le duc la regarda s'approcher, son épée toujours posée sur le cœur d'Archenti.

La vieille femme considéra le prêtre et secoua la tête. Elettra se plaça derrière son arrière-grand-mère et regarda la scène. Le duc dévisageait toujours la *duchessa* comme s'il espérait qu'elle parte pour pouvoir poursuivre ses sanglantes activités. Mais elle le regardait d'un air inébranlable, et quand elle prit la parole, Archenti remarqua que sa voix était soudainement pleine de force, ses mots empreints de la même autorité qu'il avait si souvent perçue dans les déclarations d'Elettra.

— Je vais ramener la petite, maintenant. Tu es mon petit-fils, tu feras ce que je dis. Tu te montreras clément et, après qu'il aura promis de ne jamais revenir à Crémone, tu laisseras partir le prêtre. Est-ce que tu comprends ?

Le duc hésita. Ses yeux passèrent de la *duchessa* au prêtre ; il grimaça.

— M'as-tu entendue ? demanda-t-elle, moins fort, mais avec plus d'insistance.

D'un coup de pied rageur, le duc couvrit le prêtre de poussière, mais il baissa son épée et l'enfonça dans son fourreau. Sans un autre regard pour qui que ce soit, il enfourcha son cheval, puis ses hommes et lui filèrent vers Crémone à bride abattue.

La *duchessa* retourna vers son carrosse en s'appuyant sur sa canne, puis, devant la porte, elle attendit silencieusement la jeune fille, qui embarqua avec un gémissement. La vieille dame se retourna et examina le prêtre, qui était toujours agenouillé.

Quand il finit par lever les yeux, elle soupira et secoua à nouveau la tête. Elle prit ensuite un objet dans la voiture et le lui lança. Sa soutane.

Puis elle lui sourit, du fond du cœur. Mais c'était le sourire d'une jeune femme, qui pardonnait à quelqu'un d'autre, un prêtre différent, à une époque révolue. À cet instant, Archenti la trouva éblouissante. Elle pivota et, avec l'aide de son cocher, Carlo, grimpa dans le carrosse aux côtés d'Elettra qui enfouit son visage entre ses mains.

Michele Archenti resta à genoux jusqu'à ce que la voiture ait disparu. Avec peine, il se releva puis tourna en rond, cherchant les quatre points cardinaux, contemplant les champs, le fleuve, le ciel vide. Étrangement, il se sentait libéré. Incertain de la direction à prendre, il pouvait aller n'importe où. Il ramassa sa soutane. Les oiseaux chantaient dans les peupliers de Lombardie qui bordaient la rivière. Il regarda vers la cité puis ferma les yeux un instant.

Quand il les rouvrit, il vit Rodolfo qui s'approchait sur le sentier.

— Prêtre, appela-t-il, venez marcher avec moi.

Archenti avait sa soutane dans la main. Il la considéra, réfléchit puis l'enfila sens devant derrière.

En silence, ils longèrent le Pô un moment. Puis Archenti fit volte-face en entendant un bruit.

— Quoi?

Le duc et trois de ses hommes étaient revenus. Ils se rapprochèrent et sautèrent de leurs montures. Archenti et Rodolfo les attendirent sans bouger.

Le duc dégaina son épée et marcha vers eux.

— Elle vous a peut-être sauvé la vie, prêtre, mais vous ne vous en tirerez pas à si bon compte.

Les trois soldats empoignèrent Archenti et Rodolfo recula en les observant. Un soldat tint le bras et la main gauches de l'avocat contre un arbre pendant que le duc s'approchait.

— Celui-là, dit-il à un soldat en pointant son épée.

Le soldat écarta les doigts d'Archenti et, d'un petit coup de lame, le duc lui trancha l'annulaire. Libéré, le prêtre tomba à genoux en hurlant et en serrant sa main contre son ventre pendant que le quatuor remontait à cheval et repartait sans regarder en arrière.

Rodolfo dit à Archenti de plonger sa main dans l'eau froide du fleuve en appliquant une forte pression en haut de la coupure pour juguler le saignement. Pendant que le blessé s'exécutait, Rodolfo revint sur ses pas et ramassa le doigt où il était tombé.

Il le montra à Archenti.

— Je vais l'apporter dans une église et leur dire que c'est le doigt de saint Cambiati.

— C'est idiot. La canonisation est une affaire futile, Rodolfo. Jette-le.

Rodolfo ne le jeta pas ; il garda le doigt, ne sachant pas trop quoi en faire.

Archenti avait retiré sa main du fleuve. Il se souvint du suaire dans sa poche et l'en sortit avec l'intention de l'utiliser pour bander sa plaie. Avant qu'il ne puisse le faire, Rodolfo s'empara du tissu et en déchira une bande. Il rendit le reste à l'avocat et enveloppa le doigt qu'il fourra ensuite dans son baluchon. Archenti prit son bout du suaire et l'enroula avec précaution autour de sa main, la pansant avec ce qui avait jadis été le linceul de Fabrizio Cambiati.

Plusieurs heures plus tard, ils marchaient en silence vers l'est, suivant le Pô. Le fleuve pulsait de lumière. Un flot de papillons à soie qui venaient d'éclore jaillit de la poche d'Archenti.

LA COMÉDIE - ACTE HUIT

LA PIÈCE SE CONCLUT : L'AMOUR EST PARTOUT

Sur scène, les musiciens interprétaient une série de sonates pour violon. Pendant qu'ils jouaient, les invités arrivaient deux par deux au mariage d'Ottavio et Aurora. Ils entraient côté cour, leurs noms étaient annoncés par un Pantalone déconfit, puis ils traversaient la scène pour ensuite ressortir côté jardin. Les comédiens portaient tous cinq costumes les uns sur les autres ; chaque fois qu'ils passaient en coulisses, ils enlevaient une couche avant de revenir sur scène et d'être présentés à nouveau par Pantalone. Aucun des spectateurs n'était assez malin pour remarquer que les gros invités arrivaient les premiers, suivis de ceux de taille moyenne, et finalement des maigrichons.

De manière à gonfler leur nombre, les comédiens avaient invité des habitants de la ville à monter sur scène, dont plusieurs enfants, l'entremetteuse et Ugo le Mantouan. Ugo avait l'intention d'accepter l'invitation, mais il fut retenu ailleurs. Quelque chose de complètement inattendu lui était arrivé.

Comme dans tous les mariages, il y avait de l'amour dans l'air. Cette émotion toujours dangereuse infectait tout le monde, peu importe où, même Ugo dans son lointain et froid palais. Soupirant devant son miroir, celui-ci avait décidé qu'avant de partir pour la noce, il lui fallait poser les yeux sur sa douce, son immortelle captive dans sa chambre de poussière et d'objets d'art anciens. Il se hâta dans les longs corridors, hors d'haleine, s'émerveillant encore de parvenir à voir non pas un corps desséché, presque momifié, mais la belle jeune fille qui habitait encore sa mémoire. Il arriva enfin devant la pièce et resta sur le seuil pour la regarder. Au bout d'un moment, il eut envie d'être plus près d'elle. Sachant combien il était risqué d'entendre le poème et d'être pris dans le piège de ses rythmes, il tira de sa poche une paire de boules de cire molle qu'il enfonça dans ses oreilles. Puis il entra dans la pièce avec une bougie allumée. En s'avançant vers elle, il approcha la lumière de son visage tandis qu'elle continuait à lire le poème. À ses yeux, elle était encore belle ; elle serait toujours belle, avec ses lèvres somptueuses, sa peau laiteuse et ses yeux d'un bleu glacé. Il prit une chaise droite, s'assit et déposa la chandelle sur la table voisine. Perdu dans ses rêveries, il n'eut pas conscience d'incliner la tête. Sans qu'il s'en rende compte, la flamme de la bougie commença à faire fondre la boule de cire. En un instant, elle devint liquide et coula de son oreille.

Sa voix ! Sa voix ! Je l'entends ! se réjouit Ugo. Subjugué, il continua de l'écouter, à jamais captif.

Pendant ce temps, au mariage, les musiciens jouaient toujours. L'amour émanait de la scène sous forme d'arabesques de nuages qui se dissolvaient dans le ciel d'un bleu luminescent. La mariée s'avança, vêtue d'une robe de samit écarlate, d'une traîne qui faisait la moitié de la scène et d'un collet d'hermine blanche. Ottavio, séduisant et fier avec son chapeau à plumes blanches, rayonnait de bonheur. La cérémonie se déroula rapidement, la mariée reçut la ceinture d'argent qui scellait l'union et un grand festin commença.

Les invités se servaient à une longue table chargée de pain, d'œufs durs, d'une meule de fromage aussi large qu'une roue de charrette, de bœuf et de mouton rôtis, de poissons du fleuve et de la mer, de chapon, de poulet, d'une tête de sanglier, de gelée de pattes de sanglier, de pigeon, de gibier aquatique, de raisin et de dessert. Les vins venaient d'aussi loin que la Toscane et le Piémont et de partout entre les deux, ainsi que des quatre coins de la Lombardie : barbaresco, barolo, grignolino del Monferrato, chianti, ruché, dolcetto, freisa, des mousseux de Carmignano, de Sassella et de Grumello. Et aucun n'était coupé d'eau, sauf pour les enfants, bien entendu. On fit circuler des cruches dans l'assistance, et quand les musiciens entamèrent l'irrésistible deuxième allegro de la *Sonata Ottava* d'Arcangelo Corelli, Arlecchino, vêtu d'un habit à pois, attrapa la mariée et ouvrit la danse. Sur scène comme dans l'auditoire, tous se joignirent à eux.

Pendant ce temps, les serviteurs du duc apportèrent un grand pâté qui contenait du jambon, des œufs, du poulet, du porc, des dattes, des amandes, du sucre et du safran, tous les ingrédients rassemblés dans un seul et immense friand afin de contourner les lois somptuaires qui permettaient un maximum de trois plats dans un repas de noces. Bien entendu, ils avaient déjà enfreint ces lois dans tous les sens, mais le duc ne pouvait être associé à l'anarchie typique des acteurs.

À l'avant-scène, côté jardin, Pantalone avait l'air abattu. Arlecchino tourbillonna vers lui avec Aurora, et quand le vieux roublard tendit les bras vers elle, Ottavio arriva et s'éloigna en dansant avec son épouse.

— Ne sois pas triste, Pantalone, dit Arlecchino en lui tapotant le dos, essoufflé. De toute façon, le violon magique est détruit, il a été piétiné par le cheval du duc. Ça n'aurait jamais marché pour toi. Alors amuse-toi, viens faire la fête avec nous, allez !

Pantalone pivota, prêt à tancer le bouffon. À cet instant, la costaude marieuse fondit sur le vieil homme, le souleva dans ses bras tel un squelette léger comme l'air, l'écrasa contre sa gigantesque poitrine et le fit valser sur la scène.

— Danse, mon ami ! lui cria Arlecchino. C'est bon pour toi. Profites-en, profites-en, car la vie est courte. Profite !

Il fendit la foule pour retourner à la table, prit une grande gorgée de vin et, avec un éclat de rire, plongea le visage dans l'immense pâté.

À ce moment, Aurora regarda vers le ciel et pointa le doigt en s'exclamant :

— Regardez, tout le monde ! Même en plein jour, on la voit !

Tous les comédiens et tous les spectateurs passés et futurs s'arrêtèrent, et levèrent les yeux vers le firmament.

CHAPITRE XIII

Le temps est le premier miracle. Et le dernier.

*

LE SAINT PATRON DES MERVEILLES

26 août 1682, à l'aube

Au sommet de la tour, Fabrizio et Omero continuaient de contempler la cité de Crémone. La comète s'était fondue dans l'aube, lumière dans la lumière. Un instant avant qu'elle ne s'évanouisse, Fabrizio avait dit :

— Regarde, Omero, la comète se reflète dans le fleuve.

Puis elle avait disparu.

Avec le *telescopio*, Fabrizio observa l'avocat du diable se promener avec Rodolfo et, sur son dos, le squelette qui paraissait heureux de les accompagner. Ils flânaient au bord du Pô en devisant. Au moment où Michele Archenti passait à côté d'une enfilade de peupliers de Lombardie, Fabrizio vit un flot de papillons à soie blancs s'échapper de la poche de sa soutane. Archenti et Rodolfo déambulèrent ensemble avant de disparaître au loin, dans la brume d'un bleu poussiéreux.

Une fois de plus, Fabrizio éloigna le *telescopio* de son œil et l'examina.

— Un instrument formidable, en somme.

À un moment donné, pendant leur longue nuit d'attente et le passage de la comète, le sirocco était tombé, parti là où vont les vents qui meurent.

En scrutant la ville, Fabrizio murmurait pour lui-même. Omero distinguait à peine les mots qu'il avait déjà entendus. « Une pierre qui n'est pas une pierre, une chose précieuse qui n'a pas de valeur, une chose aux formes multiples qui n'a pas de forme, une chose inconnue que tout le monde connaît. »

Le valet s'assit et s'appuya contre le mur intérieur du campanile. En changeant de position, il heurta des briques du coude et en fit tomber quelques-unes. Fabrizio se tourna vers lui et, dans la cavité nouvellement créée, il aperçut un objet blanchâtre.

— Qu'est-ce qu'il y a là-dedans ? Derrière toi ?

— Quoi ?

Fabrizio approcha et, contournant Omero, il plongea la main dans le trou pour en retirer un crâne, deux doigts dans une orbite.

Omero recula la tête.

— *Dio mio !* Si nous avons grimpé la sainte échine de Dieu, alors ceci doit être Son crâne sacré.

— Une idée intrigante, mais non. J'ai bien peur que ce ne soit simplement le crâne d'une pauvre âme morte à l'époque où l'on bâtissait le *torrazzo*. Peut-être même l'homme est-il mort en tombant pendant sa construction, la tête fracassée contre celle d'un des saints de marbre, en bas. Ou peut-être est-ce une relique mineure de cette période – un martyr ou un autre – que l'on aurait délibérément installée ici en guise d'offrande aux cieux.

— Peut-être est-ce le saint patron des comètes.

Omero prit le crâne, le tint au bout de son bras et contempla les orbites vides.

Fabrizio le regardait aussi.

— Jadis, cette tête était remplie de désirs et de rêves, Omero, comme la tienne, comme la mienne ; une tête remplie d'histoires tristes et de souvenirs heureux maintenant envolés, partis au vent, dans l'éther.

— Je me demande ce que ça veut dire.

Fabrizio haussa les épaules et retourna à son *telescopio*.

— Je ne sais pas. Tout ? Rien ? Autre chose ? C'est ce que c'est. Que veulent dire les étoiles ?

Pendant qu'il parlait, il avait remis le *telescopio* devant son œil et le dirigeait vers quelque chose sur la place.

— L'émerveillement, Omero. L'éblouissement. C'est tout.

Après cette longue et épuisante nuit à observer le ciel, Omero sombra dans un profond sommeil, le crâne posé sur sa cuisse. Fabrizio, qui continuait à scruter les cieux et la ville, croyait que son valet l'écoutait toujours.

— La vérité vraie sur les comètes, Omero, est qu'elles portent avec elles le pouvoir de l'amour, un pouvoir qui revient toujours, celui de rapprocher des êtres en apparence éloignés les uns des autres. Finalement, les comètes entraînent dans leur sillage le pouvoir de créer la vie à partir de rien. Là où seuls le néant et l'obscurité infinie régnaient, une lueur apparaît de nulle part et le monde est renouvelé, recommencé.

Percevant les paroles de Fabrizio dans son sommeil, Omero présuma qu'il entendait le bourdonnement de voix, d'abeilles et d'étincelles qui rebondissaient à l'intérieur du crâne qu'il tenait toujours sur sa cuisse. Incapable de comprendre les mots, il savait cependant qu'ils constituaient le récit d'une longue histoire compliquée, sans début ni fin. Puis, son rêve changea de couleur et une voix l'appela au loin. *Mais oui*, pensa-t-il. *Je sais ce que ça veut dire, maintenant. L'énigme de la pierre philosophale. « Une pierre qui n'est pas une pierre, une chose précieuse qui n'a pas de valeur, une chose aux formes multiples qui n'a pas de forme, une chose inconnue que tout le monde connaît. » C'est l'enfant à naître, le fœtus sans nom dans sa matrice.* Il avait hâte de le dire à Fabrizio.

Le prêtre éloigna une dernière fois le *telescopio* de son œil. Il leva la tête au moment où un vol de colombes quittait le sommet de la tour, au-dessus de sa tête, chatoyant dans le bleu du ciel comme la chaleur qui monte d'un four d'alchimiste.

— Omero, mon ami, j'ai vu beaucoup de choses, dans le ciel et sur la terre, peut-être plus que ce qu'un homme devrait voir, bien que tous les hommes voient la même chose : assez de souffrance pour attrister un cœur heureux, mais aussi beaucoup de joie. La naissance et la mort, puis la naissance encore, dans la grande roue du temps.

Dans l'ombre, Omero continuait de dormir.

— Regarde. Le soleil lance sa première flèche et, dégagé de la brume, le Pô s'est mis à briller.

Avec le premier rayon de soleil, quelqu'un, plus bas dans la tour, fit sonner les cloches et, en dessous, l'horloge tictaqua et tourna pendant qu'au cœur de la ville, une petite fille naissait. Au même moment, le germe de la vie amorçait son périple dans le ventre d'une autre fille qui traversait la porte du Pô avec son arrière-grand-mère, des années plus tard, par une journée qui commençait elle aussi avec le chant du coq, l'odeur de la fumée et les violons qu'on accordait.

— Nous allons descendre maintenant, Omero. Je ne suis pas un saint, tu sais. Pas un saint. Je crois que j'ai eu la chance d'entrevoir le visage du paradis, son inconcevable éclat semblable à celui des visages de ceux que j'aime, à celui de mon reflet dans un fleuve de lumière. Mais il nous faut redevenir des hommes ordinaires, retourner faire ce que nous pouvons pour aider notre prochain. Il faut redescendre, maintenant. Omero? Omero, debout!

NOTE SUR LES NOMBRES DE FIBONACCI

L'histoire du *Saint patron des merveilles* est racontée en treize chapitres et huit actes. Connus comme les nombres de Fibonacci, le 8 et le 13 ont un ratio approximatif de 1 pour 1,6, ce qui est la proportion mathématique du nombre d'or, souvent utilisé en art, en architecture et en musique entre les XIVe et XVIIe siècles en Italie.

La suite de Fibonacci est formée à partir d'un 0 et d'un 1. On additionne les deux derniers chiffres pour arriver au prochain : 0 1 1 2 3 5 8 13 21 34 55 89 144 et ainsi de suite. Au fur et à mesure que les valeurs augmentent, le ratio de 1 pour 1,6 entre les nombres consécutifs se rapproche de plus en plus du nombre d'or absolu.

Découverts par Leonardo Fibonacci ou Léonard de Pise (1175-1250), les nombres de Fibonacci se retrouvent un peu partout dans la nature : dans le nombre moyen de pétales des fleurs, dans la manière dont se développent les branches et les feuilles des arbres, dans les motifs que forment les graines du tournesol et dans d'autres spirales communes.

REMERCIEMENTS

Plusieurs amis et collègues ont soutenu l'écriture de ce livre. Je suis profondément redevable à chacun d'entre eux pour leurs bonnes idées, leurs suggestions constructives et leurs encouragements. Je voudrais remercier spécialement Nicola Vulpe pour ses nombreuses lectures du manuscrit au cours des différentes étapes de sa gestation. Sa patience et sa générosité dépassent le devoir d'un ami. Je suis également très reconnaissant d'avoir reçu les providentielles annotations de Chris Scott, qui a lu le texte dès le début et grandement contribué à la direction qu'il a prise. Ses remarques d'une grande intelligence pourraient servir de commentaire sur le roman.

Je suis par ailleurs heureux de remercier John Blackmore pour sa lecture du roman et ses nombreuses et excellentes suggestions. De plus, la lecture et les notes de mon frère Ren Frutkin et de sa femme, Ann Berger Frutkin, constituent une contribution remarquable au texte final. Je tiens aussi à remercier Bozica Costigliola et Biagio Costigliola pour leur regard perspicace, en particulier sur ce qui touche l'Italie, ainsi que Henry Chapin, Alan Cumyn et Suzanne Evans pour leur brillante lecture. Merci également à Jeff Street pour ses conseils sur les nuits étoilées, et à Samuel Kurinsky, directeur de la Hebrew History Federation à New York, qui m'a fourni des renseignements très utiles. Merci à Gaspar Borchardt, de Crémone, en Italie, de m'avoir offert ses judicieuses impressions sur les violons et leur fabrication, et à la ville de Crémone pour son aimable hospitalité.

Personne n'a eu une plus grande influence sur ce livre que Diane Martin, mon éditrice chez Knopf Canada. Son travail acharné, sa vision et son enthousiasme pour le projet lui ont donné des ailes. Et, bien sûr, la méticulosité et la précision de la réviseure Gena Gorell ont été fort appréciées. Je voudrais aussi remercier mon agente, Carolyn Swayze, qui a apporté son soutien au livre dès le début. Enfin, comme toujours, je dois remercier ma lectrice la plus proche, mon éditrice préférée : Faith Seltzer. Comme toujours, son soutien indéfectible m'est essentiel. Merci aussi à Elliot d'avoir été là, et de m'avoir aidé dans le choix du titre.

Je suis certain que je pourrais remercier bien d'autres personnes pour leur contribution ou leurs commentaires et leurs informations. Je m'excuse si j'ai oublié quelqu'un. Je voudrais ajouter que je suis seul responsable de toute erreur factuelle ou de jugement et que cela n'a rien à voir avec les amis et collègues mentionnés ici. Merci à tous.

Composition : Hugues Skene
Conception graphique : Estée Preda, Antoine Tanguay et
Hugues Skene (KX3 Communication)
Révision linguistique : Sophie Marcotte
Correction d'épreuves : Véronique Desjardins

Éditions Alto
280, rue Saint-Joseph Est, bureau 1
Québec (Québec) G1K 3A9
editionsalto.com

ACHEVÉ D'IMPRIMER
À L'IMPRIMERIE GAUVIN
EN OCTOBRE 2017
POUR LE COMPTE DES ÉDITIONS ALTO

GARANT DES FORÊTS
INTACTES

L'impression du *Saint Patron des merveilles* sur papier
Rolland Enviro100 Édition plutôt que sur du papier vierge a permis
de sauver l'équivalent de 17,53 arbres, d'économiser 64 018,35 litres d'eau
et d'empêcher le rejet de 784,78 kilos de déchets solides
et de 2578,49 kilos d'émissions atmosphériques.

PERMANENT   100 %

Dépôt légal, 4e trimestre 2017
Bibliothèque et Archives nationales du Québec
Bibliothèque et Archives Canada